LA FAMILIA PRESIDENCIAL

El gobierno del cambio
bajo sospecha de corrupción

ANABEL HERNÁNDEZ
ARELÍ QUINTERO

LA FAMILIA PRESIDENCIAL

El gobierno del cambio bajo sospecha de corrupción

Grijalbo · ACTUALIDAD

LA FAMILIA PRESIDENCIAL
El gobierno del cambio bajo sospecha de corrupción

© 2005, Anabel Hernández y Arelí Quintero

2a reimpresión, 2005

Ilustración de portada: José Hernández

D.R. 2005, Random House Mondadori, S.A. de C.V.
    Av. Homero No. 544, Col Chapultepec Morales,
    Del. Miguel Hidalgo, C.P. 11570, México, D.F.

www.randomhousemondadori.com.mx

ISBN 968-5958-84-X

Impreso en México /*Printed in Mexico*

Índice

Presentación

El auténtico cambio en México no significa que ya no haya funcionarios corruptos ni familiares incómodos; significa que esas prácticas no queden impunes.

El verdadero cambio en México no significa que no haya casos de abuso de poder, fraude y tráfico de influencias; significa que la sociedad pueda denunciar abiertamente los hechos, con su nombre y apellido, sin temor a las represalias.

ANABEL HERNÁNDEZ y ARELÍ QUINTERO

Si usted es de los que cree en el discurso de transparencia y honestidad del autodenominado *gobierno del cambio*, si es de los convencidos de que Vicente Fox Quesada es un hombre a quien no le han permitido hacer nada, si se enternece cada vez que Vicente y Marthita se besan en público y le encanta leer los detalles de su "historia de amor", si se le anegan de lágrimas los ojos cada vez que la primera dama sale a defender a sus hijos, si coincide con el presidente en que él y su esposa duermen "muy tranquilos" en la acogedora y austerísima cabaña presidencial, si en verdad lo cree, por favor, no lea este libro; ciérrelo en este momento, porque no lo dejará creer más en eso.

Este trabajo es el resultado de una rigurosa investigación periodística concerniente al matrimonio Fox-Sahagún, sus hermanos, hijos, sobrinos y amigos. Todos ellos conforman lo que en el foxismo puro se denomina *la familia presidencial,* aquellos que en este sexenio han compartido el poder y lo ejercen.

En este trabajo documentamos cómo, durante la administración foxista, los integrantes de *la familia presidencial* han acumulado una riqueza inexplicable, luego de haber iniciado la administración en evidente bancarrota personal.

Mientras la mayor parte de los trabajadores y empresarios mexicanos ha intentado sobrevivir a una apretada situación económica, *la familia presidencial* vive los mejores años de bonanza en su vida.

A veces los personajes en el poder le apuestan a que no haya testigos de sus transformaciones. Por suerte, algunos presenciamos el antes y el después y como reporteras queremos compartir lo que vimos, anotamos e investigamos.

Conocemos a los protagonistas de esta historia desde hace más de seis años, cuando todos ellos aspiraban al poder.

Como periodistas cubrimos la precampaña y campaña presidenciales de Vicente Fox Quesada. Así conocimos también a Martha Sahagún Jiménez. No olvidamos la peculiar manera de presentarse que tenía la encargada de comunicación social de la campaña. En la primera charla sostenida con ella se echó a llorar hablando sobre la supuesta vida de maltrato y abuso durante su anterior matrimonio y reveló ser la pareja sentimental del candidato Fox.

Tampoco se borra de nuestra memoria la imagen de Martha Sahagún haciendo alarde de su relación íntima con Vicente Fox. La vimos a bordo de *la Tepocata* —así llamábamos los periodistas al autobús que transportaba a Fox en sus periplos en busca del voto— y en eventos públicos, masticando pastillas *Halls* para

10

luego dárselas en la boca al candidato presidencial ante las miradas de asco de todos los presentes. La escuchamos compartir con reporteras sus bromas pícaras cuando describía a su pareja sentimental, Vicente Fox, como un "hombrón" cuando aparentemente sólo era la vocera del candidato.

Antes de seguir, aclaramos que en la presente investigación periodística nos referimos a la esposa del presidente por su nombre legal, Martha con "h", porque de esa manera está asentado en su acta de nacimiento y, por tanto, así la llamaremos.

A lo largo de cinco años hemos ido recopilando datos, información y cualquier pista que dé una explicación acerca de la metamorfosis económica de la familia presidencial. Algunas dudas fueron resueltas, mientras que otras son asuntos que sólo ellos deberían responder en una auténtica rendición de cuentas, de cara al cambio que pregonan.

Ejemplos de la mutación casi milagrosa hay muchos:

Ahí está Manuel Bribiesca Sahagún: hace apenas cinco años pepenaba basura en los tiraderos de León y Celaya, pero hoy vuela en un Lear Jet con un valor de más de un millón de dólares y construye lujosísimos conjuntos residenciales y cientos de casas de interés social. Por la venta de cada una, según dijo él mismo, se lleva 45 000 pesos libres.

Martha Sahagún Jiménez: hace ocho años tenía que pedir préstamos como empleada del gobierno de Guanajuato para hacer frente a sus necesidades económicas. Y hoy pretende hacernos creer que los costosísimos trajes Chanel y las suntuosas joyas Cartier, Tiffany y Berger, valuadas en cientos de dólares, han sido el *glamour* rutinario de toda su vida.

Vicente Fox Quesada: hace cinco años tenía en la hacienda de San Cristóbal una casa desvencijada, cuya cañería se desbordaba cada vez que la fosa séptica no daba para más. Hoy esa casa es una hermosa residencia de cantera y finas maderas, cuya alberca y *jacuzzi*, mediante un ingenioso diseño arquitectónico, parecen la extensión del hermoso y transparente lago ubicado al centro del jardín.

Vicente Fox de la Concha: al inicio del sexenio tenía inconclusos sus estudios de preparatoria y vivía en el viejo rancho de la hacienda de San Cristóbal. Hoy vive en una magnífica residencia localizada en una de las mejores colonias de León, Guanajuato.

Qué decir de Jorge Alberto Bribiesca Sahagún, otro joven mexicano sin terminar estudios universitarios: hace unos años ayudaba a su hermano en la pepena y hoy es socio de una compañía transnacional de exportación de mango y aguacate, que lleva a vender al extranjero hasta 475 toneladas de aguacate Hass.

A lo largo de esta investigación periodística hemos escuchado un argumento común que quizá sea el mismo en el que usted está pensando en este momento: ¿se enriquece la familia del presidente?, ¿qué tiene de nuevo eso?, ¿no todos los presidentes y sus familias hacen lo mismo?, ¿no están ahí los excesos de doña Carmen Romano (entonces esposa de José López Portillo), quien solía viajar con su piano por todo el mundo?, ¿y los hijos de Miguel de la Madrid?, ¿y Raúl Salinas de Gortari?

Las autoras de esta investigación nos preguntamos y preguntamos al lector: ¿debe seguir sucediendo esto?, ¿debe ser indiferente la sociedad a esos hechos, víctima de la rutina del saqueo de cada sexenio?

Decidimos hacer esta investigación porque creemos que el ejercicio periodístico no se basa en simpatías o antipatías personales. Su objetivo es revisar todo aquello que hacen quienes están obligados a rendir cuentas a la ciudadanía sobre todos sus actos.

En los últimos seis años hemos centrado nuestra atención como periodistas en seguir los pasos de Vicente Fox y Martha Sahagún y hemos hecho los descubrimientos que han marcado el sexenio, como el anuncio anticipado de la boda de Fox y Sahagún

(*El Economista*, 2000), el "Toallagate" (*Milenio Diario*, 2001), el "Glamour en Los Pinos" (*El Universal*, 2003), el presunto tráfico de influencias de empresarios que apoyaron la campaña presidencial —como Eduardo y Rosaura Henkel— (*El Universal*, 2004), y las joyas secretas de Vamos México, que después se convirtieron en plumas (*El Independiente*, 2004).

Sin embargo, no escogimos a Vicente ni a Martha y sus familiares como objeto de nuestra investigación cotidiana por ser *como* son, sino por ser *quienes* son: la familia presidencial.

Si Vicente Fox se hubiera quedado como encargado de los negocios de su familia para seguir manteniéndolos en quiebra y si Martha Sahagún todavía fuera la señora que vendía queso ranchero en el expendio La Canasta, no hablaríamos de ellos, sino de quienes hoy ocuparían el sitio en el que Vicente, Martha y sus familias están ahora.

Pero como no es así, sino que ellos habitan hoy la residencia oficial de Los Pinos, dichas personas se convierten en protagonistas involuntarios de nuestra investigación.

En el transcurso de la lectura de esta historia, el lector encontrará a ciudadanos cuyo valor civil les impide permanecer callados. Habrá quienes quieran callar esas voces ciudadanas, que están hartas de la monotonía de la corrupción. ¿Usted no está cansado? Es tiempo de hablar.

Ésta es la historia de *la familia presidencial*: la corrupción en los tiempos del cambio.

1. La Gorda Atorada del presidente

En medio del semidesértico paisaje lleno de nopal, huizache y tepetate, donde sería imposible que floreciera algo, a las faldas de un cerro nace un majestuoso manto de sembradíos azules, verdes y amarillos, el cual se extiende colina arriba más allá de lo que la vista puede abarcar.

Más de 300 hectáreas —el equivalente a la mitad del Bosque de Chapultepec— integran la majestuosa propiedad localizada en Nuevo Jesús del Monte, San Francisco del Rincón, Guanajuato. Una tercera parte está dedicada a la siembra de agave azul. Los miles de magueycitos tendrán unos tres años de edad y su valiosísima savia estará madura en cuatro años más.

Las centenas de cactáceas añiles se acomodan armónicamente escalando el cerro a través de terrazas. En cada una ellas se extienden pequeños estanques artificiales que cumplen la función de riego y de espejos que multiplican en miles los hermosos y bien cuidados agaves. No es un espejismo, aunque por momentos parezca que uno no está en medio de las áridas y pobres tierras de esta región de Guanajuato, sino en las húmedas planicies de Los Altos de Jalisco.

Cualquiera que haya pasado por La Gorda Atorada —como se le llama popularmente a esta comunidad— o que conozca por lo menos la orografía y el clima del lugar puede entender que esta hermosa vista es producto de algo más que un milagro.

Conforme se extiende la mirada sobre el inmenso terreno, aparecen nuevas imágenes. En el lado este de la propiedad hay unas 100 hectáreas de verde intenso cuidadas con aspersores de riego artificial que se asemejan a las delgadas alas de una libélula. Aquí se siembra papa, cebolla y ajo. El brillante verdor es insultante, sobre todo si uno mira a los alrededores, donde todo es polvo y matorrales. Vaya, aquí hasta el suelo es diferente al del resto del lugar kilómetros a la redonda. En esta propiedad, la tierra es negra, rica y porosa, mientras que el resto del suelo de Nuevo Jesús del Monte es tan fértil como la arena.

El cerro es coronado por una espectacular casa de adobe cocido, cantera y tejas rojas, desde donde se domina el valle. De los grandes ventanales de marcos de madera cuelgan blanquísimas cortinas. El techo del porche es sostenido por vigas y fuertes columnas de cantera gris, y los escalones para entrar a ella están formados por enormes durmientes que un día sirvieron para las vías de algún tren.

Desde ese lugar se alcanzan a apreciar las florecillas color mostaza que dan tintes amarillos al paisaje. Es el único sitio donde se ven flores porque es el único con riego. El agua se lleva en unos enormes tubos de acero plateado que bajan desde lo alto del cerro. La tubería, de unos 30 centímetros de diámetro, está rotulada con el apellido del dueño de la finca. Para que no quede la menor duda de quién es el propietario: Fox.

Sin embargo, ése no es el rancho de la hacienda de San Cristóbal, adonde llegan las protestas de ex braceros o perredistas y donde se supone que el presidente mexicano pasa los fines de semana. Éste es otro, el que no aparece en ninguna de las declaraciones patrimoniales del primer mandatario, el que ha ido construyendo desde el inicio del sexenio y donde se debió invertir una fortuna sin que hasta ahora se pueda entender de dónde provienen tantos recursos.

Aquí llega Vicente Fox casi cada fin de semana, mientras hace creer a la opinión pública, a la sociedad y a los manifestantes que va a su "rancho oficial". Llega ahí acompañado de su esposa Martha Sahagún, sus hijos, sus amigos más íntimos y su nieto Vicente III.

Este lugar es donde piensa vivir cuando ya no se siente en la silla presidencial, e incluso está diseñado con detalles muy similares a las cabañas que mandó construir en la residencia oficial, quizá para que no añore su estancia en Los Pinos.

Hasta ahora, esta finca aparece en las declaraciones patrimoniales del presidente como un "terreno" en "domicilio conocido", en Estancia de Vaqueros.

El lugar es mucho más que un terreno.

* * *

El rancho secreto del presidente Fox se llama La Estancia y se halla conformado por varios terrenos de su propiedad, según se constató en el Registro Público de la Propiedad de San Francisco del Rincón.

La Estancia se localiza sobre la carretera León-Cuerámaro, a 4 kilómetros adelante del "rancho oficial" del presidente. Y si se afina bien la mirada, desde la carretera se podrán apreciar los enormes plantíos de agave.

El acceso es por la desviación a Nuevo Jesús del Monte, cuyo camino está pavimentado hasta unos metros antes de llegar al pequeño quiosco de la comunidad. Si se rodea, se toma un camino de terracería que sale de la iglesia del Niño de las Palomitas y a escasos metros inician los linderos de la propiedad del jefe del Ejecutivo.

Por esa brecha se llega a la entrada principal de la finca, que está flanqueada por una sencilla reja con el letrero de "propiedad privada". Unos metros hacia adentro, del lado derecho hay una casa de piedra que sirve de caseta para los guardias del lugar, y del lado izquierdo están los corrales.

Hay una centena de reses, aparte de las vacas fugitivas, que de vez en cuando escapan del rancho y se deben perseguir por el monte; también venados, llamas de Perú, avestruces y borregos que balan acompasadamente. El presidente tiene seis caballos "broncos" y tres peruanos pura sangre que no están a la vista, y los encargados del lugar aseguran que son del uso exclusivo del jefe del Ejecutivo.

Pasando los corrales hay una caballeriza de paredes de piedra altísimas y de teja roja. A espaldas de la cuadra aparece un cortijo de piedra, donde de vez en cuando el presidente y su familia improvisan corridas de toros con vaquillas.

Montaña arriba existe una noria de agua limpia y transparente, con un diámetro de poco más de 4 metros y borde de cantera. A su alrededor hay pasto verdísimo y bancas para usarlas en un día de campo. De este pozo salen kilómetros de tubería para el riego de los sembradíos.

Además de la casa principal hay otra con iguales características, aunque un poco más chica. Las dos tienen porche con sendos sillones, desde donde se pueden contemplar justo bajo los pies las empresas y propiedades de la familia: los viveros de El Cerrito, la fábrica de Congelados Don José y la hacienda de San Cristóbal. Parecen evocar las dos casas a las llamadas "cabañitas acogedoras" de Los Pinos: son del mismo estilo arquitectónico.

El resto de la propiedad del primer mandatario es sólo monte con mezquite, huizache, nopal y pirul, por donde suele montar.

El silencio sepulcral del lugar sólo es roto por el graznido de una docena de hermosos patos de plumaje azul y verde que nadan en el lago artificial inserto en el único extremo desértico que hay en la propiedad. El lago está rodeado de árboles de pirul que ofrecen una fresca sombra bajo los rayos candentes del sol.

* * *

Este paisaje no siempre fue así, sino que se ha transformado en un lugar extraordinario a partir de que Vicente Fox asumió la Presidencia de la República.

Hace apenas cuatro años, la propiedad era tan gris, seca e improductiva como el resto de las tierras de los pequeños agricultores de La Gorda Atorada.

Los vecinos del lugar afirman que La Estancia no era más que un pedazo de cerro seco, sin mucho valor, y que tiempo atrás había sido propiedad de la familia Fox. Según testimonios recabados entre amigos y colaboradores del presidente, para Vicente Fox estos terrenos tienen un gran valor sentimental.

Parte de los terrenos del primer mandatario en Estancia de Vaqueros pertenecieron a la ex hacienda de San Cristóbal. Habían sido propiedad de su abuelo y de su padre don José Fox, quien es recordado en estos lugares como un hombre de excelente humor, dicharachero y folclórico, quien con sólo un par de copas se ponía a echar flores a cuanta dama veía. Aseguran que era muy solidario con sus dos mejores amigos: Miguel Díaz Infante y Eduardo Gómez.

El jefe del Ejecutivo ha confiado a sus más allegados que su padre lo traía a montar a estos terrenos cuando era niño: "ésos han sido los momentos más felices de mi vida" ha dicho el presidente.

En un recorrido por las inmediaciones del rancho La Estancia, vecinos del lugar recuerdan que en diciembre de 2000, cuando Fox inició su administración, esos terrenos estaban abandonados, no había nada: ni sembradíos, ni agave, ni animales, ni laguitos, ni nada, sino sólo un diminuto ojo de agua.

"Era puro monte", asegura doña Martha Medel Martínez, quien vive a escasos metros del lugar, en una pequeña casa de ladrillo, señalando hacia el terreno de ella, disparejo, lleno de piedra y huizache.

"Aquí no había nada, todo era monte y estaba igual de seco que el resto del lugar; hasta que Fox se hizo presidente fue cuando comenzó a arreglar el lugar", recuerda doña Juana, vecina de La Gorda Atorada.

Al preguntar a ex funcionarios del gobierno de Guanajuato, muy cercanos al ahora jefe del Ejecutivo, comentaron que Fox compró los terrenos en 1999, pero hasta que tomó posesión como presidente comenzó a arreglar el sitio.

"Era un lugar feo y polvoriento", asegura uno de los altos funcionarios de Fox durante su gubernatura, "ahora no sé cómo está, dicen que ha cambiado mucho".

Uno de los ex guardias de seguridad personal de Vicente Fox —cuando éste era candidato a la Presidencia— comenta que en el rancho La Estancia no había lugar ni para sentarse.

"Veníamos a montar a caballo en el cerro; al jefe le gustaba mucho venir. Él se montaba en su caballo y teníamos que seguirlo también a caballo. Pero no había nada, ni siquiera una banquita para sentarse. Sólo había una casita destartalada, en donde se quedaba el cuidador, y un corralito.

"El jefe quiere mucho esas tierras. A veces organizaba comidas con dos o tres de sus mejores amigos, a quienes les enseñaba el lugar y teníamos que comer parados unos tacos que mandaba traer."

El entonces guardia personal recuerda que hasta el acceso a la propiedad era difícil: "Después de la iglesia ya no había camino, sólo una vereda angosta que en época de lluvias se hacía muy lodosa y no se podía pasar. El camino hasta la entrada del rancho no existía".

Todo cambió radicalmente en los primeros meses del sexenio de Vicente Fox, pese a que estaba prácticamente en bancarrota, al igual que su familia.

* * *

A mediados de 2001 comenzaron a construir en La Estancia dos casas, de las cuales, hasta la declaración patrimonial presentada en mayo de 2005, Fox no ha informado como parte de sus nuevos bienes inmuebles adquiridos durante el sexenio.

Como se mencionó, son muy parecidas en concepto y acabados a las cabañas de la residencia oficial de Los Pinos, donde viven el presidente, su esposa y sus hijos: Ana Cristina, Vicente, Paulina y Rodrigo Fox de la Concha.

La similitud no es una casualidad. Ambas fueron diseñadas por el mismo arquitecto: Humberto Artigas del Olmo, según el testimonio ofrecido por quienes presenciaron la construcción en La Estancia.

Qué coincidencia: mientras Artigas del Olmo obtuvo un contrato millonario en Los Pinos sin licitación pública de por medio, en ese periodo diseñaba y vigilaba los detalles de la construcción del rancho secreto del presidente.

En diciembre de 2000 y enero de 2001, Artigas del Olmo obtuvo un contrato de 61.8 millones de pesos para hacer las remodelaciones en Los Pinos, según información proporcionada por la Unidad de Enlace y Transparencia de la Presidencia en junio de 2003. El contrato le fue dado por adjudicación directa, con el argumento de que era un asunto de "seguridad nacional".

Artigas del Olmo se encargó de remodelar en Los Pinos las cabañas, obras exteriores, la residencia Miguel Alemán y la llamada "casa anexa".

El arquitecto presidencial es conocido gracias a la trayectoria de su padre, don Francisco Artigas, quien en la década de los ochenta era conocido por ser el arquitecto de los ricos. Igualmente tenía la habilidad para hacer ranchos en la Marquesa, en el Distrito Federal, que diseñar espacios comunitarios.

Humberto Artigas fue llevado a Guanajuato por el ex gobernador Juan José Torres Landa (1961-1967) para hacer trabajos de remozamiento en los subterráneos de la capital del estado, considerada patrimonio de la humanidad, así como para diseñar plazas públicas y culturales que le dieran más vida a la ciudad. Artigas padre hizo plazuelas como la de El Quijote y la Hidalgo. Su hijo heredó el prestigio y el buen gusto.

Según testigos de la construcción, Humberto Artigas del Olmo diseñó y revisó los trabajos de construcción en La Estancia, pero los ejecutó la constructora del amigo incondicional del presidente, José Cosme Mares Hernández, quien a lo largo del sexenio ha ganado importantes contratos para la construcción de carreteras y a quien se le señala como prestanombres de Vicente Fox en la compra de la playa El Tamarindillo en Michoacán, según denunció la revista *Proceso* en marzo de 2005.

Con su maquinaria especializada para construir carreteras, Mares Hernández mejoró el acceso al rancho de su amigo y convirtió la brecha lodosa en un camino amplio de terracería, según dijeron testigos de los hechos.

Mares Hernández fue el encargado de emparejar el terreno para realizar las construcciones y abrió el monte para construir los caminos de acceso interno hacia las dos cabañas de la propiedad.

Artigas del Olmo y Mares Hernández han sido a lo largo del sexenio los ejecutores de los proyectos de construcción de la familia presidencial.

✳ ✳ ✳

Para todo el mundo, amigos, colaboradores e incluso para ex funcionarios que trabajaron con él en el gobierno de Guanajuato y que han sido entrevistados es un misterio cómo Vicente Fox pudo comprar la propiedad y convertirla en la prodigiosa finca que es ahora.

Las constantes modificaciones en las escrituras que se encuentran en el Registro Público de la Propiedad de San Francisco del Rincón hacen casi imposible saber con exactitud la fecha y el monto erogado por Fox para quedarse como propietario.

Según el testimonio dado por quienes estuvieron muy cerca de la adquisición de los terrenos, Vicente Fox se hizo de una parte de La Estancia en 1999. Tal versión fue corroborada por la declaración patrimonial del presidente presentada en 2004, en la cual se asienta que el mandatario adquirió la propiedad —230 hectáreas— en 1999 por 311 000 pesos.

De acuerdo con los ingresos y egresos registrados en las declaraciones patrimoniales de Fox, revelados en la página de internet aún existente (vicentefox.org.mx), queda claro que el primer mandatario no tenía dinero suficiente para comprar el terreno.

El entonces precandidato presidencial declaró que en 1998 tuvo ingresos por 1.5 millones de pesos, pero todo lo gastó y sólo pudo ahorrar 10 197 pesos. Dijo que, entre otras cosas, pagó 74 000 pesos de "hipoteca" y 228 000 pesos en "tarjetas de crédito"; 379 000 pesos en "donaciones para adquisiciones de dependientes económicos" y 758 974 pesos en el pago de "impuestos, derechos, colegiaturas, manutención y gastos médicos".

En la "última declaración patrimonial" (así dice en el documento), correspondiente a 1999, Vicente Fox informó que no recibió herencias ni donaciones y declaró en ceros la adquisición de bienes inmuebles, muebles y/o semovientes. Es decir, según dicha declaración, en ese año no compró La Estancia. Asimismo informó que gastó prácticamente todos sus ingresos del año, 1.2 millones de pesos, y sólo pudo ahorrar 12 572 pesos.

En mayo de 2004, casi cinco años después de la compra, en su declaración patrimonial Fox asentó que adquirió el terreno de La Estancia el 1 de marzo de 1999 y que pagó el valor de adquisición de 311 000 pesos.

Una de las versiones recabadas explica que para adquirir el terreno, el entonces aspirante a la Presidencia pidió a empresarios amigos suyos que se lo compraran porque él no podía. Sus camaradas le dieron gusto y pagaron la cantidad de poco más de dos millones de pesos al entonces propietario del terreno, don Alipio Bibriesca Tavares, originario de La Piedad, Michoacán, por medio de cheques que salieron de diferentes cuentas bancarias.

El dinero no fue en calidad de préstamo, sino como un "regalo" de dichos empresarios, según fuentes directamente involucradas. Para aclarar esto, se entrevistó a Alipio Bibriesca Tafoalla, hijo de Bibriesca Tavares. Su padre falleció apenas en diciembre de 2004.

Explicó que su padre vendió el terreno, pero que éste estaba a nombre de él y un cuñado llamado Antonio Martín del Campo. En entrevista señaló:

> Es un terreno que como aprovechamiento no tenía ninguno, es cerril totalmente. Nosotros teníamos previsto en alguna ocasión hacer una granja porcícola por ahí, pero, la verdad, nuestro problema era la deficiencia de agua. Teníamos un ojo de agua, uno pequeñito allá arriba, pero no daba ni media pulgada, no servía para nada, estaba en la parte más alta del terreno.
>
> La propiedad sólo tenía unos cercos viejos para corral, no tenía ninguna construcción. Nunca sembramos nada porque todo era huizache; la bomba del pozo estaba colapsada y se necesitaba hacer una inversión muy grande.

Afirmó que el mediador de la transacción fue José Fox Quesada y que no recuerda en cuánto vendió su padre el terreno, pero aún conserva en la memoria que el pago fue hecho con varios cheques.

"A mí me dieron varios cheques; no supe de quién eran", aseguró.

* * *

Aunque el presidente asienta en sus declaraciones patrimoniales (2001-2004) que sólo tiene "un terreno" en Estancia de Vaqueros, en realidad es propietario de tres, según el "certificado de propiedad" entregado por el Registro Público de la Propiedad de San Francisco del Rincón el 5 de abril de 2005 (véase anexo 1).

En 1999, Vicente Fox se hizo dueño de 230 hectáreas de La Estancia. Al predio se le asignó el registro 1185. El registro más viejo sobre el anterior propietario del terreno es el del 22 de marzo de 1999, cuando la hija del presidente, Ana Cristina Fox de la Concha —quien apenas tenía 17 años—, hizo una "donación simple" del terreno a favor de su padre. Después, el 24 de noviembre de 1999, Fox y sus hermanos firmaron un "contrato de comodato", en el que el "comodante" es Vicente Fox y el "comodatario" es El Cerrito, S.P.R. de R.L., empresa fundada por los hermanos Fox Quesada en 1984 y que hasta la fecha sigue perteneciendo a la familia.

En los registros correspondientes a ese terreno, el 25 de septiembre de 2001, Fox y sus hijos Ana Cristina y Vicente solicitaron el registro de un "fideicomiso de inversión fiduciario", abierto en Banamex. El propietario del banco era Roberto Hernández, amigo y ex compañero de estudios del presidente en la Universidad Iberoamericana.

El fideicomiso, hasta hoy vigente, tiene por objeto el "fomento a la micro y pequeña empresa mediante el otorgamiento de créditos y otros servicios". Tiene una duración de 30 años y no se especifica el monto del fideicomiso.

Después, el 15 de diciembre de 2004, Vicente Fox Quesada vendió la propiedad a su sobrina María Paola Fox Lozano (hija de

ANEXO 1

 Secretaría de Gobierno

GOBIERNO DEL ESTADO DE GUANAJUATO

REGISTRO PÚBLICO DE LA PROPIEDAD Y DEL COMERCIO

FOJA REGISTRAL

26542

**REGISTRO PUBLICO DE LA PROPIEDAD Y DEL COMERCIO
DE SAN FRANCISCO DEL RINCON, GTO.**

CERTIFICADO DE PROPIEDAD

SAN FRANCISCO DEL RINCON, GTO. A 4 DE ABRIL DEL 2005

EL CIUDADANO LIC. GUILLERMINA EDITH RUIZ VALADEZ, REGISTRADOR PUBLICO DE LA-----
PROPIEDAD Y EL COMERCIO DE ESTE PARTIDO JUDICIAL, CON FUNDAMENTO EN LOS---------
ARTICULOS 2,494 Y 2,516 DEL CODIGO CIVIL DEL ESTADO Y 101, 107, 3, 7, 108, 111 Y
112 DEL REGLAMENTO DEL REGISTRO PUBLICO DE LA PROPIEDAD----------------------

C E R T I F I C A

QUE HABIENDOSE REALIZADO UNA BUSQUEDA EN LOS LIBROS Y EL SISTEMA DE COMPUTO DE-
ESTA OFICINA SE ENCONTRO QUE VICENTE FOX QUESADA TIENE COMO   ---------
PROPIEDAD:--
SIETE INMUEBLES QUE SE ENCUENTRAN DESCRITOS EN LOS SIGUIENTES REGISTROS QUE SE--
DETALLAN ACONTINUACION:1.-R31*10229, 2.-R31*704, 3.-R31*700, 4.-R31*1257,-------
5.-R31*1256, 6.-R31*1185 Y 7.-R31*1040 PERTENECIENTE AL MUNICIPIO DE SAN--------
FRANCISCO DEL RINCON, GTO.--

A PEDIMENTO DE ANABEL HERNANDEZ GARCIA, EXPIDO EL PRESENTE CERTIFICADO EN LA----
CIUDAD DE SAN FRANCISCO DEL RINCON, GTO., A 4 (CUATRO) DIAS DEL MES DE ABRIL DEL
2005 (DOS MIL CINCO)--
DOY FE. DERECHOS 109.2--
11.AAA31 SOLICITUD: 26542 <MGFC31/AAA31>--------------------------------

PARTIDO JUDICIAL
SAN FRANCISCO
DEL RINCON, GTO.

31 050416 - 50,417

Constancia del número de propiedades de Vicente Fox Quesada en San Francisco del Rincón y que no coincide con las señaladas en su declaración patrimonial.

José Luis Fox) por la irrisoria cantidad de 150 000 pesos, menos de la mitad de lo que se había pagado por el predio en 1999 —según su declaración patrimonial de 2004— y menos de la décima parte de lo que pagaron sus amigos empresarios (dos millones de pesos) a don Alipio Bibriesca Tafoalla.

La sobrina de Fox disfrutó por poco menos de 24 horas la propiedad. Al día siguiente, el 16 de diciembre de 2004, Banamex "revierte la propiedad del inmueble a favor del licenciado Vicente Fox Quesada".

Hasta el 5 de abril de 2005, el predio de 230 hectáreas está a nombre de Vicente Fox Quesada.

El segundo terreno en Estancia de Vaqueros a nombre del mandatario —al que le corresponde el registro 1 040— tiene una extensión de 12.89 hectáreas. Al norte colinda con la propiedad de Manuel Hernández, al sur con la de Martín Obregón y al oriente con la de Jesús del Monte.

La propiedad era parte de los terrenos de Primitivo León Barroso, José Loreto Gaytán Meza, Eduardo Navarro Alcaraz y Juan Arturo Aguirre.

Sin el registro de cómo y por cuánto compró Fox las 12.89 hectáreas, sólo se informa que Ana Cristina Fox donó la propiedad a su padre "en forma gratuita" el 22 de marzo de 1999. El 12 de enero de 2001, Fox formó un nuevo fideicomiso con sus hijos Ana Cristina y Vicente. Ahora el fiduciario es Banco Internacional de México (actualmente Banorte) con las mismas características que el anterior.

Hasta el 5 de abril de 2005, el predio, de 12.89 hectáreas, está a nombre de Vicente Fox Quesada.

El presidente de la República compró el 15 de diciembre de 2004 un tercer predio en Estancia de Vaqueros, llamado Predio La Silleta. Colinda con el ejido San José de la Barranca y con su propiedad el rancho La Estancia. Este nuevo predio mide 60 hectáreas y tiene el registro número 10 229. Fox lo compró a Efraín Padilla González por dos millones de pesos, según quedó asentado en el Registro Público de la Propiedad.

Hasta aquí, oficialmente, el presidente Fox es dueño de 304 hectáreas en La Estancia.

En su última declaración patrimonial, presentada el 10 de mayo de 2005, Fox volvió a dejar fuera la existencia del rancho La Estancia. Sólo declaró que había vendido un terreno en Guanajuato por 150 000 pesos, sin especificar dónde exactamente, y que había comprado otro, asimismo en Guanajuato —también sin especificar dónde— por dos millones de pesos.

* * *

En la declaración patrimonial de Fox, entregada a la Secretaría de la Contraloría de la Federación el 30 de enero de 2001, para informar sobre su situación económica al inicio del sexenio, el jefe del Ejecutivo reveló que aparte de su recién adquirido sueldo de 146 000 pesos mensuales, él recibía 60 000 pesos mensuales por su "actividad industrial y comercial" (véase anexo 2).

Declaró que tenía un departamento en Avenida Guanajuato número 105, en el fraccionamiento Jardines del Moral, en León, Guanajuato; un terreno en Estancia de Vaqueros, San Francisco del Rincón, domicilio conocido; una casa en el lote de terreno número 4, en la hacienda de San Cristóbal, San Francisco del Rincón; y que es propietario del lote número 2, en la misma hacienda. Estas dos últimas propiedades son lo que hasta hoy se conoce como el *rancho oficial* del primer mandatario.

El presidente sólo declaró tener dos inversiones y/o cuentas bancarias: una cuenta de cheques con un saldo de 854 661 pesos a la fecha en que tomó posesión, y un fondo de inversión en fideicomiso a favor de sus hijos por 1.7 millones de pesos. Además, aseguró que sólo poseía un automóvil Dodge Ram, modelo 1998, de sus dependientes económicos, y una motocicleta Honda, modelo 1998, también de sus dependientes.

Con los 206 000 pesos mensuales, Fox debía mantener a sus cuatro hijos, Ana Cristina, Vicente, Paulina y Rodrigo, y a su ex esposa, Lillián* de la Concha.

El 2 de julio de 2001, Fox se casó con la vocera Martha Sahagún Jiménez. Su gasto corriente debió aumentar considerablemente, sobre todo si se toman en cuenta los refinados gustos de la primera dama. La señora usa todos los días vestidos Chanel y Escada, joyas Berger, Cartier y Tiffany, y bolsos Hermès. Comenzó a usar tales marcas desde los primeros meses de casada y, según su dicho, "varias" son compradas por su marido.

El dinero le rindió muy bien al presidente.

En su declaración patrimonial de 2002 —correspondiente a todo el ejercicio de 2001 y difundida por la Presidencia— Fox reportó un ingreso anual total de 3.9 millones de pesos. De esos ingresos, dijo que 1.2 millones de pesos se los dio la empresa El Cerrito, propiedad de la familia Fox. Esto es sorprendente si se considera que era un negocio con muchos adeudos en el año 2000. Según reconoció públicamente Cristóbal Fox Quesada en ese año, las empresas de la familia, incluido El Cerrito, tenían adeudos con Fobaproa por 12.3 millones de dólares.

Con los 4.087 millones de pesos de ingresos que según la SFP reportó Vicente Fox en 2001 (ver cuadro p. 48), y sin mermar el saldo de su cuenta de cheques (891 000 pesos) ni el fondo de inversión (1.8 millones de pesos), pudo mantener el ritmo de vida de su esposa y de su hija Ana Cristina (quien también gusta de las selectas marcas de Louis Vuitton, Giorgio Armani y Versace). Compró una residencia en Contadero, delegación Cuajimalpa, para su ex esposa y sus hijos con un valor comercial superior a los

---

* Los medios usan Lilián porque así se pronuncia (N. del E.).

ANEXO 2

Declaración patrimonial de Vicente Fox Quesada rendida al iniciar el sexenio. FUENTE: Presidencia de la República. www.presidencia.gob.mx/?Art=4252 Orden=Leer

ANEXO 2 *(conclusión)*

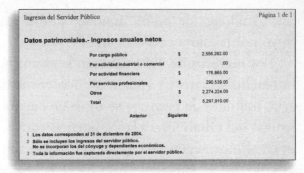

Datos patrimoniales.- Ingresos anuales netos

Por cargo público	$	2,556,282.00
Por actividad industrial o comercial	$	.00
Por actividad financiera	$	176,865.00
Por servicios profesionales	$	290,539.00
Otros	$	2,274,224.00
Total	$	5,297,910.00

Anterior   Siguiente

1 Los datos corresponden al 31 de diciembre de 2004.
2 Sólo se incluyen los ingresos del servidor público.
   No se incorporan los del cónyuge y dependientes económicos.
3 Toda la información fue capturada directamente por el servidor público.

Inversiones   Página 1 de 1

Datos patrimoniales.- Inversiones

Tipo de inversión	Saldo	Moneda
BANCARIA	$ 438,012.00	PESOS MEXICANOS
FONDOS DE INVERSION	$ 4,407,748.00	PESOS MEXICANOS

Anterior   Siguiente

1 Los datos corresponden al 31 de diciembre de 2004.
2 Los datos corresponden a la suma de las cuentas reportadas por tipo de inversión y moneda.
3 Sólo se incorpora la información reportada de cuentas o inversiones a nombre del declarante y del declarante y su cónyuge.
   No se incluyen las que están a nombre del cónyuge, dependientes económicos o de otros.
4 Los datos de origen fueron capturados directamente por el servidor público.

Bienes Inmuebles   Página 1 de 1

Datos patrimoniales.- Bienes inmuebles

Tipo de bien	Ubicación	Fecha de adquisición	Valor de adquisición	Moneda
CASA	11	02/08/1995	$ 220,193.00	PESOS MEXICANOS
TERRENO	11	28/07/1995	$ 22,300.00	PESOS MEXICANOS
CASA	09	09/08/2001	$ 2,000,000.00	PESOS MEXICANOS
TERRENO	11	19/02/2004	$ 2,000,000.00	PESOS MEXICANOS

Anterior   Siguiente

1 Los datos corresponden al 31 de diciembre de 2004.
2 Sólo se proporcionan los bienes que reportó el servidor público a nombre del declarante o del declarante y su cónyuge.
   No se incluyen los bienes declarados a nombre de su cónyuge, sus dependientes económicos o de otros.
3 Toda la información fue capturada directamente por el servidor público.

Bienes Muebles   Página 1 de 1

Datos patrimoniales.- Bienes muebles

Tipo de bien	Descripción del bien	Valor de adquisición	Moneda	Fecha de adquisición
MENAJE DE CASA	VARIOS	$ 1,719,050.00	PESOS MEXICANOS	
OTROS	ACCIONES	$ 941,016.00	PESOS MEXICANOS	26/07/2001
OTROS	ACCIONES	$ 1,970,227.00	PESOS MEXICANOS	20/12/2002
OTROS	ACCIONES	$ 3,205,819.00	PESOS MEXICANOS	30/04/2003
OTROS	ACCIONES	$ 796,095.00	PESOS MEXICANOS	30/12/2004

Anterior   Siguiente

1 Los datos corresponden al 31 de diciembre de 2004.
2 Sólo se proporcionan los bienes que reportó el servidor público a nombre del declarante o del declarante y su cónyuge.
   No se incluyen los bienes declarados a nombre de su cónyuge, sus dependientes económicos o de otros.
3 Toda la información fue capturada directamente por el servidor público.

Última declaración patrimonial de Vicente Fox Quesada.
FUENTE: Secretaría de la Función Pública, www.servidorespublicos.gob.mx

cinco millones de pesos, aunque él sólo pagó dos millones de pesos por la lujosa casa en Santa Fe.

Los ingresos de 2001 también le alcanzaron para las casas en su rancho secreto La Estancia, cuyo costo fue de por lo menos ocho millones de pesos, si se toma en cuenta el presupuesto que Artigas del Olmo hizo a la Presidencia para remodelar las cabañas en Los Pinos, según el contrato que le fue adjudicado (AD 29600). Y hubo dinero suficiente para hacer la remodelación total de su "rancho oficial" en la hacienda de San Cristóbal para la visita del presidente de Estados Unidos, George Bush, en febrero de 2001. Dicho sea de paso, tal inmueble dejó de ser un rancho abandonado y descuidado y se convirtió en una hermosa propiedad con alberca, jacuzzi al aire libre, lago artificial y un fino decorado. La proeza se relata en un capítulo aparte.

* * *

En La Gorda Atorada, todos los del rumbo saben que el rancho La Estancia es propiedad del presidente, porque, por lo menos ante los lugareños, Fox no ha sido discreto.

Igual lo han visto llegar en helicóptero del Estado Mayor Presidencial que en un jeep rojo, como el domingo 13 de marzo de 2005.

"Fox llegó manejando; a su lado venían su esposa y su nieto (Vicente III)", comenta en entrevista la señora Martha Medel Martínez. "La verdad es que cuando viene por aquí se le ve contento, tranquilo. A veces hasta hace sus fiestas."

Un vecino del lugar señala que hasta antes del problema de la invasión de los braceros al rancho de la madre del primer mandatario, doña Mercedes, en diciembre de 2004, Fox salía de La Estancia montado a caballo, saludando a todo el mundo.

"Después del problema en el rancho de su mamá, él tuvo uno en Nuevo Jesús del Monte: la gente comenzó a rodearlo y a reclamarle; desde entonces ya no se pasea en caballo. Aquí la gente ya no lo quiere", añade el lugareño, quien trabaja en una empresa de renta de maquinaria, sobre la carretera. Incluso señala que los vecinos se burlan de Vicente Fox porque, aunque sus vacas son muy finas, están flacas. "Ni siquiera eso puede hacer bien."

De lo anterior no sólo están como prueba los testimonios que dan los lugareños del lugar, sino que el propio presidente dejó tras de sí una estela inconfundible.

Don Refugio, quien trabaja en los campos agrícolas del primer mandatario, se detuvo a conversar y dijo:

"Sí, ese rancho es de Fox" señala con el índice, marcando en el aire el territorio. "Pero aparte renta otras tierras" indica hacia la planicie del valle.

Además de las hectáreas de La Estancia, Fox renta a los lugareños sus parcelas para sembrar papa. Los terrenos fueron cubiertos con tierra negra porosa y se instaló un sistema de riego por aspersión.

El agua es llevada desde el pozo de agua del cerro propiedad del presidente: son más de 2 kilómetros de tubería de acero, de 30 centímetros de diámetro. Los tubos están rotulados con el apellido del presidente: "Fox".

"Vienen ingenieros a cuidar la siembra, y a veces hasta el presidente se da una vuelta", dice don Refugio, quien termina la conversación y se va rumbo a unas enormes bodegas ubicadas por los sembradíos de papa.

✳ ✳ ✳

La Estancia es custodiada por elementos del Estado Mayor Presidencial las 24 horas del día. Igual hacen rondines montados en cuatrimotos, que a pie, como se pudo comprobar en varios recorridos realizados en las inmediaciones de la propiedad de Vicente Fox.

El ex guardia personal del presidente señaló que, desde los meses de transición, elementos de guardias presidenciales están apostados en cada una de las propiedades de Fox en San Francisco del Rincón: el rancho de la hacienda de San Cristóbal y el de La Estancia.

Desde la semana siguiente a la elección del 2 de julio de 2000 arribó al aeropuerto del Bajío un avión *Hércules* de la Fuerza Aérea Mexicana que llevaba decenas de elementos.

La tarde del 17 de marzo de 2005 se pudo ver a militares vestidos de verde olivo custodiar La Estancia, montados en cuatrimotos: mientras unos hacían rondines, otros vigilaban la puerta principal.

El domingo 3 de abril de 2005 se les vio con pantalón de mezclilla, camisa a cuadros azules y un sombrero claro que tapaba su casquete corto. Quizá usen ese vestuario para pasar desapercibidos, y hubieran pasado de no ser porque todos estaban vestidos de igual manera y porque es el mismo uniforme que usan sus compañeros militares que custodian el rancho "oficial" de Fox, en la hacienda de San Cristóbal.

Pero el Estado Mayor está ahí no sólo para cuidar el rancho secreto del presidente, sino también para hacer trabajos de mantenimiento de la propiedad. Por ejemplo, el domingo 3 de abril de 2005, el primer mandatario fue a La Estancia y ordenó a los militares sembrar unos árboles en la entrada principal de su rancho, según informó uno de los elementos del Estado Mayor entrevistado la mañana del 4 de abril, en un nuevo recorrido hecho en los alrededores del lugar.

"Éste es el rancho del presidente", dijo orgulloso un soldado raso que se encontraba cavando los hoyos para los árboles en la entrada de banquetas empedradas.

"¿Del presidente municipal?", se le cuestionó sólo para que no quedara la menor duda.

"No, del presidente Vicente Fox. Ayer vino y nos ordenó que plantáramos unos árboles en la entrada."

Los efectivos también se encargan de ir a buscar a las vacas que se escapan al cerro localizado frente al rancho del mandatario, y tienen que arrearlas hasta llevarlas de regreso a su corral.

Tras su llegada a La Estancia, Fox ha ido preparando el terreno para su retiro, buscando ganarse la simpatía y aceptación de la gente del lugar. Por ejemplo, mediante el gobierno de Juan Carlos Romero Hicks, el presidente intervino en el arreglo del quiosco de Nuevo Jesús del Monte, remodeló por completo la escuela primaria e instaló una telesecundaria y un centro comunitario con computadoras conectadas a internet.

El propio mandatario asistió el viernes 4 de febrero de 2005, acompañado de su esposa, a entregar las obras a la comunidad.

"Ahí vamos a tener una tamalada porque vamos a inaugurar una pequeña obra: la placita, el remodelamiento completo de la escuela, la instalación de una telesecundaria y un centro comunitario con computadoras conectadas a internet. Le vamos a mandar su pantalla de enciclomedia", dijo el primer mandatario en un evento celebrado en Celaya.

En 2003, la Secretaría de Obras Públicas del gobierno de Guanajuato destinó 8.4 millones de pesos para mantener en buen estado los caminos de la zona de Purísima, Manuel Doblado, San Francisco del Rincón y una parte de León. En San Francisco del Rincón se arregló el ramal a Nuevo Jesús del Monte.

"Dicen que ahora van a empedrar el camino; ojalá", comentó la señora Medel, esperanzada.

✼ ✼ ✼

El rancho La Estancia está rodeado por una barda de piedra, con malla ciclónica de 2.3 metros de altura, colocada en las decenas de kilómetros que conforman el perímetro de la propiedad. El costo del metro lineal es por lo menos de 200 pesos.

Los trabajos fueron terminados en diciembre de 2004 y realizados por la empresa Consorcio Constructor Eco, S.A. de C.V., localizada en Boulevard Aeropuerto número 702, León, Guanajuato, cuyo propietario es José Luis Infante Apolinar, quien ha de gozar de todas las confianzas del presidente, ya que, al menos por cuestiones de seguridad, no podría contratar los servicios de cualquier empresa para hacer trabajos en su propiedad.

Consorcio Constructor Eco es la misma empresa que en octubre de 2004 obtuvo un contrato de los gobiernos federal y estatal por 106 millones de pesos para construir la puerta aduanal de León, Guanajuato, según publicó el periódico *a.m.* de León el 27 de octubre de 2004. Actualmente es el proyecto más importante de la entidad. El Sistema de Administración Tributaria de México, dependencia federal, asignó la obra a Eco como resultado de una licitación pública.

Entre algunas obras, la empresa de Infante Apolinar ha construido el Boulevard Vicente Valtierra, en León, y el puente "Bronco" a principios de 2004 en Reynosa, Tamaulipas, por un monto de 81 millones de pesos, construido con recursos federales. En Reynosa, el empresario se dedicó a comentar, a todo aquel que quisiera oírlo, que él se encontraba asociado con el hijo mayor de la primera dama, Manuel Bribiesca Sahagún, comentó el primo de Infante Apolinar, Juan Infante Negrete.

En la inauguración de la obra de la puerta aduanal estuvieron presentes el gobernador Juan Carlos Romero Hicks, el presidente Vicente Fox e Infante Apolinar. Según fuentes que intervinieron directamente en dichos trabajos, la construcción de la barda del rancho secreto de Fox fue pagada por Consorcio Constructor Eco y se presume que esta empresa prestó "gratuitamente" esos servicios al primer mandatario.

Uno de los trabajadores que participó en las obras recuerda que uno de esos días de trabajo, el presidente los invitó a tomar un tequilita adentro de su rancho.

El 15 de abril de 2005, la Secretaría de Obras Públicas del gobierno de Guanajuato anunció un nuevo contrato para Eco: ahora participará en la modernización de la carretera Celaya-Juventino Rosas.

* * *

En las hectáreas de agave azul de La Estancia hay sembradas cinco matas de la cactácea tequilera por cada metro cuadrado. Don Refugio comenta que cada mata tuvo un costo de 28 pesos. Dentro de cuatro años más, cuando el agave madure, cada penca costará alrededor de 6 000 pesos y podría usarse para producir tequila.

Vecinos de La Gorda Atorada que trabajan en los campos del presidente afirman que los encargados del cuidado del agave de Fox provienen de Arandas, Jalisco.

El 1 de febrero de 2002, Javier Fox Padilla, hijo de Javier Fox Quesada, presentó la marca de tequila "Mi México Fox", supuestamente asociado con Vicente Fox Jr. El tequila es embotellado y distribuido por la empresa Tequilera de Arandas, S.A. de C.V., localizada en Arandas, Jalisco, según un artículo publicado por la agencia española EFE ese mes.

" 'Mi México Fox' es todavía poco conocida en el mercado nacional porque sus ventas se limitan a particulares, restaurantes y algunas licorerías siempre bajo pedido limitado", señala el reportaje.

" 'Mi México Fox' comenzó a venderse en noviembre de 2001, en botellas de diseño moderno y podría comercializarse en los próximos meses fuera del país, según José Luis Martínez, gerente administrativo de Tequilera de Arandas", añade.

A la fecha, "Mi México Fox" traspasó las fronteras y se encuentra en las páginas de internet estadounidenses "Beverages & More" y "bestinwine.com". En la primera, la botella de tequila reposado de 750 mililitros tiene un precio regular de 25.99 dólares y en la segunda cuesta 17.99 dólares, según se pudo verificar en los sitios de internet mencionados.

Quien se encarga del cuidado del rancho es Vicente Fox Jr.

* * *

Recién iniciado su mandato, en 2001 Vicente Fox creó la empresa Agropecuaria La Estancia, Sociedad de Producción Rural de Responsabilidad Limitada, siguiendo los pasos de amigos y parientes suyos que escogieron este sexenio para constituir empresas de distintos tipos y ramas, las cuales han crecido como la espuma.

En su declaración patrimonial de 2002, Vicente Fox informó que es socio de dicha empresa y que tenía acciones por 906 706 pesos. Faltó a la verdad o vendió parte de un negocio redondo, porque según el acta constitutiva de Agropecuaria La Estancia, inscrita en el Registro Público de la Propiedad el 26 de julio de 2001, ante el notario Marcelo Gay Guerra, Fox es propietario de 80% de la empresa y tiene acciones equivalentes a 3.6 millones de pesos (véase anexo 3).

El otro socio de la empresa del presidente con 20% de las acciones, 906 000 pesos, es su hijo Vicente Fox de la Concha.

La empresa cuenta con el permiso otorgado por la Secretaría de Relaciones Exteriores 11001377, expediente 0111001367, folio 2062, obtenido para esta investigación. El permiso fue solicitado ante la delegación de la Secretaría de Relaciones Exteriores en León, Guanajuato, por Gay Guerra, que es el mismo notario que manejó los asuntos de Congelados Don José y El Cerrito, S.A., empresas de los hermanos del presidente.

Tras el engaño en la declaración patrimonial presentada en mayo de 2004, el presidente informó que sus acciones en la sociedad Agropecuaria La Estancia, S.P.R. de R.L., ascendían a 3.2 millones de pesos.

ANEXO 3

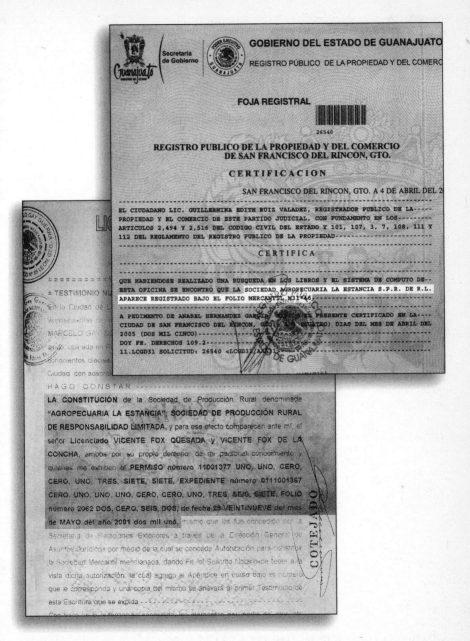

Constancia de registro y acta constitutiva de la empresa Agropecuaria La Estancia, S.P.R. de R.L., creada por Vicente Fox Quesada al inicio del sexenio. FUENTE: Registro Público de la Propiedad y del Comercio de San Francisco del Rincón, Gto.

Anexo 3 (*continuación*)

SEGUNDA.- EL OBJETO DE LA SOCIEDAD SERA :

1.- La compra, venta en pie y crianza de Ganado de Engorda como : vacas, becerros hembras y Toro Limusin -

2.- La compra, venta en pie y crianza de Ganado Beefmaster como : Toros, vacas secas, becerros y becerras - - - - - - - - - - - - - - -

3.- La compra, venta en pie y crianza de Ganado Holstein como : Vacas Canadá, Vacas Lala, Becerros Canadá, Becerras Canadá, Becerros Lala, Becerras Lala, Vaca cruzada Holstein con Yersey y Vaca cruzada Holstein con Beefmaster - - - - - - - - -

4.- La compra, venta en pie y crianza de Ganado de Lidia como : Toro semental, Vaquillas Lidia, Becerros Lidia y Becerras Lidia - - - - - - - - - - - - - -

5.- La compra, venta en pie y crianza de Ganado Caballar como : Sementales Yeguas, Potranca y Potrillos - - - - - - - - - - - - - - -

6.- La compra, venta en pie y crianza de Ganado Caprino como : Semental Doorper con Pelliguey, Hembras Peliguey, Crias Peliiguey y Crías Lecheras - - -

7.- La compra, venta en pie y crianza de Venados como : Venados cola blanca y Ciervo rojo -

8.- Venta de leche bronca, producto del ganado lechero - - - - - - - - - - - -

9.- Venta en pie de ganado de engorda para carne Beefmaster - - - - - - - - - - -

10.- Explotar recursos renovables y no renovables en forma individual o colectiva, tales como la agricultura, la silvicultura, piscicultura y la ganadería - - -

11.- Comercializar y distribuir los productos obtenidos de tales actividades así como, las materias primas, materiales, insumos, semovientes, que requieran los animales o vegetales en proceso - - - - - - - - - - - - - -

12.- Beneficiar los productos para presentarl... fresoos, salados, secos, refrigerados, cong... descascarados, despepitados o desgranados...

Los comparecientes considerando como Primera Asamblea General Extraordinaria de Socios, la presente reunión, le dan a la misma el carácter de Constitutiva, misma que se fundamenta en el Título Cuarto de la Ley de Sociedades Rurales, del artículo 108 ciento ocho al 114 ciento catorce de la Ley Agraria vigente, para otorgar dicta los siguientes acuerdos - - - - - - - - - -

PRIMERA.- Que el Capital Social inicial de la Sociedad será de **$4'533,533.22 (CUATRO MILLONES QUINIENTOS TREINTA Y TRES MIL 22/100 MONEDA NACIONAL)**, dividido en 100 cien acciones con valor nominal de **$45,335.33 (CUARENTA Y CINCO MIL TRESCIENTOS TREINTA Y CINCO PESOS 33/100 MONEDA NACIONA)**, cada una, totalmente suscritas, pagadas y liberadas de la siguiente manera - - - - - - - - - - - - - - - -

- - - - - -NOMBRES- - - - - - - - - - - -	ACCIONES- - - - - -	PESOS - -
LIC. VICENTE FOX QUESADA - - - - - - - - - - -	80 - - - - - - -	$ 3'626,827.22
VICENTE FOX DE LA CONCHA - - - - - - - - - - -	20 - - - - - - - -	906,706.00
- - -T O T A L E S - - - - - - - - - - - - - - - - - -	100 - - - - - -	$ 4'533,533.22

CIEN ACCIONES CON UN VALOR TOTAL DE $4'533,533.22 (CUATRO MILLONES QUINIENTOS TREINTA Y TRES MIL 22/100 MO...

Objeto social de la empresa Agropecuaria La Estancia, S.P.R. de R.L., y la manera como quedaron repartidas las acciones que han sido ocultadas por Vicente Fox Quesada en sus declaraciones patrimoniales.

FUENTE: Registro Público de la Propiedad y del Comercio de San Francisco del Rincón, Gto.

ANEXO 3 (*conclusión*)

que se otorga con todas las facultades generales y las especiales que requieran cláusula especial conforme a la Ley para que se entiendan conferidos sin limitación alguna. En los poderes generales para administrar bienes, bastará expresar que se dan con ese carácter para que el apoderado tenga toda clase de facultades administrativas. En los poderes generales para ejercer actos de dominio, bastará que se den con ese carácter para que el Apoderado tenga todas las facultades de dueño, tanto en lo relativo a los bienes, como para hacer toda clase de gestiones, a fin de defenderlos. Cuando se quisieren limitar, en los tres casos antes mencionados, las facultades de los apoderados, se consignarán las limitaciones, o los poderes serán especiales. Los Notarios insertarán este artículo en los testimonios de los poderes que se otorguen" - - - - ES PRIMER TESTIMONIO, PRIMERO EN EL ORDEN DE SU EXPEDICION, CORREGIDO Y COTEJADO CONFORME A LA LEY, VA EN 11, ONCE FOJAS UTILES SE EXPIDE PARA USO DE LA SOCIEDAD DE PRODUCCIÓN RURAL DENOMINADA "AGROPECUARIA LA ESTANCIA", SOCIEDAD DE PRODUCCIÓN RURAL DE RESPONSABILIDAD LIMITADA, REPRESENTADA POR SU SOCIO DELEGADO SEÑOR JOSÉ LUIS FOX QUESADA, EN LA CIUDAD DE LEON, ESTADO DE GUANAJUATO, REPUBLICA MEXICANA, A LOS 28 VENTIOCHO DIAS DEL MES DE JULIO DEL AÑO 2001 DOS MIL UNO - DOY FE -

MARCELO GAY GUERRA
NOTARIO PÚBLICO No. 85
GAGM-440812-4D0.

La empresa Agropecuaria La Estancia, creada por el jefe del Ejecutivo, es ambiciosa y sus objetivos buscan abarcar de todo:

a) Venta de leche bronca, venta en pie y crianza de ganado de engorda de vacas, becerros hembras y toro Limusin; de ganado Beefmaster; la compraventa en pie y crianza de ganado Holstein, como vacas Canadá y Lala, becerros y becerras Canadá, vaca cruzada Holstein con Yersey y vaca cruzada Holstein con Beefmaster.

b) La compraventa en pie y crianza de ganado de lidia, como toros sementales, vaquillas de lidia, becerros y becerras de lidia, además de la compraventa en pie y crianza de ganado caprino, como sementales Doorper con Pelliguey, crías Pelliguey y crías lecheras.

c) Destaca la compraventa en pie y crianza de venados cola blanca y ciervo rojo.

d) Asimismo, constituir, adquirir y establecer almacenes, industriales y de servicios; explotar recursos renovables y no renovables de la unidad en forma conjunta o colectiva, como la agricultura, la silvicultura, pesca, piscicultura, porcicultura; distribuir y comercializar productos, distribuir insumos, manejar centrales de maquinaria y en general toda clase de industrias, servicios y aprovechamiento de tipo y carácter rural.

e) Organizar y administrar centros de consumo y centrales de maquinaria, compra de aperos, implementos e insumos, así como distribuir despensas familiares.

f) En el ámbito financiero puede obtener los créditos para el ejido o comunidad y contratar créditos bancarios que requieran sus integrantes (el presidente y su hijo) "de cualquier naturaleza". En la sociedad, el jefe del Ejecutivo también puede importar y exportar "los productos necesarios para la explotación de la sociedad".

g) Además, la sociedad del primer mandatario y su hijo recibe apoyo y/o subsidios del gobierno federal.

Mediante una solicitud hecha con base en la *Ley Federal de Transparencia y Acceso a la Información Pública* (0630500002705), el Banco Mexicano de Comercio Exterior (Bancomext) reconoció que ha proporcionado ayuda técnica y/o económica a la empresa del mandatario entre 2001 y 2004. Pero se negó a informar de qué especie había sido el apoyo y cuánto dinero del erario se había asignado para ese fin, y mantendrá durante 12 años dicha información en secreto. La excusa de Bancomext es que la información está protegida por la *Ley de Instituciones de Crédito* (véase anexo 4).

ANEXO 4

Acceso a Solicitante

Anabel Hernández García

Abril 22, 2005

Negativa

En alcance a la solicitud recibida con No. de Folio **0630500002705**, dirigida a la Unidad de enlace de **BANCO NACIONAL DE COMERCIO EXTERIOR, S.N.C.**, el día **22/03/2005**, nos permitimos hacer de su conocimiento que

Con fundamento en los artículos 44 y 45 de la Ley Federal de Transparencia y Acceso a la Información Pública Gubernamental, la información no puede ser proporcionada debido a que es:

Reservada por tiempo 12 años.

Motivo del daño por divulgar la información:
Esta información es reservada por encontrarse en la hipótesis normativa del artículo 14 fracción II de la Ley Federal de Transparencia y Acceso a la Información Pública Gubernamental relacionado con los artículo 117 y 118 de la Ley de Instituciones de Crédito. En este contexto, la información requerida tiene el carácter de reservada, de conformidad con lo previsto en el lineamiento octavo, segundo párrafo, de los Lineamientos Generales para la clasificación y desclasificación de la información de las dependencias y entidades de la Administración Pública Federal.

Fundamentación Legal:

Ley	Artículo y fracción
LEY DE INSTITUCIONES DE CREDITO	Artículos 117 y 118
LEY FEDERAL DE TRANSPARENCIA Y ACCESO A LA INFORMACION PUBLICA GUBERNAMENTAL	Artículo 14 - Fracción II

De acuerdo a la Ley Federal de Transparencia y Acceso a la Información Pública Gubernamental en su artículo 49, el solicitante tendrá 15 días hábiles, a partir de la fecha de resolución a su solicitud para presentar un recurso de revisión ante el Instituto Federal de Acceso a la Información Pública

Regresar		Recurso ante el IFAI

Derechos Reservados SFP 2003

Información sobre los recursos económicos y/o materiales o de apoyo dados a Agropecuaria La Estancia, S.P.R. de R.L., propiedad del presidente, y a Sabrimex y Poliductos de Tamayo, propiedad de los hijos de la primera dama. FUENTE: Bancomext.

Cabe recordar que en los primeros años del sexenio, el director de ese Bancomext fue José Luis Romero Hicks —hermano del actual gobernador de Guanajuato—, a quien después Fox contrató como asesor de la Presidencia de la República. La relación entre ellos no es nueva: en los cuatro años que Fox fungió como gobernador de Guanajuato, José Luis Romero Hicks fue su secretario de Finanzas.

Se hizo la misma solicitud de información a la Secretaría de Economía, la cual respondió que no hay registro de apoyo y/o subsidio a la empresa Agropecuaria La Estancia, S.P.R. de R.L. Al respecto, la Secretaría de Agricultura señaló que la solicitud no era de su competencia y canalizó la solicitud a la Dirección de Apoyos y Subsidios al Campo, la cual a su vez informó que en sus registros tienen a tres agropecuarias con dicho nombre.

* * *

Durante la investigación realizada sobre la repentina bonanza del presidente Fox surgió información reveladora.

El reportero Daniel Lizárraga hizo un importante hallazgo gracias a la información obtenida de la Secretaría de Hacienda, usando persistentemente la *Ley de Transparencia y Acceso a la Información*.

Hasta ahora la Secretaría de Hacienda (SHCP) había afirmado que para la llamada época de transición —del 2 de julio al 30 de noviembre del año 2000— se dieron 10.5 millones de pesos del erario al presidente electo Vicente Fox Quesada y su equipo para solventar los gastos de la etapa intermedia antes de asumir el poder (informe del vocero de la SHCP presentado el 24 de septiembre de 2000).

El 10 de diciembre de 2004, Lizárraga demandó los detalles del uso de ese dinero y la comprobación de gastos.

Al principio, Hacienda trató de desviar la atención señalando que no era la instancia "competente" para dar dicha información, sino la Presidencia.

Luego de siete meses de contradicciones y ocultamiento de información, en un largo litigio en el Instituto Federal de Acceso a la Información encabezado por el consejero Juan Pablo Guerrero, se logró saber que no fueron 10.5 millones de pesos de recursos públicos lo que el equipo foxista recibió, sino 81 millones de pesos.

La Secretaría de Hacienda, que encabeza Francisco Gil Díaz, tuvo que reconocer que una parte de ese dinero, 45.2 millones de pesos, salió directamente de las arcas de la dependencia para "pago de honorarios y comisiones". A colaboradores de Fox en transición, como Sari Bermúdez (hoy directora de Conaculta) y amiga de Martha Sahagún, le pagaron 330 000 pesos en cuatro meses y a Juan Bueno Torio (director de Pemex Refinación) 168 000 pesos.

Otra parte del dinero público, 36.4 millones de pesos, fue depositado a un "fideicomiso privado" F/0894 abierto en Inbursa, supuestamente para el "Programa de Apoyo a la Transición". Vicente Fox Quesada fungió como fideicomitente (es decir, beneficiario). El fideicomiso fue abierto con mil pesos y recibió cinco depósitos de agosto a noviembre de 2000: el primero de 7.9 millones de pesos, el segundo de 191 000, el tercero de 23.4 millones, el cuarto de 1.6 millones y el quinto de 3.2 millones. Dicho dinero, dijo la Secretaría de Hacienda, fue en calidad de "donativo", por lo que no hay ni se puede exigir ni un solo comprobante de cómo se gastó dicho dinero. Como el fideicomiso estaba directamente a nombre del presidente electo, los recursos se hallaban bajo su responsabilidad. Cabe señalar que en la última versión dada por la SHCP se dijo que el monto del fideicomiso era de 20.1 millones de pesos.

El IFAI ordenó a la Secretaría de Hacienda entregar a Daniel Lizárraga la copia del fideicomiso abierto en Inbursa, así como todas las copias de los recibos de honorarios y contratos de prestación de servicios pagados directamente por la dependencia.

La Auditoría Superior de la Federación realizó una auditoría al fideicomiso. Los resultados señalan que:

La SHCP no informó a la Secodam el monto global y los beneficiarios de las ayudas que se otorgaron. La SHCP informó que el fiduciario no proporcionó información alguna respecto de llevar una subcuenta específica para el control de los recursos federales, que permita diferenciarlos del resto de las aportaciones, ni los informes mensuales del saldo de la subcuenta mencionada, así como de información detallada de la aplicación de los recursos.

A la extinción del fideicomiso no se tramitó la baja de la clave del registro en la SHCP.

* * *

Durante su campaña por la Presidencia de la República, el principal blanco de los ataques de Vicente Fox fue el tráfico de influencias, los excesos y el enriquecimiento ilícito de los presidentes de origen priísta. Prometió que con su llegada al poder, todas esas prácticas quedarían sepultadas en la administración que él bautizó como *el gobierno del cambio.*

El cambio no ha sido como lo prometió: el majestuoso rancho de Fox sólo puede evocar la tan tristemente célebre "Colina del Perro", construida por el entonces presidente José López Portillo para su retiro.

La historia se repite: excesos, dinero de inexplicable procedencia y lujosas construcciones para la familia. Sí, es casi la misma historia, excepto porque el rancho del presidente Fox es 23 veces más grande que la propiedad del finado López Portillo.

"La Colina del Perro" fue una construcción hecha cuando López Portillo todavía era presidente. Estaba custodiada por el Estado Mayor Presidencial y los únicos testigos eran los vecinos, quienes veían entrar y salir a los familiares del primer mandatario.

Estaba sobre una colina inaccesible, en la cual tuvieron que abrirse terracerías para el tránsito interno. Se hallaba rodeada por una cerca de alambre, cuyo único acceso daba a un centro educativo.

Según las descripciones de la época, el terreno medía 13 hectáreas, en las cuales se construían cuatro mansiones y una biblioteca sobre la colina de Lomas de Vista Hermosa, en Bosques de las Lomas, ubicada en la delegación Cuajimalpa del Distrito Federal.

Los vecinos del lugar aseguraban que la Secretaría de Asentamientos Humanos y Obras Públicas (SAHOP) construyó los accesos, entre los cuales se encuentran un paso a desnivel sobre la carretera a Toluca, vías rápidas de comunicación, alimentación de agua potable y drenaje.

La voz popular la bautizó como "La Colina del Perro".

* * *

Actualmente, el gobierno de Guanajuato trabaja a marchas forzadas para empedrar o pavimentar cerca de 2 kilómetros de terracería entre la iglesia del Niño de las Palomitas, en el corazón de la comunidad de Nuevo Jesús del Monte, y la puerta del rancho La Estancia. Tienen tanta prisa que incluso trabajan en días no laborales.

El domingo 16 de abril de 2005, al mediodía, ingenieros de la Secretaría de Obras Públicas del Estado se encontraban frente a la iglesia del Niño de las Palomitas tomando las mediciones topográficas para comenzar cuanto antes los trabajos.

Ahora el acceso al rancho secreto de Fox será más fácil y agradable, por lo menos para él, porque desde los últimos días de abril, el Estado Mayor reforzó la vigilancia y cerró por completo el camino de acceso a la propiedad del presidente, aunque eso implique también impedir el paso a las humildes casas de los jornaleros que comparten con él el vecindario.

* * *

La vertiginosa mejora del rancho La Estancia es la muestra más acabada de la bonanza inexplicable y las prácticas de la "familia presidencial", entre los que se cuentan Fox, Martha Sahagún, los hijos y hermanos de ambos, y un reducido círculo de amigos. Aquí es la propiedad de La Gorda Atorada del presidente, donde confluyen los excesos y secretos de la familia presidencial.

El rancho La Estancia es tan grande que hay para todos, incluso para los hijos políticos del presidente de la República, porque de este lugar saca Manuel Bribiesca Sahagún la materia prima para sus negocios de la construcción.

En el rancho La Estancia está quizá la respuesta más clara de por qué el presidente de la República quiere continuar con oídos sordos ante la avalancha de acusaciones contra la inexplicable riqueza de los hijos de su esposa.

CUADRO 1.1. Declaraciones patrimoniales del presidente
Vicente Fox entregadas a la Secretaría de la Contraloría
(Secretaría de la Función Pública desde 2003, en miles de pesos)
en los siguientes años:

	1999	2001[a]	2002	2003	2004	2005[b]
Ingresos[c]	1 284[d]		4 087[e]	3 118	6 062	5 297
Cuentas bancarias y fideicomisos		2 652	1 974	3 837	5 298	4 845
Acciones		0	906	3 726[f]	6 832	6 913

[a] Es la declaración patrimonial inicial presentada por Fox el 30 de enero de 2001.

[b] Fox declara haber gastado en 2004 dos millones de pesos para comprar un terreno de 60 hectáreas en "Guanajuato" (para ampliar el rancho La Estancia).

[c] Cabe señalar que en este rubro consta de la suma de sus ingresos como servidor público, por "actividad industrial" y por "otros".

[d] Ésos son los ingresos declarados por Fox un año antes de llegar a la Presidencia. En esa declaración hecha en precampaña no informa si tiene cuentas bancarias y/o acciones de algún tipo y por qué monto.

[e] Según la declaración patrimonial de Vicente Fox difundida por la Presidencia, ese año tuvo ingresos por 3.9 millones de pesos.

ᶠ Según la declaración patrimonial de Vicente Fox, en 2002 donó 906 acciones de la Agropecuaria La Estancia, S.P.R. de R.L., a su hijo Vicente Fox, aunque en realidad dichas acciones siempre fueron de él.

Nota 1: sólo como referencia, según la declaración patrimonial de Vicente Fox, en 2002 tuvo egresos por gastos de manutención por un millón de pesos. Eso significa que gastó la mitad de su sueldo anual de presidente de la República, que ese año ascendió a 1.9 millones de pesos.

Nota 2: durante todo el sexenio, Fox fue inconsistente en sus declaraciones patrimoniales.

CUADRO 1.2. Propiedades declaradas por Vicente Fox
en sus declaraciones patrimoniales de 2001 a 2005

2001	2002	2003	2004	2005
Departamento en Jardines del Moral				
Terreno en Estancia de Vaqueros	Terreno en Estancia de Vaqueros	Terreno en Estancia de Vaqueros	Terreno en Estancia de Vaqueros	
				Compra de 60 hectáreas en Guanajuato
Casa en la hacienda de San Cristóbal	Casa en la hacienda de San Cristóbal	Casa en la hacienda de San Cristóbal	Casa en la hacienda de San Cristóbal	Casa en la hacienda de San Cristóbal
Lote de terreno número 2 en la hacienda de San Cristóbal	Lote de terreno número 2 en la hacienda de San Cristóbal	Lote de terreno número 2 en la hacienda de San Cristóbal	Lote de terreno número 2 en la hacienda de San Cristóbal	Terreno número 2 en la hacienda de San Cristóbal
	Casa en Contadero, D.F.	Casa en Contadero, D.F.	Casa en Contadero, D.F.	Casa en Contadero, D.F.

Nota: durante todo el sexenio, Fox fue inconsistente en la declaración de sus bienes: unos años señaló cuándo compró cada uno, otros no y otros puso fechas distintas. Nótese en el recuadro obtenido de información de cada una de las declaraciones que en ningún momento informa sobre sus casas y dos terrenos más en La Estancia.

FUENTE: Presidencia de la República y Secretaría de la Función Pública.

CUADRO 1.3.

La *Ley Federal de Responsabilidades Administrativas de los Servidores Públicos* es clara respecto a la declaración patrimonial de todos los funcionarios públicos federales, incluido el presidente de la República.

En el artículo 39 se ordena que en las declaraciones iniciales de los servidores públicos "se manifestarán los bienes inmuebles, con la fecha y valor de adquisición". Y en las declaraciones de modificación patrimonial "se manifestarán sólo las modificaciones al patrimonio con fecha y valor de adquisición. En todo caso se indicará el medio por el que se hizo la adquisición".

Artículo 41. La Secretaría podrá llevar a cabo investigaciones o auditorías para verificar la evolución del patrimonio de los servidores públicos. Cuando existan elementos o datos suficientes que hagan presumir que el patrimonio de un servidor público es notoriamente superior a los ingresos lícitos que pudiera tener, la Secretaría, fundando y motivando su acuerdo, podrá citarlo para que manifieste lo que a su derecho convenga, en los términos del artículo siguiente.

Artículo 42. Se citará personalmente al servidor público y se le harán saber los hechos que motiven la investigación, señalándole las incongruencias detectadas respecto de los bienes que integran su patrimonio, para que dentro del plazo de 30 días hábiles, contados a partir de la recepción del citatorio, formule a la Secretaría las aclaraciones pertinentes y ésta emita su resolución dentro de los 15 días hábiles siguientes.

2. El milagro de San Cristóbal

El sol despuntaba ese día con una lentitud desesperante. A las 7:40 horas el hombre de las inseparables botas, Vicente Fox Quesada, y sus hijos Ana Cristina, Vicente, Paulina y Rodrigo —de 20, 17, 16 y 12 años de edad, respectivamente— entrelazaron sus manos para rezar un ave maría. Pidieron que eso que habían soñado durante tres años se hiciera realidad ese día: llegar a Los Pinos.

Era la mañana del 2 de julio de 2000. El gran día había llegado y nada fue más importante que eso. A nadie afectó que, una vez más, la bomba de agua de la descuidada casa ubicada en el lote número 4 de la hacienda de San Cristóbal, en San Francisco del Rincón, no funcionara. Tampoco que en cualquier momento el drenaje amenazara con desparramarse una vez más porque la fosa séptica era insuficiente.

Entonces la casa, de un inadecuado estilo inglés para un rancho, con un alto cedro justo al lado izquierdo de la puerta de entrada, era suficiente para el poco próspero candidato presidencial y sus hijos. No había ambición de lujos ni excesos. Cinco años después, de aquel lugar no quedó nada, ni el viejo cedro.

Las fotografías de la familia Fox De la Concha fueron sustituidas por dos retratos de Vicente Fox y Martha Sahagún —de dos metros de altura cada retrato— colocados en la sala de la renovada casa.

* * *

Amigos y ex colaboradores de Vicente Fox describen que durante mucho tiempo (1992-2000), la propiedad del presidente en la hacienda de San Cristóbal estuvo "abandonada" y era muy, ¡muy! austera.

La casa fue construida por el arquitecto Jorge Oñate, a fines de la década de los setenta. Si en alguna época esa propiedad había conocido algún esplendor, sin duda había sido mucho tiempo atrás.

En el año 2000, la biblioteca era un pequeño cuarto de sillones de cuero verde, medio rotos, y un pequeño tragaluz. Los muebles eran de madera gruesa con un estilo "muy campirano" que no combinaba en nada con el pretencioso estilo inglés del exterior de la vivienda.

De las paredes de la cava, que servía de punto de encuentro para las reuniones estratégicas durante la precampaña y campaña presidenciales, pendían viejos cuadros de bodegones y sobre los muebles de madera oscuros estaban colocadas unas polvorientas lamparitas con gobelinos.

El gimnasio, localizado en desnivel a un lado de la recámara principal, estaba constantemente inundado de aguas negras que apestaban toda la casa por los problemas con el drenaje. En la parte trasera, un grande y verdoso estanque de agua hacía las veces de laguito.

Al frente de la casa había una cancha de tenis de material de arcilla, que durante muchísimos años estuvo llena de baches y sin red.

El acceso a la casa era un camino de tierra lleno de baches, piedra y lodo, que salía de la carretera León-Cuerámaro hasta la casa de Vicente Fox. Era intransitable en tiempo de lluvias y estaba bordeado por maleza. En las noches, la brecha tenía una espesa oscuridad porque no había ningún tipo de iluminación.

La propiedad era rodeada por los sembradíos de la empresa familiar: El Cerrito, S.P.R. de R.L.

Según la descripción hecha por quienes conocieron el rancho de Fox en San Cristóbal, antes de que el guanajuatense asumiera el cargo de presidente de la República, todos coinciden de manera unánime en que el lugar ¡era un desastre!

No sólo la situación económica de Fox hacía que su casa en San Cristóbal luciera tan descuidada, sino también en aquellos años parecía no tener gusto por los detalles exquisitos, el lujo, ni toallas de 4 000 pesos.

✶ ✶ ✶

La historia del rancho "oficial" del presidente puede comenzar a contarse a partir de diferentes fechas. Se puede iniciar con el nacimiento de Vicente Fox el 2 de julio de 1942 o, si se prefiere, en 1978, cuando llegó a vivir ahí.

En este libro, la historia comienza a medianoche del mes de marzo de 1972, cuando *Chente* llevó serenata a su prometida Lillián de la Concha. Faltaban unos días para su enlace matrimonial. Aunque el entonces director de mercadotecnia de Coca Cola México entendía poco y nada del romanticismo, fue una velada divertida. El novio pidió al mariachi que cantara canciones como "Juan Charrasqueado", "Ojo de vidrio" y "El hijo desobediente". Los novios tenían planes de quedarse a vivir en la Ciudad de México por un tiempo, pero a mediano plazo su intención era mudarse a la hacienda de San Cristóbal.

Por eso, desde que la pareja se casó, durante seis años buscaron en viejas construcciones o demoliciones de la Ciudad de Mé-

xico y Guanajuato objetos que pudieran servir para la construcción de su rancho, como vigas, piedra y herrería.

Los tres primeros años de matrimonio, la pareja Fox-De la
Concha vivió en un departamento ubicado junto al Parque Hun-
dido, en Baltimore 111, piso 12, colonia Nochebuena. Después se
fueron a vivir a la casona de Palmas número 88, propiedad de
doña Mercedes Quesada (madre de Vicente Fox), localizada a un
lado del restaurante San Ángel Inn, en Altavista, la cual rentaban.

La mayor parte del sueldo que Vicente ganaba en Coca Cola
lo destinaba a montar la fábrica de botas en León y vivían del
sueldo de Lillián, quien tenía una próspera florería. A pesar de
eso, eran buenos tiempos, salían de vacaciones a hoteles lujosos y
viajaban en primera clase.

En 1975 Fox fue nombrado presidente de Coca Cola México.
Aparte de su empleo en la transnacional era socio de empresas
que había formado con sus hermanos varones: José, Cristóbal,
Javier y Juan Pablo. Según la información en el Registro Público
de la Propiedad, las hermanas Fox Quesada: Mercedes, Susana,
Cecilia y Martha, estaban al margen de dichos negocios poco exitosos, según la historia documentada de crisis en sus empresas.

En 1978 la pareja Fox-De la Concha se mudó oficialmente al
rancho que después de seis años, con esfuerzo y paciencia, terminaron de construir. Vicente Fox iba y venía de la Ciudad de
México, donde seguía trabajando, hasta que en 1979 dejó el cargo
y regresó a Guanajuato a intentar levantar las empresas de su
familia. Cuando llegó quiso unir los diferentes negocios en una
especie de consorcio: Grupo Fox.

La sociedad quedó integrada por: El Cerrito, S.P.R. de R.L.,
que producía hortalizas y vegetales; Congelados Don José, S.A.
de C.V., encargada de congelar el producto y comercializarlo, y la
fábrica de Botas Fox, S.A. de C.V.

Vicente Fox era el director de Planeación Estratégica de todos los negocios (1979-1988) y el representante legal del grupo. Despachaba en las oficinas ubicadas en la avenida Venustiano Carranza 705, en León, Guanajuato. Ahí estaban una nave industrial donde fabricaban las botas, y un edificio de tres pisos. Hoy este inmueble ya no pertenece a la familia Fox, sino desde hace unos tres años a la empresa Polietilenos del Centro, según lo que se informó en el lugar.

Al grupo se sumaron otros negocios que el ex director de Coca Cola fue creando: Hielsa, que también hacía calzado; Alta Conversión, que se dedicaba a producir alimento para ganado y a criar puercos, hasta un negocio de quesos Normandí (que después vendió Vicente Fox al empresario José Fernández Frías), agencias de publicidad como Universo 5 (con Fernando Arenas) y una empresa de consultoría administrativa: Factor Bajío, S.A. de C.V., en la que estaba Ignacio Amuchástegui.

En aquellos años, su esposa Lillián de la Concha lo ayudaba en las cuestiones de la oficina.

Algunos empresarios de León recuerdan aquella época de los Fox: "Las empresas eran pequeñas, pero eficientes. Cuando Vicente regresó de México quiso crear una superestructura y burocracia más pesada de lo que las empresas podían dar, y se comenzaron a endeudar".

* * *

Al principio, la casa de la pareja Fox-De la Concha en San Francisco del Rincón era un hermoso lugar que fue decayendo con el tiempo, las crisis económicas y el abandono de sus propietarios.

Cuando el matrimonio se fue a vivir a la hacienda de San Cristóbal, su nivel de vida cambió y fue más sencillo. A los 7 años (1980), el matrimonio no había podido procrear, por lo cual adoptó a su primer hijo: Ana Cristina y después a Vicente, Paulina y Rodrigo.

Durante los primeros años de los ochenta, la familia Fox tuvo serios problemas económicos; se habían embarcado, según se supo, en un mal negocio con unos franceses y ya nunca se recuperaron, según reveló un integrante del clan Fox Quesada. Fue entonces cuando Vicente Fox ingresó a las filas del PAN (1988) e inmediatamente ganó la diputación federal del tercer distrito en la entidad.

Cuando el hoy presidente decidió contender por el PAN en esas elecciones, su hermano mayor, José, le dijo que ellos eran priístas y no querían perder negocios si Vicente seguía al frente de ellos. El ex director de Coca Cola se separó del resto de los negocios y sólo se quedó al frente de Congelados Don José.

Vecinos de la comunidad La Sandía —un poblado que está dentro del municipio de San Francisco del Rincón, a unos pocos kilómetros del rancho San Cristóbal— aún recuerdan a aquel hombre "fachoso" que llegaba montado en su bicicleta intentando encontrar adeptos para su partido. Y aunque su buena imagen ha cambiado y prácticamente no queda ni un solo simpatizante suyo en el pueblo, aún no olvidan que el diputado Fox consiguió que el gobierno federal pusiera un pozo de agua para abastecer a la población.

"La verdad: no se veía como un hombre de muchas posibilidades", recordó don Mauro López, en una conversación realizada en el marco de esta investigación. El hombre maduro dedicado al campo, líder querido en el lugar, señaló que fue el primer panista de La Sandía hace 17 años y durante mucho tiempo se unió a Fox en su lucha política en Guanajuato.

Don Mauro narró que muchos de sus encuentros con Fox fueron en su sencillo rancho de la hacienda de San Cristóbal:

Muchas veces lo fui a ver a su casa del rancho y lo veía con las camisas descosidas. Luego su esposa le decía que iba a recoger papas, pero regresaba con las manos vacías. Vicente le preguntaba: "¿y dónde están las papas?".

Los hermanos andaban jodidones, los hacían de posibilidad económica porque eran hijos del patrón y tenían maquinaria, pero a veces no tenían ni para pagar a los peones.

En 1990 Vicente Fox aspiraba a la gubernatura del estado, pero no tenía recursos para lograrlo. Entonces un grupo de empresarios, encabezados por Elías Villegas, Guillermo Velasco y Ricardo Alanís (actual alcalde de León), confió en él y lo apoyó económicamente en sus aspiraciones por la gubernatura y contendió en las elecciones de 1991.

Desde esa primera campaña, Vicente Fox recurrió a dos viejos amigos de Coca Cola para que lo ayudaran a conseguir dinero: Lino Korrodi y José Luis González, con quienes tenía amistad desde 1968.

En esa primera campaña para gobernador de Guanajuato, Fox echó mano del dinero de Congelados Don José para hacer sus actos proselitistas. Esto contribuyó a que las finanzas de la compañía empeoraran, al igual que su matrimonio. Faltaba dinero a la familia Fox De la Concha y Lillián comenzó a trabajar con Miguel Dávalos, con quien después se relacionó sentimentalmente.

En 1991, informalmente Vicente Fox ganó los comicios, pero oficialmente fue el priísta Ramón Aguirre. El presidente Carlos Salinas de Gortari y el PAN negociaron que el panista Carlos Medina Plascencia se quedara como gobernador interino.

Después de eso, Fox cayó en una fuerte depresión, debido a una doble derrota: perdió la elección y también a su esposa Lillián. Luego de 20 años juntos habían terminado su matrimonio. Él volvió a hacerse cargo de los negocios: de 1991 a 1992 fue director adjunto de Botas Fox y de 1992 a 1995 director general de Congelados Don José, S.P.R. de R.L.

* * *

Don Mauro comentó que después de la derrota electoral, Vicente Fox no quería saber nada de su partido, el PAN, y se separó de la actividad política, hasta que un grupo de panistas, encabezados por Leticia Villegas (hija de Elías Villegas), fue a verlo varias veces a su rancho en la hacienda de San Cristóbal para convencerlo de que volviera a participar en los comicios de 1995. Siempre que iban lo encontraban barbón y descuidado en su arreglo personal. Lino Korrodi volvió a ser el operador financiero de la campaña.

Cuando finalmente Vicente Fox fue electo gobernador de Guanajuato —recuerda don Mauro—, no se le vio mucho cambio en su situación económica.

Quienes lo conocieron como gobernador lo recuerdan como el hombre vestido siempre de botas y camisa azul arremangada, excepto en el informe de gobierno de cada año. Le gustaba sopear el bolillo en comidas oficiales y lanzar toda clase de dicharajos. Odiaba que le dijeran "gobernador" y pedía que lo llamaran *Chente*.

"No es hasta ahora como presidente que da de qué hablar", comentó don Mauro. "Él siempre hablaba y atacaba al mal gobierno. Decía que el país debía de ser muy rico si había aguantado tanto saqueo."

Mientras fue gobernador de Guanajuato (1995-1999), Fox vivió en la llamada "casa de gobierno" en la capital del estado. Durante ese tiempo, el lugar se mantuvo austero e impersonal.

"Fox era un hombre muy práctico; nunca se fijaba en lujos ni nada de eso. Él no puso nada; como recibió la casa así la dejó, ni compró muebles, ni hizo remodelaciones, ni nada", comenta uno de sus colaboradores en el gabinete del gobierno de Guanajuato, que llegó a frecuentar en varias ocasiones dicha residencia.

El actual presidente vivía solo, mientras que su ex esposa y sus cuatro hijos vivían en el departamento ubicado en Avenida Guanajuato 105, interior 901, en la colonia Jardines del Moral en León. A veces sus hijos iban a visitarlo a la "casa de gobierno". Lillián llegó a dormir en la "casa Guanajuato" y Fox en el departamento de León en los múltiples intentos de la pareja por reconciliarse.

Diputados locales de aquella época recuerdan que en ocasiones quedaban en verse con el gobernador en su rancho de la hacienda San Cristóbal, y de ahí partían en helicóptero a realizar giras de trabajo.

"Por supuesto que no había helipuerto; de hecho, era muy peligroso aterrizar y despegar de ahí, porque pasábamos muy cerca de la alambrada que rodeaba el rancho" recuerda un ex diputado local del PRI.

Mientras Fox despachaba en el palacio de gobierno, las empresas de su familia seguían en crisis. El Grupo Fox era acosado por sus acreedores: la Secretaría de Hacienda, el Instituto Mexicano del Seguro Social y las bancas pública y privada.

En el año 2000, Vicente Fox no tenía dinero. De hecho, durante toda su precampaña y campaña por la Presidencia de la República, Lino Korrodi —responsable de la recolección de recursos por medio de los Amigos de Fox— pagaba desde las cuentas del súper mercado hasta las colegiaturas de los hijos del candidato.

Ana Cristina estudiaba la carrera de derecho en la Universidad Iberoamericana de la Ciudad de México, Vicente y Paulina estudiaban preparatoria en la Universidad Anáhuac de León y preparatoria en el Tecnológico de Monterrey, y Rodrigo estaba en la primaria del Instituto Cumbres, de León.

* * *

La mañana del 2 de julio de 2000, como no había agua, Vicente Fox y sus hijos se fueron a bañar a casa de doña Mercedes Quesada viuda de Fox, quien vive apenas a un kilómetro delante de la casa del candidato, en la hacienda de San Cristóbal.

Con el estómago vacío, salieron juntos a votar en la casilla ubicada en una escuela rural de la localidad. En el camino, la madre de Vicente, doña Mercedes, fue interceptada con una pregunta, según registraron crónicas de ese día: "¿Cuál le gusta de primera dama: Lucía Méndez, Verónica Castro o Martha Sahagún?"

La respuesta de la señora fue clara: "Con ninguna de las tres, porque sé que ninguna le gusta a él. *Chente* está dedicado a sus hijos y nunca va a tener una primera dama que sea su esposa".

Después de votar, el candidato voló en un jet privado a la Ciudad de México acompañado por toda su familia: su ex esposa Lillián, sus hijos, su madre y sus ocho hermanos: Mercedes, Martha, Susana, Cecilia, José Luis, Javier, Juan Pablo y Cristóbal. Arribaron a la recién estrenada sede del PAN en avenida Coyoacán, colonia del Valle, de la cual saldría hasta las 10 y media de la noche a festejar en el Ángel de la Independencia su contundente triunfo sobre su más cercano opositor, el priísta Francisco Labastida Ochoa.

Aquella noche sobre Paseo de la Reforma hubo un grito unánime que hizo que la piel se enchinara hasta por debajo de la epidermis: "¡No nos falles!, ¡No nos falles!"

A los pocos meses se comenzó a ver de qué estaba hecho el hombre que sacó al PRI de Los Pinos. De pronto comenzó a vivir rodeado de lujos y comodidades, muchos de ellos de origen inexplicable.

* * *

Después de tomar posesión como presidente el 1 de diciembre de 2000, Vicente Fox tardó todavía más de un mes en mudarse a Los Pinos.

El arquitecto Humberto Artigas del Olmo estaba remodelando y decorando las "cabañitas" en las que vivirían el jefe del Ejecutivo y sus cuatro hijos. La remodelaba por medio del contrato firmado a nombre de Humberto Artigas y Arquitectos, S.A. de C.V., y las decoraba con la razón social MYO, S.A. de C.V.

Artigas del Olmo fue presentado al presidente por alguien de toda su confianza y con ascendencia sobre él: su hermano mayor José Fox. A su vez, José y el arquitecto fueron presentados por Juan Diego Gutiérrez Cortina, con quienes hasta la fecha mantiene una amistad.

Aparte del millonario gasto con cargo al erario que significó la remodelación de las "cabañas" —ocho millones de pesos según el presupuesto aprobado—, se compraron enseres de lujo como parte del menaje para esas construcciones (véase anexo 5).

Según la información del contrato AD-268-00, del cual aún se conserva una copia, se adquirieron "toallas importadas con bordado especial" con un costo unitario de 4 025 pesos, cuatro manteles rectangulares de 7 475 pesos, cortinas de loneta de 32 200 pesos cada una y otras hasta de 40 000. Asimismo, se compraron cuatro juegos de sábanas modelo Wuamsuta blancas por 38 570 pesos cada una, cortinas eléctricas de control remoto de 173 000 pesos y 12 colchones —algunos con box spring—, con un valor total de 111 200 pesos.

También fueron adquiridos muebles de entre 3 500 hasta 55 000 pesos y tapetes hasta de 86 000 pesos. Todos estos gastos configuraron el primer escándalo de corrupción dentro de la residencia oficial de Los Pinos, conocido como el *toallagate*, por lo

MÉXICO, D.F., A 25 DE JUNIO DEL 2003.

LIC. EDGAR MANUEL GONZÁLEZ CONTRERAS,
TITULAR DE LA UNIDAD DE ENLACE PARA LA
TRANSPARENCIA Y ACCESO A LA INFORMACIÓN
PÚBLICA GUBERNAMENTAL EN
PRESIDENCIA DE LA REPÚBLICA.

EN RELACIÓN A LA INFORMACIÓN SOLICITADA POR ███████████, A ESA
UNIDAD Y REMITIDA A ESTAS OFICINAS CON NÚMERO DE SOLICITUD
0210000013803 EN EL SENTIDO DE PROPORCIONARLE... "LOS COSTOS DE
LA REMODELACIÓN DE LA RESIDENCIA OFICIAL DE LOS PINOS, EN LAS
TRES ÚLTIMAS ADMINISTRACIONES FEDERALES; OTROS DATOS PARA
FACILITAR SU LOCALIZACIÓN. CUANTO HA GASTADO EL GOBIERNO
FEDERAL EN LA REMODELACIÓN DE LA RESIDENCIA OFICIAL EN CADA
UNA DE LAS TRES ÚLTIMAS ADMINISTRACIONES, INCLUYENDO LA DEL
PRESIDENTE FOX."...

AL RESPECTO HAGO DE SU CONOCIMIENTO, QUE EN LA DIRECCIÓN
GENERAL DE ADMINISTRACIÓN DE PRESIDENCIA DE LA REPÚBLICA, NO
SE CUENTA CON INFORMACIÓN CONCERNIENTE A LAS ANTERIORES
ADMINISTRACIONES. EN VIRTUD DE LO ANTERIOR INFORMAMOS A USTED
QUE LAS OBRAS DE REMODELACIÓN QUE SE HAN EFECTUADO EN LA
RESIDENCIA OFICIAL DE LOS PINOS DURANTE LA PRESENTE
ADMINISTRACIÓN A CARGO DEL ESTADO MAYOR PRESIDENCIAL Y LA
DIRECCIÓN GENERAL DE ADMINISTRACIÓN, SON LAS SIGUIENTES:

CONTRATO	CONCEPTO	DESCRIPCIÓN DE LA OBRA	CONTRATISTA	MONTO DEL CONTRATO	PLAZO
* AD-009-01	REMODELACIÓN DE LA RESIDENCIA MIGUEL ALEMÁN	TRANSFORMACIÓN DE USO HABITACIÓN EN OFICINAS	HUMBERTO ARTIGAS Y ASOCIADOS, S.C.	$30,088,782.99	DEL 14 DE FEBRERO AL 16 DE ABRIL DEL 2001
* S/N	REMODELACIÓN DE OBRAS EXTERIORES	TRANSFORMACIÓN DE ACCESOS Y ESPACIOS DE USO HABITACIÓN A OFICINAS	HUMBERTO ARTIGAS Y ASOCIADOS, S.C.	$14,667,631.10	DEL 16 DE ABRIL AL 16 DE JUNIO DEL 2001
* S/N	REMODELACIÓN DE CASA ANEXA	TRANSFORMACIÓN DE USO HABITACIÓN EN OFICINAS	HUMBERTO ARTIGAS Y ASOCIADOS, S.C.	$8,617,997.34	DEL 16 DE ABRIL AL 16 DE JUNIO DEL 2001
TOTAL RESIDENCIA MIGUEL ALEMÁN, EXTERIORES Y CASA ANEXA $53,374,411.43					
AD-269-00	REMODELACIÓN DE LAS CABAÑAS I Y II	ACONDICIONAMIENTO PARA USO HABITACION	HUMBERTO ARTIGAS Y ASOCIADOS, S.C.	$8,521,487.44	DEL 20 DE DICIEMBRE 2000 AL 31 DE DICIEMBRE 2000
TOTAL REMODELACIÓN CABAÑAS 1 Y 2 $8,521,487.44					

*ESTOS CONTRATOS SE DIERON POR TERMINADOS ANTICIPADAMENTE,
HABIÉNDOSE PAGADO AL CONTRATISTA $21,003,506.59; LOS TRABAJOS

Presupuesto de los trabajos de remodelación en Los Pinos, realizado por
Humberto Artigas del Olmo, el mismo arquitecto que diseñó las cabañas
en el rancho La Estancia.
FUENTE: Sistema de Solicitudes de Información (SISI), del IFAI.

cual fueron despedidos el director administrativo de la Presidencia, Carlos Rojas Magnon, y otros funcionarios.

Hasta la fecha, la Presidencia se niega a aclarar lo ocurrido con las compras de esos enseres a precios desorbitantes. Según una solicitud de información hecha el 16 de junio de 2003, en la que se pidió el resultado de la auditoría practicada sobre el caso, en Los Pinos se respondió que el asunto quedará reservado (es decir, en secreto) durante los próximos 12 años.

* * *

A finales de diciembre de 2000 inició la odisea del ingeniero Jorge Hernández Paniagua. Su cometido no era menor; por suerte tenía en qué apoyarse: un presupuesto sin límites y su inseparable cajetilla de cigarros *Marlboro Ligth*.

El hombre afable y trabajador, de unos 50 años, delgado, con pelo más blanco que oscuro, nariz pronunciada y con sendas cartucheras donde cargaba un nextel y un celular, tenía la misión de convertir el viejo y descuidado rancho "oficial" del presidente de la República en una magnífica propiedad con alberca y jacuzzi al aire libre. Y todo tenía que estar listo antes de la visita del presidente de Estados Unidos, George Bush, agendada para el 16 de febrero de 2001.

El ingeniero era empleado del empresario constructor José Cosme Mares Hernández, quien se granjeó la amistad de Vicente Fox desde su segunda campaña por la gubernatura del estado.

Al igual que ocurrió en La Estancia —el rancho secreto del presidente en La Gorda Atorada—, el diseño de la remodelación del "rancho oficial" corrió a cargo de Humberto Artigas del Olmo y Mares Hernández ejecutó la obra.

Quienes recuerdan al ingeniero Hernández Paniagua en acción se refieren a él como un hombre diligente, "muy apegado" a la obra.

Controlaba sin problemas la flotilla de más de 50 trabajadores que levantaban y tiraban muros, colocaban vigas, armaban columnas de cantera y pintaban. Pero le costó trabajo ponerse de acuerdo con dos mujeres que quisieron meter su cuchara en la obra de remodelación imponiendo su gusto personal: Josefina Hernández Hass, esposa de Cosme Mares; y Lucha Lozano de Fox, esposa de José Fox Quesada, el hermano mayor del presidente.

* * *

El año 2000 terminó muy bien para la empresa Desarrollo de Jardinería y Acabados, S.A. de C.V., mejor conocida como Viveros GDV, porque su dueño se llama Mauricio Gutiérrez de Velasco. En noviembre de ese año fue contratada para participar en la remodelación "total" del "rancho oficial" de Vicente Fox, aunque los trabajos iniciaron hasta enero de 2001, cuando la obra de remodelación y construcción estaba muy avanzada.

El primer encargo a Viveros GDV fue enjardinar el área del helipuerto construido ex profeso para las llegadas y partidas de Vicente Fox. Para ese trabajo se requirieron 1 600 metros cuadrados de "pasto kikuyo en rollo", cuyo precio fue de 38 400 pesos, y la siembra de 3 200 metros cuadrados de pasto en semilla por 25 600 pesos (véase anexo 6).

También esa empresa fue responsable de la poda de árboles en la entrada principal, de la limpieza de los pocos arbustos frutales que quedaban de higo y zarzamora, y del "deshierbe a mano" del trébol que crecía por todas partes. Tenían que sembrar cuatro sabinos, cinco eucaliptos de 3 a 4 metros de altura, siete bugambilias y cuatro hiedras, según el presupuesto autorizado por el ingeniero, del cual se tiene copia.

Uno de los trabajadores de dicha empresa, que estuvo en el lugar durante más de un mes, comentó los jaloneos que hubo en-

ANEXO 6

DESARROLLO DE JARDINERIA Y ACABADOS S.A. DE C.V.

BLVD. AEROPUERTO No. 901   TELS. 761-07-63 y 761-07-64   FAX. 761-02-45
LEÓN,GTO 06/11/00   LEON,GTO.

ATN : ING. JORGE HERNÁNDEZ PANIAGUA
C.P MARÍA CONCEPCIÓN RIVAS.

ASUNTO: PRESUPUESTO EMPASTADO HELIPUERTO CON PASTO EN ROLLO
Y SEMMILLA,FUMIGACIÓN Y FERTILIZACIÓN AREAS VERDES.

AREA POR JARDINAR. HELIPUERTO.

CANTIDAD	DESCRIPCIÓN	P.U	IMPORTE
1600	M2 DE PASTO KIKUYO EN ROLLO	24.00	38,400.00
3200	M2 DE SEMBRADO DE PASTO EN SEMILL MEZCLA: 30 % bermuda 30 % fescuta 30 % ray grass perenne. 10 % kikuyo	8.00	25,600.00
	total		$64,000.00

NOTA.: se requiere el terreno nivelado con motoconformadora, en el caso del pasto en rollo,
la siemnbra del pasto en semilla,tractor con rastra o cultivadora antes de sembrar.

FUMIGACIÓN

Para la s areas de pasto ya establecido se aplicara furadan pra combatir gallina ciega y plagas
del suelo ,junto con un fertilizante especial pra pasto,pra revitalizarlo.
En el caso de arboles y plantas de aplicará una fumigación a base de insecticidas y fungicidas
como correctivo y preventivo,asi como un fertilizante foliar.

1	LOTE DE FERTILIZACIÓN Y FUMIGACIÓN SUELO.	5,200.00	5,200.00
1	LOTE DE FUIGACIÓN Y FERTILIZACIÓN FO LIAR.	2,200.00	2,200.00

ATTE: ING. MAURICIO GUTIERREZ DE VELASCO.

Presupuesto de los trabajos de jardinería realizados a principios del sexenio en el rancho San Cristóbal.

tre doña Josefina y doña Lucha para el diseño de exteriores del rancho de Vicente Fox.

Doña Josefina, mujer atractiva de tez morena y pelo largo, que contaba con toda la confianza y el afecto del jefe del Ejecutivo —según notaron los trabajadores por los saludos efusivos—, tenía pensado un paisaje exterior estilo "mexicano". Luego de que cortaron el cedro de la entrada de la casa, quería que Viveros GDV pusiera cactus, magueyes, nopales y órganos.

La esposa de José Fox Quesada, doña Lucha, tenía una idea opuesta: trajo a un exquisito diseñador de exteriores de la *high society* de León, Guillermo González del Castillo. Quería un paisaje exterior afrancesado, con crisantemos y claveles, aunque lo más probable es que no aguantaran el clima seco de la zona.

Mientras una ordenaba una cosa, la otra la contradecía. Al final fue Lucha Fox quien se salió con la suya e incluso logró que para la visita de George Bush todo el interior de la casa fuera plagado de hermosas y frágiles macetas con orquídeas blancas.

—¿Y estas plantas florean todo el año? —preguntó Vicente Fox, viéndolas con curiosidad.

El encargado de Viveros GDV no quiso desanimarlo y le dijo que se diera por bien servido si volvían a florear otra vez.

—Sí, como tres veces al año —prefirió responder.

Cuando a alguien se le ocurrió preguntar al dueño de la casa cómo quería su jardín, él coincidió con el gusto de Josefina Mares. El día que se percató de que en lugar de cactus habían puesto crisantemos sólo preguntó:

—¿Qué pasó?

Lo único que el presidente defendió a capa y espada fue la enredadera de zarzamora que estaba en la puerta de acceso al rancho, y las savias de flores de rojo intenso, que están en uno de los bordes del lago.

Los trabajadores entrevistados recuerdan que cuando ellos se fueron (a mediados de febrero de 2001), estaba prácticamente terminada la remodelación de la casa.

Aunque la parte delantera de la casa conserva la fachada de estilo inglés, la parte trasera quedó con todo el toque *new age* mexicano del arquitecto Artigas.

Se cambiaron los techos y paredes y se colocaron enormes vigas de madera a lo largo del techo y, en lugar de muros, columnas de piedra tallada. En las áreas de uso rudo de la casa se quitó la loseta anterior y se puso cantera en su lugar. En las recámaras se metió duela de madera color maple y gruesas puertas rústicas para hacerle juego.

La habitación del presidente quedó muy amplia, con un baño de mármol blanco que cuenta con un pequeño arreglo de plantas en su interior, que es iluminado por un domo.

El viejo gimnasio quedó totalmente renovado y con vista al jardín; además, le pusieron nuevos aparatos de ejercicio y un jacuzzi.

Debajo de la casa se construyó un amplísimo salón de juegos de puro mármol. En la parte trasera de la casa, la que da vista al lago, se levantó un techo de teja roja de más de tres metros de altura sobre una terraza al aire libre. El plafón quedó sostenido por vigas y cuatro gruesas columnas de cantera blanquizca. La hermosa construcción está a unos metros del estanque del agua, por lo cual se produce un efecto de espejo fascinante, según consta en las fotografías que se consiguieron para esta investigación.

Con la magia de la arquitectura construyeron una amplia alberca de 10 por 15 metros —aproximadamente— con jacuzzi. Quien se echara un chapuzón en la piscina tendría la ilusión óptica de estar dentro del mismo lago.

Entre los trabajos de remodelación también se arregló la cancha de tenis y se pavimentó el acceso al rancho desde la carretera de León-Cuerámaro.

Atrás de la residencia principal, del lado izquierdo se levantó un chalet de dos pisos para huéspedes, totalmente independiente. Y donde estaban las caballerizas se edificó una casa para los elementos del Estado Mayor Presidencial que custodian la propiedad.

Los trabajos de remodelación en el "rancho oficial" del jefe del Ejecutivo no se limitaron a la construcción, sino también al diseño de interiores.

La casa fue decorada con grandes macetones de cantera por todas partes. La enorme mesa del comedor la mandaron hacer uniendo varias puertas de madera antigua. Entre otros detalles, en el corredor que da a la habitación de Vicente Fox se colocó una hermosa vitrina de madera, con vidrios biselados. En su interior, a la vista, pusieron figuritas diferentes, entre ellas una pequeña figura de tela del "Subcomandante Marcos" (con pipa y todo), emblemas patrios y hasta una paloma de la paz.

La recámara del primer mandatario, con vista al jardín, quedó decorada con una robusta cama de madera, tipo Luis XV, con barrotes de madera tallada en cada esquina, y cuadros de paisajes en las paredes.

En los últimos años se han hecho algunas adecuaciones, por ejemplo: sobre el gimnasio que estaba a desnivel se construyó un enorme vestidor, de cerca de 5 metros cuadrados, para el vestuario de la primera dama. Habrá que recordar que cuando se hicieron los trabajos de remodelación a principios de 2001, Vicente Fox estaba soltero.

Y se pusieron algunos objetos del gusto de la esposa del presidente, por ejemplo: en la habitación principal hay un sillón de brocados dorados y marrones, y sobre las paredes ya no existen cuadros de paisajes, sino fotografías repartidas por todos lados de la *pareja presidencial*.

En la sala principal están colgados dos gigantescos cuadros de dos metros de altura. En uno de ellos está Vicente Fox de pie y en el otro su esposa Martha, sentada en una churrigueresca silla.

En la declaración patrimonial de Vicente Fox correspondiente, entregada en mayo de 2004, él afirma que la casa del rancho en San Cristóbal le costó 220 000 pesos.

* * *

Aunque sin duda el ingeniero Hernández Paniagua era eficiente en su trabajo, a cada rato iba Cosme Mares a supervisar directamente los trabajos, acompañado de su esposa Josefina y de una de sus hijas.

El hombre con pinta de jugador de futbol americano: alto, robusto, rubio y de ojos claros, prefería ir al rancho de San Cristóbal los fines de semana; así podía ver a su amigo Vicente Fox y de paso ser invitado a la mesa presidencial.

Quienes fueron testigos de esos encuentros afirman que entre los dos había una fraterna amistad. Cosme y Vicente se saludaban con un abrazo y se pasaban horas conversando.

Esa amistad nació en 1995, cuando Fox buscaba por segunda vez la gubernatura de Guanajuato. Fue a una reunión con empresarios en Irapuato, y al final Cosme Mares se acercó al equipo del candidato para pedirle una cita. El empresario de la construcción comenzó a apoyar económicamente la campaña, con dinero o en especie, e hizo una relación cercana con Lino Korrodi, el operador financiero.

Cuando Vicente Fox ganó la gubernatura, Cosme Mares vio compensados sus esfuerzos. Comenzó a recibir importantes contratos para hacer obra pública en el estado.

Aunque lo suyo era la construcción de carreteras por medio de su empresa, Fabricación y Colocación de Pavimento, S.A. de C.V., el gobierno del estado le dio un contrato por más de 100 millones de pesos para construir el Centro Estatal de Readaptación Social (Cereso) de León.

Al final, Mares no pudo cumplir, pero no fue Vicente el que se animó a rescindirle el contrato, sino Ramón Martín Huerta, gobernador interino de Guanajuato cuando Fox pidió licencia para iniciar su precampaña rumbo a la Presidencia de la República.

Un ex funcionario del gobierno de Guanajuato que vivió de cerca el caso del amigo de Fox definió a Cosme Mares como "un contratista audaz", que tenía varios trabajos de construcción en el país. Afirma que poseía mucha maquinaria.

"Cosme comenzó a hacer obras desde el gobierno de Carlos Medina (1991-1996) e hizo la carretera a Ocampo", informó el ex servidor público.

"El problema con Cosme es que utilizaba el dinero de los anticipos para terminar otras obras que tenía en otros lugares, y jineteaba el dinero. Cuando quería tapar un hoyo abría otro." La fuente consultada corroboró la amistad de Fox con Mares.

"La señora Josefina es una chispa, se mueve por todos lados para conseguir contratos", añadió la persona entrevistada.

Trabajadores que participaron en la remodelación del "rancho oficial" de Fox, tanto en albañilería como en jardinería, afirman que todos los trabajos fueron pagados por José Cosme Mares Hernández.

Cabe recordar que Mares no sólo está involucrado en estos trabajos particulares al presidente en la hacienda de San Cristóbal, sino también participó activamente en la construcción del rancho secreto La Estancia, en Nuevo Jesús del Monte.

Casualmente, en lo que va del presente sexenio, el empresario constructor ha obtenido del gobierno federal por lo menos 28 contratos de obras públicas por un monto superior a los 800 millones de pesos.

* * *

En octubre de 2002, la Comisión de Vigilancia de la Auditoría Superior de la Federación de la Cámara de Diputados solicitó al auditor superior, Arturo González de Aragón, hacer una investigación exhaustiva para saber si los trabajos de remodelación del rancho de Vicente Fox en la hacienda de San Cristóbal se habían hecho con recursos públicos destinados a la infraestructura social. Y eso que los legisladores sólo contaban con la información sobre la pavimentación de accesos al rancho y algunos arreglos hechos en el pueblo.

"Vamos a proceder, de acuerdo con los convenios firmados con las contadurías estatales, a efectuar la revisión correspondiente. Para ello estaremos en contacto con los órganos de fiscalización del Estado y procederemos a hacer las investigaciones del caso", dijo entonces González de Aragón.

El auditor señaló que la investigación se haría conjuntamente con el organismo fiscalizador del congreso guanajuatense y que los resultados de la auditoría se darían a conocer en marzo de 2003.

Llegó la fecha programada y González de Aragón informó que no se detectó el uso de recursos públicos destinados a la infraestructura social (ramo 33). Después de esa respuesta, la pregunta quedó en el aire: ¿quién pagó la imponente transformación del rancho del presidente en la hacienda de San Cristóbal?

Con base en la *Ley de Transparencia y Acceso a la Información Pública* (solicitud de información 0210000002005) se pidió a la Presidencia de la República copia de los contratos, facturas y/o notas de los trabajos de remodelación realizados en la hacienda de San Cristóbal del año 2001 a la fecha, incluidas la cancha de tenis, la alberca y las habitaciones del Estado Mayor Presidencial.

ANEXO 7

Estimada peticionaria:

Respecto de su solicitud número 0210000002005, le informamos que después de haber realizado una revisión exhaustiva en los archivos de las Unidades Administrativas de Presidencia de la República y no habiendo encontrado ningún documento relacionado con su solicitud de información y en un acto de total transparencia, hacemos de su conocimiento que las obras de remodelación a que hace referencia su solicitud, no fueron financiadas con recursos presupuestales.

Damos respuesta puntal a sus preguntas:

1. No hubo presupuesto ejercido por esta dependencia para las diversas remodelaciones que se han hecho al Rancho San Cristóbal, localizado en San Francisco del Rincón, Guanajuato, propiedad del Presidente Vicente Fox y de su familia, desde el 2 de julio del 2000 y hasta la fecha.

2. Lo anterior incluye las obras realizadas para la visita del Presidente George Bush, el 16 de febrero del 2001, así como la alberca, el helipuerto y el inmueble localizado al interior del rancho en donde se aloja personal del Estado Mayor Presidencial. En lo referente al helipuerto e inmueble que alberga a dicho personal, le externamos que son dos obras cuya mano de obra proporcionó el mismo Estado Mayor Presidencial por razones de seguridad.

3. No hubo contratos entre Presidencia de la República y empresa alguna que hicieran dichas remodelaciones, motivo por el cual no estamos en condiciones de extenderle copia de ningún contrato celebrado.

4. El material utilizado para las diversas remodelaciones en el Rancho San Cristóbal no se adquirió con fondos presupuestales, por lo que no existen en Presidencia de la República facturas correspondientes a la compra de dicho material.

Sin otro particular, quedamos a sus órdenes.

ATENTAMENTE

UNIDAD DE ENLACE

Si no está conforme con la respuesta otorgada a su solicitud de información, se le informa que puede interponer recurso de revisión de manera gratuita, ante el IFAI, en la dirección electrónica www.informacionpublica.gob.mx

Comprobante de que no hubo dinero público en la remodelación del rancho San Cristóbal. Entonces ¿de dónde salen los recursos?
FUENTE: Sistema de Solicitudes de Información (SISI).

En Los Pinos contestaron:

. La remodelación del rancho no se hizo con recursos presupuestales (véase anexo 7).

Lo anterior incluye las obras realizadas para la visita del presidente George Bush el 16 de febrero de 2001, así como la alberca, el helipuerto y el inmueble localizado al interior del rancho en donde se aloja el Estado Mayor Presidencial.

En lo referente al helipuerto y el inmueble que alberga a dicho personal, le externamos que son dos obras cuya mano de obra proporcionó el mismo Estado Mayor Presidencial por razones de seguridad.

No hubo contratos entre la Presidencia de la República y empresa alguna que hiciera dichas remodelaciones, motivo por el cual no estamos en condiciones de extenderle copia de ningún contrato celebrado.

El material utilizado para las diversas remodelaciones en el rancho San Cristóbal no se adquirió con fondos presupuestales.

Resulta contrastante que mientras en el año 2000 Lino Korrodi, el encargado de las finanzas de Amigos de Fox, tenía que pagar las compras del supermercado y las colegiaturas a los cuatro hijos de Vicente Fox, apenas unos meses después el jefe del Ejecutivo ya pudiera costear de su bolsa las remodelaciones de su propiedad. Eso sin contar que ese año, 2001, también tuvo recursos para construir su rancho secreto, comprar una residencia en Contadero y crear la empresa Agropecuaria La Estancia.

Por eso, la fabulosa transformación del rancho oficial del presidente es "el milagro de San Cristóbal".

CUADRO 2.1. Situación patrimonial de Vicente Fox de 1996-1999, según las declaraciones patrimoniales públicas entregadas cuando aspiraba a la Presidencia de la República
(miles de pesos)

	1996	*1997*	*1998*	*1999 (final)*
Ingresos brutos[a]	1 133	1 415	1 585	1 284
Egresos[b]	847	1 069	1 514	1 272
Ahorros	10	345	10	12

[a] Cabe señalar que los ingresos de Fox, según el informe presentado por él, constaban de su sueldo como gobernador, sueldos percibidos por las empresas de las que era socio, "rentas, regalías, intereses y dividendos", "financiamientos varios", "retiro de ahorro", "valores" y "venta de acciones".

[b] Los egresos estaban integrados por el pago de hipoteca, tarjetas de crédito, pago de financiamiento de muebles (1996), adquisición de bienes inmuebles y semovientes, donaciones a dependientes económicos, colegiaturas, impuestos, manutención y gastos médicos.
FUENTE: www.vicentefox.org.mx

La información refleja que la capacidad de ahorro de Vicente Fox respecto a sus ingresos era muy reducida; prácticamente vivía al día.

3. De La Chinga a Los Pinos

Martha Sahagún estaba decidida a quitar del camino a su marido. Ésa fue la sensación que quedó entre los amigos de la pareja aquella tarde de junio de 1995.

Corrían las primeras semanas del mes. Vicente Fox había ganado las elecciones estatales el domingo 28 de mayo y buscaba a los hombres y mujeres con los que empezaría a armar su gabinete.

Los candidatos a funcionarios estatales eran citados en la conocida oficina del Boulevard Adolfo López Mateos, en León, que el empresario Elías Villegas había prestado a Fox para que instalara su centro de operaciones mientras le hacían entrega de las llaves del Palacio de Gobierno.

Martha Sahagún y su esposo Manuel Bribiesca fueron citados por Ramón Muñoz a las cinco en punto. Minutos antes de la hora acordada, la pareja llegó del brazo. Emocionados y parlanchines se sentaron en las butacas negras distribuidas frente a la recepción a esperar su turno.

Decenas de personas entraban y salían del inmueble: querían ver al gobernador electo. Algunas llevaban felicitaciones o mensajes de buenos augurios, pero, las más, su currículum para que los consideraran en la repartición de los puestos.

El doctor Bribiesca, hombre robusto, sociable y escandaloso, encontró a varios de sus compañeros de la batalla política con quien amenizar la espera. Empezó a repartir abrazos y saludos. Al primero que se dirigió fue a Ramón Muñoz, cercano desde entonces a Vicente Fox Quesada. Siguió moviéndose entre las oficinas hasta toparse con Guillermo Romero Pacheco, secretario particular del futuro gobernador, y Rafael Díaz, coordinador de Comunicación Social en la campaña del guanajuatense. De pasada, platicó también con Alberto Díaz, un panista de Irapuato que ese día, como muchos otros políticos, había ido a ponerse a las órdenes del nuevo gobernador de Guanajuato.

En la plática, las anécdotas de las campañas electorales empezaron a salir. Reían. Recordaron cuando su esposa Martha buscaba ser alcaldesa de Celaya en 1994. Se limpiaba la mejilla cada vez que un simpatizante con cara sudorosa le daba un beso; le costaba mucho trabajo dejar de hacerlo, a pesar de los codazos que el esposo le daba para recordarle que no era bien visto.

Recordaban también que en una visita de la candidata a la popular colonia Ejidal, dos perros le dieron tal corretiza que en un salto dejó varios metros atrás a todo el grupo que la acompañaba.

Mientras el folclórico Manuel Bribiesca socializaba por toda la sala, Martha no se despegaba de la puerta de la oficina de Vicente Fox, ni ocultaba su nerviosismo. Caminaba unos pasos, saludaba de lejos a los conocidos y regresaba a su asiento. Únicamente intercambió alguna pregunta con la recepcionista. Se levantó una vez más, se alisó con rapidez el saco y la falda de su traje sastre y volvió a ver la puerta de la oficina de Vicente Fox, que seguía cerrada.

* * *

Don Manuel se veía alegre. Los medios locales lo mencionaron como posible subsecretario de Agricultura, con Javier Usabiaga a la cabeza de esa cartera. Se lo merecía, creía Bribiesca, porque él también había sufrido la derrota electoral de 1991 cuando fue candidato a diputado federal al mismo tiempo que Vicente Fox buscaba por primera vez la gubernatura del estado.

Desde entonces, Bribiesca conocía a Fox. Ambos rancheros habían recorrido kilómetros para convencer a los votantes de que se debía echar de Guanajuato al PRI. Caían bien a la gente. Los dos eran broncos, francotes, mal hablados y echados pa'lante. Habían hecho buena mancuerna con sus declaraciones estruendosas en contra del partido gobernante, y las esposas de ambos, Lillián de la Concha y Martha Sahagún, hasta se caían bien.

Manuel Bribiesca trabajó también en la segunda campaña de Fox para la gubernatura, pero esta vez del lado de su esposa, quien coordinaba la campaña en Celaya. La pareja salía a las calles a pedir el voto para el candidato panista y le organizaban reuniones en su comunidad.

Habían sido muchos años de esfuerzo; Bribiesca creía que merecía trabajar al lado de su amigo, quien tomaría posesión como gobernador en dos meses.

Ambos, Martha y Manuel, a los ojos de la conservadora población celayense, todavía eran una pareja sólida, reconocida y querida, aunque su situación económica no era la mejor en ese tiempo. El principal negocio de la pareja era la Organización Farmacéutica Veterinaria, S.A. de C.V. (Ofavesa), que había empezado en 1972 en un local de 16 metros cuadrados ubicado en el Boulevard Adolfo López Mateos, casi esquina con Luis Cortázar, en Celaya. En sus buenos años, la farmacia veterinaria se convirtió en una importante distribuidora de alimentos para animales en 19 estados.

A la par de la creación de Ofavesa, la pareja inició un negocio más: La Canasta, una tienda ubicada en el local contiguo a la veterinaria en la que Martha vendía quesos *made in* La Chinga, el rancho que el matrimonio adquirió en los áridos terrenos ubicados en la carretera a Cortázar.

—Le pusimos así porque nos costó mucho trabajo tenerlo —justifica don Manuel Bribiesca el campechano nombre.

Los quesos los cuajaba ella con leche de las más de 100 vacas que tenían. Su esposo le había enseñado a hacer de todo: queso fresco, queso Oaxaca y de morral. "¡Hasta eso, le salían bien!", recuerda el ex marido.

Don Manuel admite que a Martha no le gustaba ir al rancho, más que para las fiestas, ni tampoco le gustaba mucho el nombre que le había puesto su marido, por lo que lo rebautizó con el nombre de El Pirul.

La Canasta no corrió la misma suerte de Ofavesa y fue cerrada dos años después. La veterinaria se convirtió en el negocio que dio a la pareja Bribiesca Sahagún una estabilidad de clase media y alcanzó para mucho.

De sus cuentas personales, el doctor Bribiesca aportó más de dos millones de pesos para la fallida campaña de Martha a la alcaldía de Celaya a finales de 1994.

En los tiempos difíciles de la clínica San José, propiedad de su suegro Alberto Sahagún de la Parra, Manuel Bribiesca ayudó con fuertes sumas de dinero y con la compra de equipos de tomografía y rayos X para modernizarla.

Las cuentas de la operación de corazón de su suegra, Teresa Jiménez, y los gastos de la clínica de desintoxicación en la que internaron a su cuñado Guillermo Sahagún también corrieron a cargo del veterinario. Todo salía de las arcas de Ofavesa.

Ahora, si los planes no fallaban, Vicente Fox los recompensaría de las penurias pasadas en los días de campaña con un cargo en la administración local y podrían recuperarse económicamente de la mala racha.

* * *

La pareja Bribiesca-Sahagún seguía en espera de ser recibida por el gobernador electo. En un descuido del marido, Martha se deslizó con sigilo hasta la oficina de Vicente Fox cuando nadie la veía y en un solo movimiento ya estaba parada frente al gobernador electo. Ante secretarias y funcionarios, el robusto Bribiesca se quedó sin saber qué decir cuando buscó a su esposa y ésta ya no estaba. Fue quizá la primera vez que Martha Sahagún supo cómo quitar del camino a quien le estorbara, aun cuando se tratara de su esposo.

El resultado de su madruguete llegó una semana después, cuando Ramón Muñoz y Guillermo Romero se presentaron en el número 57 de la calle Azcarateo, colonia Alameda, en Celaya, casa del matrimonio Bribiesca. Martha los recibió a solas en la sala. Los enviados del gobernador electo llevaron un mensaje: sólo un integrante de la pareja podía trabajar en el gobierno del estado. Recomendaron a Martha Sahagún que lo platicara con su marido y decidieran quién iría. Pero el gobernador tenía interés en poner a una mujer en la Coordinación de Comunicación Social y en el DIF, según la versión que Martha dio a su familia.

* * *

A Vicente Fox le gustaba presumir que en la Dirección General de Comunicación Social de Guanajuato había contratado a una persona sin experiencia, con el objetivo de que innovara el área. Tenía razón, sólo en la primera parte.

Al terminar la secundaria, Martha Sahagún se fue a Irlanda a estudiar inglés por dos años y medio, acompañada de su hermana Beatriz. Después de su boda con Manuel Bribiesca, había tomado un par de diplomados empresariales. Hasta ese momento, su formación política se la debía a un libro de autoayuda: *Quiero ser político*, de Ricardo Rabella. El título de cada capítulo y su contenido describe de cuerpo completo a su lectora: Análisis personal, Quién influye más, Cómo influir, Plan de marketing político, La propaganda política, La televisión, Lo que se dice sin decir, Hablar en público, Consejos prácticos, La participación, La *guerra sucia*, La negociación y ¡Al fin salí elegido!

A juzgar por la cantidad de anotaciones del ejemplar que ella leyó, el cual se consiguió para esta investigación, un capítulo llamó más su atención que el resto: "Quién influye más". Su atención se centró en las características que debe tener un líder:

Decisión, don de mando y carisma. No debe ser necesariamente inteligente. Frecuentemente el don de mando oculta la falta de otras cualidades.

Fuerza, persuasión, carisma y don de gentes.

Ante todo, la inteligencia y la fluidez de expresión verbal, necesarias ambas para una eficaz manipulación de los demás: llevarlos a donde el líder quiera. Y llevarlos contentos y agradecidos.

Y acerca de los métodos de cómo surge un líder, Martha Sahagún subrayó con un bolígrafo de tinta negra:

De un contexto mediano o gris puede surgir un hombre o mujer arrollando la apatía.

—Cómo un ser superior sabe lo que tiene que hacer para resaltar. Nunca expresa una opinión para que quede confundida con las demás, sino que ha de sobresalir.

Respecto a las "fórmulas" de persuasión, remarcó: "Ha de recurrirse al sentimiento. Han de encontrarse motivos".

El texto, que lo mismo tiene frases de Adolf Hitler y Ambroisse Bierce (autor del *Diccionario del diablo*), ofrece un glosario de frases acuñadas por santos, políticos, pensadores y filósofos de todas las épocas, de las que pueden echar mano cuando la ocasión lo amerite, y ofrece a sus lectores un apartado especial sobre tácticas de la *guerra sucia*:

El camuflaje: disimular algo dándole una apariencia falsa y, por tanto, diferente a lo que realmente es. El camuflaje adopta un sinfín de variedades desde su aplicación

Táctica del maremoto: cuando alguien se queja de que no es debidamente informado, su astuto oponente le remite tal cantidad de papeles que lo ahogan y no le permiten encontrar los hechos esenciales entre tamaña avalancha de documentos.

Táctica de la generosidad: en este caso los detalles que podría provocar la oposición política se ocultan dentro de una nube de floridas incongruencias.

Ésas eran algunas de las lecturas de la ahora primera dama.

La falta de experiencia que Martha tenía en su área fue sustituida pronto por otras habilidades.

Uno de los ex colaboradores de Vicente Fox en la Coordinación de Comunicación Social del gobierno de Guanajuato recuerda lo ocurrido en junio de 1996. El grupo de sondeos de la Universidad de Guadalajara presentó en privado los resultados de las encuestas de la evaluación al primer año de gobierno foxista en materia de programas y políticas gubernamentales. Los resultados daban al gobernador Fox un nivel de aprobación abajo de siete puntos.

Sin embargo, Martha Sahagún no aceptó los resultados y advirtió a los encuestadores que no podían darse a conocer porque afectarían la imagen y el ánimo del gobernador. Al día siguiente, las encuestas fueron entregadas por segunda ocasión con un ligero cambio que favorecía falsamente al mandatario estatal.

De 6.7 de calificación que tenía el gobierno de Fox, subió en un día a 7.3, según pudo constatarse en los dos juegos de copias que aún existen y que fueron consultados. Ambas encuestas, la original y la falsa, señalaban la misma fecha: 17 de junio de 1996. La versión que se presentó a los medios de comunicación fue la segunda. El evento se organizó en un hotel de Guanajuato: el salón ejecutivo del hotel parador San Javier, el 26 de junio del mismo año.

✻ ✻ ✻

Desde 1996 aseguran que Martha Sahagún se veía como la "señora Fox". En julio de ese año se llevó a cabo la Feria de las Artesanías de Dolores Hidalgo. Al regreso de la inauguración en la que Fox participó, su vocera y aún señora Bribiesca regresó embelesada a su oficina. Explicó a sus asistentes que los pobladores de Dolores Hidalgo se habían acercado a saludarla y habían dado por hecho que era la esposa del gobernador. "¡Me dijeron señora Fox!", les expresó extasiada. Traía entre sus manos, abrazando con fuerza, un muñeco de papel maché que le habían dado al confundirla con la esposa del mandatario y lo dejó sobre el escritorio.

—¿No se lo va a llevar? —le preguntaron.

—¡No! ¿Qué le voy a decir a Manuel?

El matrimonio Bribiesca-Sahagún se terminó en diciembre de 1998.

✻ ✻ ✻

"Dame un beso que dé la vuelta al mundo, Vicente", le pidió Martha en voz baja, apenas audible para los contados asistentes a la ceremonia civil celebrada en la *cabañita acogedora* de Los Pinos, en la que el juez los había declarado marido y mujer. Eran poco más de las 8:00 de la mañana del lunes 2 de julio de 2001, y el brevísimo discurso del juez Gustavo Lugo Monroy los dejó unidos oficialmente en unos 15 minutos.

82

La boda que varias veces ella vio que se le iba de las manos se cumplió gracias a las intervenciones que amigas y Onésimo Cepeda, obispo de Ecatepec, habían hecho a favor de su causa. A la ceremonia sólo habían asistido los testigos de los novios y cinco personas más, entre ellas el padre jesuita y ex rector de la Universidad Iberoamericana, Enrique González Torres, quien dio a los recién casados la bendición que no podían recibir formalmente en una ceremonia religiosa.

Ambos eran divorciados y sus matrimonios religiosos seguían vigentes, a pesar de que una de las primeras acciones de Martha Sahagún, como vocera de la Presidencia, fue iniciar el cabildeo con los jerarcas católicos. A principios de 2001 solicitó por separado audiencias con el cardenal Norberto Rivera y con Onésimo Cepeda, a quienes pidió agilizar la anulación del matrimonio, de 30 años, entre ella y Manuel Bribiesca.

Un dato digno de tomarse en cuenta es que el trámite lo inició hasta que estuvo segura de que podía ser la primera dama: el 21 de agosto de 2000, un mes y 19 días después de que Vicente Fox ganara las elecciones presidenciales. Posteriormente sostuvo dos encuentros con Norberto Rivera y uno con el obispo Cepeda. A las tres reuniones la acompañó una amiga íntima de Celaya, testigo que prefería no participar en las conversaciones de su amiga para no involucrarse en los favores que pudiera ofrecer a cambio. Se mantuvo como un silencioso testigo y se limitó a hacer el papel de acompañante solidario.

A Onésimo Cepeda, Martha le pidió un favor adicional: convencer al presidente de que debía casarse con ella. Mientras lograba su propósito, se preparaba para desempeñar el papel de consorte presidencial y se dedicó a leer las biografías de primeras damas que habían alcanzado renombre en los últimos años, como Nancy Reagan o Jackie Kennedy. Después de leer sus vidas, pasaba a sus asistentes los textos subrayados con el fin de que le aportaran lo necesario para verse como ellas.

Una de las principales encargadas de esas lecturas era María Eugenia Hernández, su secretaria privada y responsable de abastecer el clóset de Sahagún en cada gira internacional que realiza. La asistente hacía las lecturas en el avión presidencial a la vista de todos, por ejemplo: el libro sobre la vida de la esposa del ex presidente estadounidense Ronald Reagan, Nancy.

Totis, como le llaman a Martha sus asistentes, también repasó la lista de esposas de ex presidentes mexicanos y tomaba nota de dichos y hechos que le llamaban la atención. De estas lecturas les robó frases, como el nombre de "la casa de todos los mexicanos" que María Esther Zuno de Echeverría dio a la residencia oficial. Incluso copió frases de la inexperta Ana Cristina, quien en los primeros meses fungió como primera dama por *default:* "En México todas somos primeras damas porque no hay mujeres de segunda", había dicho la mayor de las hijas del presidente.

Martha aplicó diversas estrategias para convertirse en la esposa del primer mandatario: lo mismo recurrió a las altas esferas políticas y eclesiásticas que a las esposas de los secretarios de Estado para convencer a Fox Quesada.

Semanas antes de que Vicente Fox asumiera el cargo de presidente, Sahagún buscó a Teresa González, esposa del secretario de Agricultura, Javier Usabiaga. Entre lágrimas le pidió que junto con el grupo de amigas de Celaya enfrentaran al jefe del Ejecutivo para que cumpliera su palabra de matrimonio. Para facilitar el cometido, Martha les dio la fecha y hora en que Fox aterrizaría en el aeropuerto del Bajío. Ahí lo esperaban las mujeres encabezadas por la señora Usabiaga, quienes hicieron un mini mitin a favor del matrimonio.

Las amigas recuerdan con pena que le entregaron una carta, escrita en un fino papel de algodón color verde agua, en el que le recordaban que su vocera había dejado familia y casa por él, por lo que esperaban que se casara con ella y no la expusiera más a la "burla pública". Vicente Fox recibió la carta, pero ésta no tuvo efecto inmediato.

* * *

El 2 de julio de 2001 lo logró la celayense. Ese día Martha lloraba y sonreía, sobre todo sonreía: lo hacía igual que el 3 de febrero de 1996 cuando en el rancho La Chinga había celebrado sus bodas de plata, 25 años de casada, con su esposo Manuel Bribiesca.

La ceremonia en la que el veterinario y Sahagún, entonces vocera del gobierno de Vicente Fox en Guanajuato, ratificaron votos nupciales fue emotiva, según recuerdan los invitados. De ese festejo queda un recuerdo imborrable: una foto que la señora de Bribiesca conservaba, en la cual ella luce radiante un vestido blanco de mangas largas que se enrolla en los brazos, usa el cabello cortísimo en tono castaño oscuro y lleva labios y uñas de intenso carmesí. Se le ve abrazada a la figura de su esposo, quien lleva un traje azul pizarra con botones cruzados; los rodean sus tres hijos: Manuel, de 25 años; Jorge Alberto, de 20; y el pequeño Fernando, de 13. La familia se ve feliz.

Martha se encargó de los preparativos del festejo. Buscó al cura Pedro Oriol para que oficiara la misa en un altar que se colocó en el jardín de La Chinga. Encargó de manera especial a don Roberto Sánchez y su esposa Gabriela, dueños de Le Gourmet Banquetes de Celaya, que sirvieran los platillos y alborotó a sus amigas integrantes del llamado Comité Chanel para que se encargaran de los detalles.

El curioso nombre les fue dado por el equipo de trabajo que hacía campaña en la calle durante la contienda electoral por la Presidencia municipal de Celaya, en la que contendió la entonces señora Bribiesca. Y es que mientras unos recorrían las calles en busca de votos, el Comité Chanel de mujeres "perfumadas" no salía de las oficinas.

Judy López buscó los cojines blancos y se encargó de colocar un altar. Teresa Arroyo hizo los chocolates que se repartieron a la hora del postre y a Iliana Nieto Martha le encomendó que le escogiera el vestido en una tienda de Nueva York, "de esas a las que tú vas", le dijo.

"Se veía muy contenta; su actitud no tenía nada que ver con lo que dijo en sus argumentos al Vaticano para anular su matrimonio", mencionó una de las amistades asistentes a las bodas de plata, entrevistada en marzo de 2005.

El 1 de diciembre de 2004, el matrimonio religioso de la pareja Bribiesca-Sahagún fue anulado. Un día después de que se hizo pública la anulación (*Reforma*, 23 de febrero de 2004), Manuel Bribiesca Godoy concedió una entrevista para esta investigación, en los portales de Celaya, en la que dio su particular opinión sobre los 27 años que vivió con Martha Sahagún.

—¿Se casó enamorado?

—Muy, muy enamorado, me hubieras visto la cara.

—¿Qué fue lo que le gustó de ella?

—Todo, su manera de ser. Era una muchacha de 17 años, yo tenía 22, todo era ideal. Éramos una muy buena pareja de pueblo. Ella era una muchacha muy bonita y yo no estaba tan mal en ese tiempo. El dicho dice ahora que "sin gordura no hay hermosura" —suelta la carcajada, pues ahora luce muy robusto.

—Ahora todo es pasado, todo es historia, no la veo ni la he visto desde la separación (1998), más que en la boda de uno de mis hijos (Jorge Alberto). Nada más nos saludamos y ya.

—¿Usted ayudó a la familia de Martha en momentos difíciles?

—Hicimos una sociedad con su hermano para adquirir el equipo de tomografía, participamos en sociedad y alguna vez que estuvo mala su mamá, yo colaboré para la operación, intervención quirúrgica, pero bien, como hijo político.

—Al principio, la familia de Martha estaba muy bien económicamente y después se pusieron medio mal. Tenían propiedades y tenían cosas... lo que los llevó a una crisis fueron las malas administraciones y un hijo que gastaba de más (Guillermo Sahagún Jiménez).

—¿Todavía fueron como pareja a la boda de su hijo mayor, Manuel (1996)?

—Sí, en San Miguel de Allende, pero los caballeros no tenemos memoria.

—¿Realmente procedía la anulación del matrimonio?

—Cuando ya no hay amor, ya no hay amor, no hay ningún vínculo que te una. Desgraciadamente hay muchísimas parejas y muchísimas mujeres que quisieran también la anulación de su matrimonio con causas justificadas y que no se les ha podido anular el matrimonio porque cuesta dinero. Tienes que poner abogado, porque tienes que ir a Roma y se ve una diferencia muy grande entre quién puede y quién no puede económicamente. Es una desgracia que no se le dé la oportunidad a todo el mundo de realizar de la misma manera las cosas y que tenga uno que meter el dinero para defenderte de algo, pues a final de cuentas el perdón está arriba, no está aquí en la tierra.

—¿Había elementos para disolver el sacramento del matrimonio?

—Yo creo que no. Al final de cuentas, hubo declaraciones de varios de los hermanos de Martha, de los amigos de Martha, de los empleados de Martha, y de mi parte yo no puse ningún testigo, no me pidieron nada. Fue una decisión unilateral, por eso digo que todo lo que se ha manejado en el proceso del divorcio no fue con participación mía.

"Me dijeron que fuera con un abogado eclesiástico a pelear a Roma. No, el día que yo vaya a Roma será para disfrutar la ciudad.

La verdad es que el matrimonio se perdió cuando ella se fue a Guanajuato, simplemente decidió volar y voló, pero al final yo no creo que haya habido una investigación de fondo por parte de la Iglesia.

"Si hubiera sido el hombre que ella dice, ¿tú crees que la hubiera dejado ir? La dejé porque cuando perdió las elecciones de Celaya se quedó muy deprimida, no quería ni salir.

"Cuando nosotros nos casamos fue un matrimonio para toda la vida. Soy religioso, tengo mis principios religiosos bien definidos, pero ellos (Martha y la Iglesia) lo han manejado con una cuestión que a mí me da lástima, por razones obvias. El pueblo de México es un pueblo con 90% de católicos. Que estén dando estas determinaciones a una sola persona no se vale.

"Yo pedía el expediente y no me lo prestaban. Al final de cuentas, la separación física ya está dada. La cuestión religiosa debió tomarse con mucha más responsabilidad, más seriedad porque era la primera dama.

"Martha se la pasaba muy bien. Estaba muy bien vestida, muy bien arreglada, muy bien ubicada, no le faltaba nada nunca, trabajábamos los dos y, la verdad, creo que teníamos una posición social muy interesante. Respecto a que ahora lagrimee y todo eso hay un dicho en el campo: 'no creas en lágrimas de mujer ni en cojera de perro'.

"Hubieron sus buenos momentos en 27 años de matrimonio. Yo creo que una mujer tan inteligente, tan decidida a sus cosas, ¿tú crees que si hubiera llevado una mala vida no me manda al procurador del estado o me hubiera levantado un acta ante el Ministerio Público?

"Si el que fue a gestionar todo fue Onésimo Cepeda (obispo de Ecatepec); para mí, ni siquiera es una persona congruente con su manera de actuar y vivir. ¿Cuáles votos de pobreza?, ¿cuál recato? Onésimo fue el que empezó a gestionar las cosas."

—¿Sus hijos atestiguaron a favor de Martha Sahagún para conseguir la anulación?

—Yo estuve con mis hijos sábado y domingo (19 y 20 de febrero) conviviendo con ellos muy a gusto y no sabían nada. No creo que hayan participado como testigos en el proceso de la anulación eclesiástica del matrimonio. Los hijos no deben meterse en las cosas de sus padres.

"Ayer (el día en que salió a la luz pública la anulación del matrimonio religioso) me habló Manuel y me dijo que tampoco se había enterado; su madre no le había dicho nada. Yo creo que la anulación debió habérsele dado después de que hubiera pasado el periodo presidencial; hubiera sido más tranquilo, menos escandaloso.

"Yo pensé que la única forma en que anularían el matrimonio es que me dieran aire, pero no lo hicieron, porque los muchachos se han metido y han visto las cosas."

* * *

Manuel Bribiesca Godoy acusó a Martha de haber bloqueado que el PRD y Convergencia los postularan a la alcaldía de Celaya en 2003, por lo que contendió por el Partido Verde Ecologista de México y perdió contundentemente. Más adelante añadió:

—A Dante Delgado no le gustaba tener bronca con Los Pinos (y no le dio la candidatura). Fue una campaña muy amena, muy divertida, muy alegre, en la cual cuando menos demostré a la sociedad que no estoy de acuerdo con lo que está pasando y hoy se dan cuenta de que yo tenía razón.

"Martha se quedó con la mitad de lo que hicimos; a lo mejor Fox iba con el interés de lo que le dejé —vuelve a reír—. Ella se quedó con el rancho. Se llamaba La Chinga, pero ya está ahorita descuidado, está abandonado.

"Construimos una pequeña casita de campo ahí, pero ya no está. Llegamos a tener más de 600 toros de engorda. Lo tuvimos 24 años. ¡Pero ya valió Wilson!"

—¿Usted cree que sí se va a ir al rancho con Fox cuando termine el sexenio?

A la señora no le gustaba el rancho, sólo le gustaba cuando hacíamos fiestas y comidas, pero a ella no le gustaban esas cosas. Yo era el que me dedicaba a ese negocio, yo era veterinario y me encargaba de eso. Pero ¿vivir ella ahí?, ¡nunca! Por eso creo que no se va a ir al rancho con Vicente.

¿Tú crees que todos los años que se ha manejado en la política se va a ir a enratonar en un rancho, por muy bueno que sea el rancho? No lo creo.

Vicente era mi amigo, ¡dizque mi amigo!, pero me rayó los cuadernos. Yo fui candidato a diputado federal cuando él participó por primera vez para gobernador; hicimos campaña, convivimos un tiempo e hicimos amistad. Pero ahora lo felicito, porque me quitó un peso de encima: ¡míreme cómo estoy! (se carcajea).

¡El problema lo va a tener él!, le pasé la bolita. La señora es difícil, es muy viva, así que ni modo, ¿ya ve? Ya logró todo, hasta la anulación de la Iglesia; ahí va para la campaña presidencial.

* * *

Cuando Martha Sahagún se casó con Vicente Fox modificó su nombre con la intención de que fuera acorde con la nueva imagen que quería proyectar. A partir de ese momento exigió que en los boletines de prensa y actos oficiales ya no se refirieran a ella como "Martha Fox" sin la letra *h* en el nombre.

En el Registro Civil de Zamora, Michoacán, "Marta" no existe, sino "Martha Ma. Sahagún Jiménez", registrada el 15 de abril de 1953, a los cinco días de nacida, por su padre Alberto Sahagún. El acta de nacimiento número 609 quedó inscrita en el libro 1, tomo 1 (véase anexo 8).

La primera dama dice que su nombre está compuesto por "los de las dos grandes figuras del Evangelio, la Marta amorosa y la María hacedora de cosas" (*Marta, la fuerza del espíritu*, p. 63).

Acta de nacimiento de Martha Ma. Sahagún Jiménez, hoy esposa de Vicente Fox Quesada. Como se ve en el documento, su nombre es Martha no "Marta".

En las sagradas escrituras, "Marta" sin *h* es la hermana de María Magdalena y Lázaro, mientras que en el *Nuevo testamento*, "Martha" con *h* es considerada una mujer humilde y servicial.

El matrimonio con el presidente de la República dio a Martha Sahagún una posibilidad económica más que holgada. Nada que ver con su apretada situación financiera a principios de abril de 1999.

En sus últimos meses como directora de Comunicación Social del gobierno de Guanajuato, asignada a la unidad de trabajo 143010000, con RFC SAJM530410IJ6, la ahora esposa del presidente solicitó un préstamo de 360 000 pesos, otorgado por medio del ISSEC, el cual debía pagar en cinco años, en 120 quincenas de 3 016 pesos cada una. El préstamo le fue otorgado en calidad de servidora pública y los descuentos se le harían directamente sobre su salario.

El recibo de pago del 14 de julio de 1999, del cual se tiene copia, revela que dos meses antes de dejar el cargo, la señora Sahagún aún no terminaba de liquidar su adeudo. En esa fecha había pagado apenas seis quincenas por un total de 18 100 pesos y todavía adeudaba 114 quincenas, es decir, cuatro años nueve meses. En estricto sentido, la ahora primera dama tendría que haber terminado de pagar su préstamo en abril de 2004 (véase anexo 9).

Con base en la *Ley de Transparencia* local, se solicitó al gobierno de Guanajuato (solicitud 00381-00) la información sobre si la señora Sahagún finiquitó su deuda. De no ser así, se pedía detallar la cantidad que adeudaba, pero el gobierno estatal se negó a responder, con el argumento de que era información de carácter "confidencial".

Entonces se interpuso un recurso de inconformidad ante el Instituto de Acceso a la Información Pública, de Guanajuato, el cual ordenó al gobierno local que entregara toda la información solicitada acerca del préstamo a Martha Sahagún, pero dicho gobierno respondió con un contrarrecurso que apelaba esta

```
                                                        CHEQUE NO.
        GOBIERNO DEL ESTADO DE GUANAJUATO          0615612
              COMPROBANTE DE PAGO                  UNIDAD DE TRABAJO
                                                   143010030
  REG. FED. CONT.              NOMBRE DEL EMPLEADO           FECHA
  SAJM530410IJ6    SAHAGUN JIMENEZ MARTHA            14/07/1999
  CODIGO CATEGORIA Y/O CONCEPTO
  02 CB 01  01 301 CF52006 0001      COORDINADOR GENERAL

  001 SUELDO                                   $9,775.00
  002 AYUDA DE DESPENSA                          $150.00
  008 PREVISION SOCIAL MULT.M.M.Y S.           $5,491.50
  088 APOYO FAMILIAR                            $6,908.00
  500 I.S.P.T.                                   2,022.41
  501 FONDO APORT.ISSEG.                          400.95
  502 I.S.S.S.T.E.                                133.65
  624 PRESTAMO PARA SERVIDOR PUBLICO            3,016.07  006/120
  096 DESCTO.DIF.*ISPT*EJER.FIS.*98.              39.47  008/014
  625 SEGURO VIDA SERVIDOR PUBLICO                96.68  003/006
```

```
  FONDO APORT. I.S.S.E.G.      TOTAL PERCEPCIONES   TOTAL DEDUCCIONES      NETO
      29,874.03                   22,324.50           5,739.23         16,615.20
```

Recibo de honorarios de Martha Sahagún Jiménez de los últimos como coordinadora general de Comunicación Social del gobierno de Guanajuato.

decisión y busca mantener la información en secreto de manera indefinida.

El total del adeudo no aclarado que tiene la primera dama con el gobierno de Guanajuato asciende a 343 824 pesos (véase el anexo 10).

* * *

Cuando Martha Sahagún contrajo nupcias con Vicente Fox, si alguien debió extrañarla en Celaya fue la modista Teresa López, quien le hacía sus vestidos para asistir a eventos especiales. Beatriz Bribiesca, quien vendía en Zamora ropa ordinaria, también perdió una buena clienta cuando su ex cuñada cambió las telas de

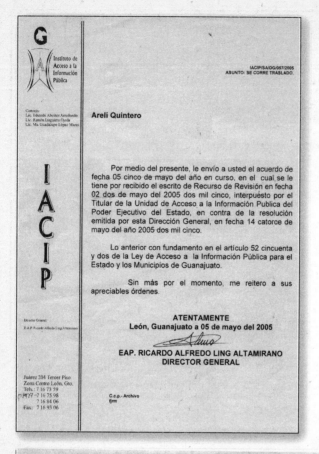

G

Instituto de
Acceso a la
Información
Pública

IACIP/SA/DG/057/2005
ASUNTO: SE CORRE TRASLADO.

Consejo:
Lic. Eduardo Aboites Arredondo
Lic. Ramón Izaguirre Oyola
Lic. Ma. Guadalupe López Mares

Arelí Quintero

I
A
C
I
P

Por medio del presente, le envío a usted el acuerdo de fecha 05 cinco de mayo del año en curso, en el cual se le tiene por recibido el escrito de Recurso de Revisión en fecha 02 dos de mayo del 2005 dos mil cinco, interpuesto por el Titular de la Unidad de Acceso a la Información Publica del Poder Ejecutivo del Estado, en contra de la resolución emitida por esta Dirección General, en fecha 14 catorce de mayo del año 2005 dos mil cinco.

Lo anterior con fundamento en el artículo 52 cincuenta y dos de la Ley de Acceso a la Información Pública para el Estado y los Municipios de Guanajuato.

Sin más por el momento, me reitero a sus apreciables órdenes.

ATENTAMENTE
León, Guanajuato a 05 de mayo del 2005

EAP. RICARDO ALFREDO LING ALTAMIRANO
DIRECTOR GENERAL

Director General
E.A.P. Ricardo Alfredo Ling Altamirano

Juárez 204 Tercer Piso
Zona Centro León, Gto.
Tels.: 7 16 73 59
7 16 75 98
7 16 84 06
Fax: 7 16 93 06

C.c.p.- Archivo
fjrm

---

5. Mediante escrito presentado el 04 de abril del presente año el suscrito rendí ante el Instituto de Acceso a la Información Pública del Estado, el informe justificado requerido.

6. Con fecha 15 de abril del año en curso, se dictó resolución en el recurso de referencia, la cual en sus puntos resolutivos establece: *"PRIMERO: Con fundamento en lo establecido en los artículos 01 uno, 02 dos, 03 tres, 04 cuatro, 05 cinco, 06 seis, 07 siete, 10 diez fracción VIII octava,14 catorce fracciones VI sexta y IX novena, 28 veintiocho fracción I primera, 36 treinta y seis, 45 cuarenta y cinco, 47 cuarenta y siete y 48 cuarenta y ocho de la Ley de Acceso a la Información Pública para el Estado y los Municipios de Guanajuato, la Dirección General de este Instituto y en relación a los considerandos Cuarto, Quinto y Sexto, se REVOCA el acto recurrido, ya que la información solicitada por el inconforme, tiene el carácter de PÚBLICA, toda vez que uno de los fines de la Ley de Acceso a la Información Pública es dar a conocer el uso, destino y aprovechamiento de los recursos Públicos del Estado.- SEGUNDO: Entréguese la información solicitada por la recurrente, en los términos del párrafo cuarto de su escrito de interposición del Recurso de Inconformidad, esto es "pongo a su consideración que de la información que se tenga al respecto se entregue sólo lo qué correspondiente (sic) con la salida y regreso del recurso público, que eso de ninguna manera es información confidencial, eliminando los datos personales de los funcionarios".*

Resistencia. El gobierno de Guanajuato se niega a entregar la información del préstamo solicitado por Martha Sahagún.

Celaya y modelos de marca propia por los estilos europeos que imitan a la realeza.

Anabel Hernández reveló en un reportaje publicado el 29 de septiembre de 2003 en el periódico *El Universal*:

> Con la reina Sofía de España comparte el encanto por las prendas de Escada, cuyo valor en el mercado va de los 10 000 a los 40 000 pesos. Con la princesa Carolina de Mónaco y su majestad Rania de Jordania, la debilidad por los trajes y accesorios de la casa Chanel, de entre 11 000 y 67 000 pesos cada prenda. Y del estilo de Lady Di ha copiado una selecta joya de Tiffany, el *open heart* de oro amarillo de 18 kilates, con valor de 12 000 pesos.
>
> Es el fashion de Martha Sahagún, la esposa del presidente Vicente Fox, que declara a las revistas de moda: "compro lo que me queda y me gusta".
>
> En tan sólo dos años, del 2 de julio de 2001 al 9 de julio de 2003, el presidente Vicente Fox y su esposa Martha Sahagún han gastado del presupuesto federal en atuendos de gala y vestuario en general 898 830 pesos, según datos oficiales de la Presidencia de la República, lo que significa un gasto mensual de 37 000 pesos.

Asimismo, se dio a conocer que la primera dama compraba mascadas Hermès de entre 5 000 y 10 000 pesos cada una y costosas joyas, como un collar de perlas cultivadas de color rosa, champagne y blancas, con broche de oro blanco y brillantes, de Berger Joyeros, con un valor de 52 000 pesos, lo cual hace juego con unos aretes de perlas montadas en oro blanco y brillantes, con un precio de 41 000 pesos.

También se descubrió que la esposa del presidente colecciona capas con aplicaciones de visón y abrigos de zorro, con un valor de entre 22 000 y 80 000 pesos.

La reacción de la primera dama ante la publicación de lo anterior fue virulenta. Desde muy temprano, la esposa del presidente solicitó que la reportera fuera a la residencia oficial para hacerle algunas aclaraciones. El encuentro se concretó, siempre y cuando se pudieran hacer a la primera dama algunos cuestionamientos.

La entrevista se llevó a cabo a las cinco de la tarde de ese día en la cabaña presidencial de Los Pinos. A ella acudieron los reporteros Anabel Hernández y José Luis Ruiz y el fotógrafo Eduardo Loza.

* * *

En la sala de la cabaña presidencial se encontraban amigas y colaboradores de la primera dama para brindarle su apoyo durante la entrevista. Sentados en los blancos sillones de la estancia estaban Liliana Melo de Sada, esposa de Federico Sada, director general ejecutivo de Vitro; también la empleada y confidente de Martha Sahagún, *Gina* Morris, así como el vocero de la esposa del presidente, Guillermo Velasco; David Monjarás, encargado de prensa, y dos personas más.

Pasadas las cinco y media de la tarde, vestida de negro, Martha Sahagún entró al salón con el rostro descompuesto: estaba furiosa por la información publicada. La primera dama intentó aclarar que no todos los costosos vestidos y accesorios eran comprados con recursos del erario público. Argumentó que la compra de ropa de la pareja presidencial con cargo al presupuesto había sido —hasta esa fecha— de 400 000 pesos y no de 800 000, como se había señalado en el reportaje.

Fuera de sí y en una vertiginosa carrera de tropiezos, contradicciones y presentando documentos sin sellos ni firmas, la primera dama trató de justificar las evidencias de su derroche:

Tal parece que el reportaje está hecho para dar a conocer a la opinión pública la cantidad de dinero que gasta la esposa del presidente, por el tipo de ropa que usa. Sin embargo, yo tengo que ser absolutamente puntual en señalar que la ropa y los accesorios que usa la esposa del presidente se la compra su marido, otra se la compra ella y otra son derivados de regalos que me hacen y acepto. No estoy compitiendo con ningún personaje a nivel internacional.

Así como adquiero porque me regalan o porque en algún momento hay la capacidad económica de comprar un modelo que puede ser de una marca famosa y que representa una erogación importante de dinero, también tengo ropa de 5 000 y 10 000 pesos, que me pongo con el mismo gusto y la llevo con la misma elegancia y dignidad representando al pueblo de México y a las mujeres que merecen respeto.

Los accesorios que uso, ¡todos!, han sido, por un lado, adquiridos como detalle de mi esposo; los menos, uno en particular, el que se señala ahí de Tiffany, y otros que de alguna manera me regalan quienes tienen derecho a regalarme: mi padre, mis hijos y mis amigas. Y que la gran mayoría, ¡los más costosos!, pertenecían a mi madre, que me los heredó, hoy muerta. Hacer ese tipo de comparaciones y poner el precio de cada uno de esos accesorios, como de la ropa, me parece que es inducir a una opinión que es absolutamente innecesaria.

Se le pidieron las facturas de la ropa comprada con cargo al erario, para que quedara claro qué se había comprado con dinero del erario y qué con recursos de sus amigos. Ante ello, la primera dama afirmó: "Solicítala a la instancia correspondiente y ojalá que te las entreguen, ojalá que te las entreguen".

Sahagún levantó la voz y enojada aseguró una y otra vez que la cantidad gastada no era de 800 000 pesos, sino de 400 000.

Afortunadamente tengo esa ropa gracias a que hay quien me la compre, y quizá alguna la compré con el presupuesto (público).

La percepción que se quiere formar y se ha dicho de mí gracias a ese reportaje es que gasto grandes cantidades del erario público y ahorita ¡es una excelente oportunidad para decir que no! ¡Que no gasto grandes cantidades del erario público! Que he gastado una mínima cantidad de una partida totalmente autorizada, pero ¡además! soy responsable, y por las carencias de este pueblo procuro no comprar nada que incida en esa partida (el presupuesto) y procuro solamente adquirir lo que está dentro de mis posibilidades adquirir, ¡nada más!

Cada vez perdía más la compostura. Por momentos sus amigas Liliana y *Gina* la miraban con ojos de plato, sorprendidas quizá por la repentina pérdida de control de la esposa del presidente, que cada vez levantaba más la voz y gesticulaba.

"¡Yo tengo que decir también aquí que yo pago mi arreglo personal! Pago a quien me corta el pelo, quien me lo pinte y quien me hace el manicure; ¡eso no lo cobro al erario público!"

—¿Cuánto de ese dinero, de los 400 000 que usted dice, se ha gastado en indumentaria Martha Sahagún?

—¡Pidámoslo a la oficina responsable!

—¿Cuánto dinero se gastó?

—¿Me podría repetir la pregunta?

—¿Cuánto ha gastado la primera dama del erario en indumentaria?

—Corriendo el riesgo de equivocarme, con pesos y centavos alrededor de 200 000 pesos.

A esa fecha, según facturas que se obtuvieron, Martha Sahagún había gastado 285 766 pesos, de los 800 000 que hasta esa fecha había erogado la pareja presidencial. A su vez, Vicente Fox había gastado en vestuario más de 500 000 pesos.

—Si estos bienes, aun personales, pertenecen a la nación cuando yo deje de ser primera dama, dejo con muchísimo gusto esos 200 000 pesos colgados en mi clóset —afirmó.

—Dado que no es una cifra "muy elevada", recordará usted ¿qué es lo que se ha comprado?

—¡Vestidos!

—¿De qué marca?

—Algunas de las que tú mencionas.

—¿Cuáles?

—Algunas de las que tú mencionas.

—Usted dice que las demás cosas se las regalan. ¿No podría malinterpretarse que alguien le haga a usted un regalo tan costoso?

—Tengo conciencia, no he recibido ni un solo regalo de una cantidad que no debiera recibir simplemente por conciencia, (aunque) no soy una servidora pública —se contradijo, aunque antes había dicho que la ropa más cara (como Chanel) se la regalaban sus "amigas".

—Usted ha manifestado públicamente un compromiso con los pobres, tanto como primera dama, como presidenta de la fundación Vamos México. ¿No es contradictorio el gasto en esa indumentaria cuando el discurso político es otro?

—Si tú lo quieres malinterpretar, en tu derecho estás. ¡El presidente de la República en México y en todo el mundo tiene una representación nacional e internacional! La esposa del presidente tiene una representación nacional e internacional, no quisiera comparar. ¡Hemos sido bastante conscientes!, ¡no queremos revolver y confundir a la opinión pública con dos temas que no se pueden comparar en sí mismos!, ¡baste ver dónde vivimos!, no vivimos con ningún lujo —aunque en la cabaña usan toallas de 4 025 pesos—, vivimos con absolutas limitaciones de no usar nada que sea ostentoso —el mobiliario de las cabañas costó más de cuatro millones de pesos.

"Es respeto y dignidad vestir adecuadamente y así lo reclama nuestro pueblo. Pero se quiere confundir esto con el discurso donde estamos trabajando a favor de los pobres; es nuestro compromiso."

—Pero ¿no es contradictorio que usted use ropa que usa la realeza?

—Vamos a dar por terminado el tema porque tú quieres seguir confundiendo. ¡Quiero dejar perféctamente establecido que no hay ilegalidad cometida! Que la información que tú das en tu reportaje es falsa; punto número tres: que el gasto en dos años y medio no asciende a los 800 000 pesos, o está alrededor de eso, y —¡por fin!— punto número cuatro: ¡no se vale confundir a la opinión pública tratando de hacer una imagen incorrecta de la representación que hoy en día tiene la esposa del presidente y del trabajo intenso, comprometido y con convicción que hago a favor de los pobres en este país! Con eso doy por terminado el tema —dijo molesta y enérgica la primera dama a los reporteros.

—El presidente de la República, hasta donde él ha dicho, mantiene a tres de sus hijos y a su ex esposa. ¿El presidente de la República tiene poder económico para mantener a su familia, incluso a su ex esposa Lillián de la Concha, y a su vez hacerle este tipo de regalos?

—¡Tú tienes el derecho a preguntar y yo tengo el derecho a no contestar!

Martha Sahagún se levantó del sillón blanco, ella misma abrió la puerta de la cabaña e hizo la seña de que los periodistas se marcharan. Al azotar la puerta en la nariz de Anabel Hernández y José Luis Ruiz, olvidó que el fotógrafo se había quedado dentro de la cabaña. Abrió la puerta, salió el fotógrafo y la señora dio otro portazo, visiblemente alterada.

* * *

Durante 11 meses, la Presidencia de la República se negó a cumplir con la *Ley de Transparencia y Acceso a la Información Pública* y no entregaba las facturas de la ropa adquirida con recursos públicos. Lo hizo hasta que el pleno del Instituto Federal de Acceso a la Información se lo ordenó.

En las facturas pagadas con recursos públicos a las que se tuvo acceso, pudo verse el detalle de las cantidades que la primera dama llega a gastar en vestuario y accesorios en una sola visita al exclusivo corredor de Masaryk, en Polanco, Ciudad de México:

El 26 de septiembre de 2002, en la tienda Loewe, compañía francesa de productos de moda, Martha Sahagún gastó 84 091 pesos en accesorios y ropa, como un portafolio rígido "franzi" de color negro de 8 215 pesos, una cartera larga Napa de color negro de 2 351 pesos, un portacosméticos de cuero de 1 678 pesos y una camisa de mujer de 4 055 pesos.

De acuerdo con las facturas, en octubre de 2003 volvió a la misma boutique por más. Pagó entonces una cuenta de 39 075 pesos. Algunas de las cosas que compró fueron "cuatro tops de mujer, estampado y de algodón", de 1 426 el más barato y 1 626 el más caro. También adquirió otro portafolio idéntico al anterior, sólo que en color marrón por 6 356 pesos, un portacosméticos lacre grande por 1 391 pesos.

Sin salir de Masaryk se encuentra cerca otra de sus tiendas preferidas, Frattina, a la que suele ir cada dos días y donde venden marcas como Escada, Valentino y La Perla, por ejemplo: están las compras del 18 de febrero de 2003, cuando adquirió un vestido de 14 260 pesos. El 20 de febrero regresó por un traje de Suet de 13 282 pesos y una blusa de 4 650. Un día después compró un saco de 14 605 pesos, el 22 de febrero adquirió una falda de 8 855 pesos, y el 24 de febrero una vez más fue de compras y adquirió un traje de 15 870 pesos. En tres días más se hizo de un traje y una falda por 14 283, con 40% de descuento incluido.

La primera dama guarda celosamente estas y otras prendas en un lugar muy especial.

* * *

La recámara de la pareja presidencial está al final del pasillo de la cabaña en la residencia oficial de Los Pinos. Al entrar a ella se ve una enorme cama semicircular con dos buroes a los costados y un pequeño escritorio con vista a los jardines. Enfrente de la cama hay un mueble para televisión y atrás de ésta un amplio vestidor, por el cual se tiene que cruzar para ir al cuarto de baño.

El clóset donde Martha Sahagún guarda sus costosas prendas está hecho de grueso y perfumado cedro rojo de seis centímetros de espesor y cristal y cuyo costo fue de 85 000 pesos, según la información obtenida de la Presidencia por medio de la *Ley de Transparencia* (solicitud al IFAI 021000007905).

El vestidor fue construido por Humberto Artigas y Asociados, S.C., y aunque quienes han entrado al lugar afirman que parece un laberinto, en Los Pinos sólo se proporcionó la siguiente información que sirve de muestra:

El clóset número uno, por así llamarlo, mide 5.87 metros de ancho, 2.25 metros de alto y 70 centímetros de profundidad. Cuenta con 20 entrepaños y ocho puertas de "cristal" de 4.5 centímetros de espesor cada una.

El armario número dos tiene 4.30 centímetros de ancho, 2.25 de alto y 70 centímetros de espesor. Posee cuatro entrepaños y seis puertas.

Aquí la esposa del presidente del autodenominado *gobierno del cambio* guarda por lo menos 350 conjuntos y vestidos, sin contar las centenas de blusas de todos colores. Estas prendas pueden ser contabilizadas en el archivo fotográfico de su página de internet y medios de comunicación.

4. Una "bruja" en Los Pinos

Son casi las ocho de la mañana y, aunque todavía es agosto, el aire ya se respira frío. La escuela primaria David G. Berlanga, en la Ciudad de México, es custodiada por el Estado Mayor Presidencial. Hileras de niños impecables y bien peinados esperan la visita del presidente Vicente Fox y su esposa para inaugurar el ciclo escolar 2001-2002.

La primera en cruzar por el pasillo formado por las vallas de acero colocadas por los guardias presidenciales es Martha Sahagún. La primera dama departe sonrisas, acaricia mejillas y estrecha manos a quien se deje. Una extravagante mujer regordeta y pelirroja la ve venir y, cuando la señora Fox pasa a su lado, la mujer de pelo bermejo se hinca y persigna como si se hubiera aparecido por el corredor de concreto la mismísima virgen.

Arelí Quintero y otros periodistas asignados a la fuente presidencial ahí presentes la miran con extrañeza. Pensarían quizá que se había resbalado, pero no, nada de eso. Ésa es la singular manera que tiene Rebeca Moreno de saludar a su jefa con la intención de provocar que la gente de alrededor la secunde; a veces lo logra, a veces no.

Oficialmente, Moreno es directora de logística de la oficina de la primera dama y está en la nómina de Los Pinos. Extraoficialmente, sus tareas tienen que ver con asuntos menos terrenales.

El papel de Rebeca Moreno es ser la mensajera entre el más allá y Los Pinos y llevar las buenas vibras a la esposa del presidente. En su intento por satisfacer las necesidades espirituales de su jefa, Moreno hace una mengambrea de creencias: igual alaba a los lamas, que a los santeros y a la Virgen de Guadalupe.

La asistente de la primera dama se cree la reencarnación de quien rescató a Ricardo Corazón de León hace 800 años y confiesa que la han llamado "bruja". Presume tener facultades paranormales que ayudaron a Vicente Fox a llegar a la Presidencia de la República en el año 2000, y ahora ha puesto ese talento al servicio exclusivo de la primera dama.

Sí, suena increíble que alguien pueda asumir tales misiones, y lo sería de no ser por la prueba documental que Moreno dejó escrita: un delirante diario personal donde narra todos sus lances esotéricos y cuyo contenido fue corroborado por los protagonistas de los hechos que ahí se narran (parte de esta historia fue adelantada por Anabel Hernández en un reportaje publicado en diciembre de 2004, en "La Revista", de *El Universal*).

Ésta es otra faceta de la *pareja presidencial*, que en su intento por buscar respuestas y soluciones más allá de la racionalidad y de su religión católica, quedaron involucrados en esta trama.

En la campaña presidencial, Rebeca Moreno formó parte de un grupo integrado por el publicista Santiago Pando, el productor de teatro y compositor Antonio Calvo, a quien un espíritu bautizó como *Soul Doctor*, y el canalizador de ángeles, Alex Slucki. Juntos, guiados por supuestos médiums y chamanes, indujeron decisiones tomadas en la campaña de Vicente Fox y en los primeros años del gobierno.

De todos ellos, la única que permanece cercana a la pareja presidencial es Rebeca Moreno o *Kadoma Sing Ya* (lo que está siempre vibrando), el nombre que según ella le puso un lama del Tíbet llamado Tupe.

* * *

El diario de Rebeca Moreno es un manuscrito colectivo escrito entre ella, Calvo y Slucki, que en un tiempo subieran a internet, en el que narran su penetración e influencia en el equipo de Vicente Fox.

La inspiración de este clan gira en torno a *Regina*, una novela mística escrita por Antonio Velasco Piña que alude a una mujer que supuestamente existió y tuvo la misión de despertar a México. En el libro, "Regina" sacrificó su vida por esta causa en el movimiento estudiantil del otoño de 1968, en la Ciudad de México.

Para ese clan esotérico, "Regina" fue la que les ordenó desde el más allá que estuvieran cerca "del futuro gobernante de México". En verdad lo creen, pero lo más notable es que la pareja presidencial les siguió la corriente.

* * *

Mayo 21, 1999. Rebeca: Forzadamente acudí a dar unas conferencias sobre planeación estratégica a Chiapas. El volcán Tacaná me sedujo y pedí que me llevaran. Esta decisión cambió mi vida y, de haber sabido cuánto, quizá hubiera puesto más atención al suceso. Llegué hasta una pirámide y apareció un anciano extranjero que me dijo que me esperaba y se encontraba contento con mi visita. Dijo que no le quedaba duda de que México despertaría y que a partir de ese momento me convertía en su mensajera. Ahora era el guardián de la montaña. Antes había sido un general nazi enviado al Tíbet. Me dijo que buscara a Antonio Velasco (Piña) y a los Amigos del Tíbet. Que era muy necesario que estuviera cerca del futuro gobernante de México. Que un niño Daniel me daría la señal. Y, aún más, que había un cuartel trabajando por el despertar en Chihuahua y que era muy necesario que aprendiera a despertar los poderes de la mente.

Mayo 28, 1999. Rebeca: Urgí mi visita a Velasco Piña. Dos días después de mi estancia, el Tacaná entró en actividad. El avión que me trajo de regreso casi se estrella.

Rebeca Moreno, de 33 años de edad, cursó la carrera de ingeniería electromecánica en la Universidad Panamericana y es pasante de la maestría de ingeniería en el área de Planeación Estratégica, según la información oficial proporcionada por la Presidencia.

Durante varios años, Rebeca combinó el teatro con su trabajo al frente de la Jefatura del Área de Dirección de Operaciones de la UP hasta que se sumó a la campaña presidencial de Vicente Fox. Quienes la conocen la describen como una mujer amistosa, vivaracha, protagónica, hiperactiva, excéntrica y posesiva, una actriz nata que se desenvuelve con soltura en los diferentes roles que le toca desempeñar en la residencia oficial. Cuando participa en las reuniones de logística para planear los eventos presidenciales, impone con arrogancia la agenda de su jefa sobre la de Fox, aseguran quienes asisten a esas juntas; cuando se trata de organizar eventos de niños con cáncer, rompe en llanto, y en otras ocasiones se muestra distraída y es necesario repetirle varias veces las cosas para que las atienda. Es que en las artes de la actuación, *Kadoma Sing Ya* tiene experiencia.

El productor de teatro Antonio Calvo contrató a Rebeca en 1994 para administrar la obra *La dama de negro*; su responsabilidad era pagar la nómina de los actores. Después la llamó para colaborar en la producción de *Houdini, la magia del amor*. Ella se encargó de conseguir todos los elementos necesarios para los efectos especiales, además de controlar la parte administrativa.

Pronto hubo confianza entre los dos. El diario consigna que en 1997 Moreno confesó a su amigo Antonio que tenía poderes paranormales para comunicarse con los espíritus, "pero no sabe cómo controlarlos".

* * *

Junio 1999. Rebeca: Acudí con Jorge Berroa, el médium. La primera lección que me dio don Antonio, el espíritu con el que se comunica, fue que debía aprender a sentir hacer, que es mucho más complejo que hacer lo que uno siente. Me estaba preparando, según él, para lo que vendría. Pero que no se me dificultaría. Que ya antes, en otra vida, había preparado el rescate de Ricardo Corazón de León y que pronto empezaría la justa por México. Después de esto, Antonio quería verse también con Jorge Berroa.

El cubano Jorge Berroa llegó a México en 1993 y supuestamente es un chamán que asegura establecer contacto con varios espíritus, como el de Dante Alighieri y Gandhi. Pero el principal espíritu con el que supuestamente se comunica es don Antonio Cortina, un esclavo negro del siglo XIX. Según Velasco Piña, Berroa fue enviado por "seres superiores a este país para participar en la gestación de una nueva conciencia planetaria". Realmente lo cree.

La revista *Wow* (de diciembre de 2004) hizo una entrevista a Berroa, la cual fue desquiciante. Llegó un momento en que, usando distintos tonos de voz, los espíritus de Alighieri, Gandhi, Da Vinci y el esclavo Cortina hablaban por turnos por medio de la boca del médium y el santero. Éstas son las "habilidades" de uno de los guías espirituales de la funcionaria pública tan cercana al presidente y su esposa.

El médium cubano confirmó en noviembre de 2004 que efectivamente conoce a Rebeca Moreno, que ella acude a consultarlo y que tienen contacto telefónico, pero que no podía decir nada más sin el permiso de su amiga.

Julio 6, 1999. Rebeca: Acudimos con Jorge Berroa para empezar a trabajar. Después de esa sesión no me volvieron a pasar accidentes. Para entonces ya iba en el tercero. Según Jorge, malos espíritus trabajarían por bloquear nuestra misión en el despertar de México, a menos que no tuviéramos miedo. Que a partir de ahora que tomábamos el reto nos asistirían y nos protegerían.

Octubre 27, 1999. Rebeca: En sesión con Berroa me desmayo y ayudo a un espíritu a bien morir. Esta desagradable experiencia empezó a borrar otras que llevaban meses ocurriendo desde que subí al Tacaná: la percepción de cristales que se rompían. Estaba empezando a tener problemas de relación con mis vecinos, pues yo estaba convencida de esos ruidos terribles y llamaba a la policía todas las noches...

* * *

Cuando Rebeca Moreno se enteró de que el hijo del publicista Santiago Pando, encargado de la propaganda en la campaña de Fox, se llama Daniel, para ella ésa fue la oportuna "señal" que ella estaba esperando y buscó la manera de pegarse al equipo foxista.

En marzo de 2000, la obra de teatro *La dama de negro* cumplió seis años en cartelera y Moreno tuvo la misión de invitar a Fox a develar la placa. "Rebeca siempre se las ingenia para conseguir lo imposible" —dijo el productor de la obra, Antonio Calvo, en una entrevista llevada a cabo a fines de 2004.

Rebeca tuvo que rogar al equipo de campaña para que acudiera Vicente Fox. Una semana antes de la oficina de campaña le dijeron que ya no iba a ir porque el candidato se acostaba muy temprano.

Kadoma Sing Ya se enfureció y fue a la casa de campaña. Dijo a los colaboradores de Vicente Fox que no era posible que le cancelaran y que iban a hacer el ridículo si no iban.

"Si me dejan plantada se las van a ver negras", advirtió, según dijo Antonio Calvo.

Habrá sido por miedo a la "bruja", o porque quizá también el equipo de campaña estaba conectado con espíritus, o simplemente para que la regordeta mujer dejara de molestar, pero el caso es que Fox fue a develar la placa de la obra, acompañado de Martha Sahagún.

Con las artes que la caracterizan, Rebeca los recibió con una alfombra roja que trajo a rastras de una iglesia cercana.

A la semana siguiente, *Kadoma Sing Ya* envió flores a Sahagún para agradecer que hubieran ido, y desde entonces comenzó a ir a la casa de campaña como voluntaria.

Moreno no era bien vista en el círculo de colaboradores del presidente. De hecho, al principio temían que se tratara de una espía del PRI. Caía mal por estrafalaria, escandalosa y acaparadora. En aquellos días tenía el pelo teñido de rubio, casi blanco, y usaba una especie de blusón blanco que más parecía una toga.

* * *

22 de abril de 2000. Rebeca: Desperté en la madrugada con un gran sobresalto. El Iztaccíhuatl me revelaba que México viviría un momento de encrucijada y de alguna manera debía expresar fe en el resultado para que se diera lo mejor. Envié un ramo de flores felicitando a Vicente Fox por el triunfo del debate del martes. Esta señal de fe fue recibida el lunes. La fuerza de la fe por el despertar estaba ya puesta a trabajar.

Viernes posterior al martes negro. Rebeca: Estuve en el lugar de más oscuridad, donde se gestaba la fuerza que evitaba el despertar de nuestro país. Fui testigo de un milagro cuando se abrió el cielo sobre la oscuridad y después de un ritual mágico llovía lo suficiente para destruir el propósito de la oscuridad. Posterior a ese suceso recibí varias agresiones físicas. Pero ahora más que nunca debía continuar. Si México no empezaba su despertar y su revolución espiritual, ahora quién sabe cuánto más podía aletargarse. Las predicciones del Tacaná seguían su curso.

Moreno dejó de trabajar en *La dama de negro* y en la Universidad Panamericana y comenzó a colaborar de manera permanente en la campaña de Vicente Fox, siempre al lado de la entonces encargada de prensa, Martha Sahagún.

* * *

Entrevistado en su despacho en Polanco, en noviembre de 2004, Pando, el reconocido publicista, reveló que muchos de los spots de la campaña de Vicente Fox a la Presidencia y de los realizados en los primeros meses del gobierno fueron inspirados en el esoterismo. Particularmente recuerda una tarde de diciembre de 1999: un chamán amigo suyo le llamó y le dijo que debía llevar a Vicente Fox a su casa de Contadero, en Cuajimalpa.

Pando explica lo siguiente: "En tu casa hay una legión de ángeles y tienes que hacer que el candidato vaya allá y filme un spot de propaganda". El objetivo era que el poder de los ángeles quedara impreso en la plata del celuloide y se transmitiera cuando lo pasaran por televisión para persuadir al electorado de votar por Fox.

A las pocas horas llegaron a su casa Vicente Fox, Martha Sahagún y todo un equipo de producción para grabar el spot. En cuanto Sahagún entró, recuerda Pando, preguntó visiblemente excitada: "¿Dónde están los ángeles?, ¿dónde están?", y se acercó al rincón donde se supone que se hallaba la hueste celestial y acarició la pared.

"De todas nuestras ideas y de dónde venía nuestra inspiración estuvo al tanto Francisco Ortiz (encargado de la propaganda) y Martha: ella estaba en la misma sintonía, entendía lo que hacíamos", afirmó Pando.

El spot fue transmitido en enero de 2000 con motivo del año nuevo. En él aparece Vicente Fox vestido de traje y corbata oscura, con una bandera de México a su izquierda.

Pando reconoce —por más irracional que parezca— que él, Moreno, Calvo y Slucki creían de verdad en todo eso. Para ellos, en su mente, sucedió en realidad. Y Vicente Fox y Martha Sahagún quedaron envueltos en esas creencias.

Recién inició el *gobierno del cambio*, Santiago Pando obtuvo un contrato por adjudicación directa (sin licitación pública) de la

Lotería Nacional. En él quedó escrito que era en agradecimiento por los "servicios" prestados para la democracia.

Pando sigue siendo uno de los publicistas consentidos del partido gobernante —Acción Nacional (PAN)— y ha manejado la propaganda de otros candidatos, como Jesús Heriberto Félix Guerra, aspirante a la gubernatura de Sinaloa, pero con menos suerte.

* * *

Junio de 1999. *Toño*: Fui a conocer al médium Jorge Berroa. En esa sesión, el médium me comunicó que era un alma que venía de Orión a cumplir una misión en esta tierra, y me contó que hay muchos espíritus trabajando en México en varias dimensiones para el despertar de la nación.

Noviembre 10 de 1999. *Toño*: Alex empieza a canalizar la presencia de varias entidades que se manifiestan en inglés. Una de las entidades me pone el apodo de *Soul Doctor*.

Antonio Calvo o *Soul Doctor* —como usted prefiera— es un productor de teatro con una larga experiencia. Entre las obras que ha montado están: *La dama de negro*, *Houdini* y *Regina: el despertar de una nación*. Cuando planeaban el montaje de *Regina*, Calvo y Moreno participaron en la campaña de Fox.

Mayo de 2000. *Toño*: Conocí a una señora médium de Seattle que trabajaba con los ejecutivos de Microsoft en lectura de manos. Me leyó la mano y me dijo que debía componer una música con la vibración de la victoria que utilizaba Beethoven en su Quinta Sinfonía y que consistía en el patrón rítmico de ooo—, tres puntos y una raya, que equivalían a la clave morse de la letra *V*. Yo le conté.

Pensé en hablarle inmediatamente a Santiago Pando para decirle que utilizaran esta vibración en la música de la campaña, pero antes de que le pudiera llamar... se dio otra de las "casualidades" de

111

esta aventura: me llama Santiago y me pide componer una música para cerrar la campaña de Fox.

Así se compuso el principal slogan de la campaña presidencial "¡México ya!" Pando señala que Francisco Ortiz y Martha Sahagún estaban al tanto de dónde venía la "inspiración" de esas ideas y siempre las aceptaron.

* * *

Los "guías espirituales" de la campaña opinaban incluso en las reuniones de trabajo estratégicas del equipo del candidato presidencial Vicente Fox.

Junio 15 de 2000. *Toño*: Se organizó una junta en la oficina de *Paco* Ortiz en la casa de campaña con los productores del cierre de campaña. Le dije que teníamos que hacer un ritual con la música y estrenar dos canciones de Regina para empezar a despertar la conciencia colectiva de México.

Un día Calvo me llamó y me dijo: "Santiago, tienes que hacer dos ceremonias el día del cierre del Zócalo" y que había que hacer un ritual, recuerda Pando.

El ritual se hizo. Mientras en un extremo de la plancha de la Constitución se presentaban bailes autóctonos y se escuchaban las canciones compuestas por Antonio Calvo: "¡México ya!" y como coro "'Me Xich Co" —el supuesto mantra de nuestro país— "Digan por qué" y "Con un solo pensamiento", en el otro extremo de la Plaza de la Constitución, en las inmediaciones del templo mayor, Alex Slucki —el canalizador de ángeles— hizo un ritual "para el despertar de México".

Para ello utilizaron a concheros y cristales que supuestamente servirían para abrir dimensiones y atraer energía positiva, ahuyentar a la negativa y así lograr que Fox ganara la Presidencia, según revelaron por separado Pando y Calvo.

"El ritual no fue público, sino una ceremonia alternativa en privado", aclara Pando. "*Paco* Ortiz y Martha sabían lo que queríamos hacer, lo entendían, ¿Vicente (Fox)?, no sé si sabía, pero cuando menos no jodía", comentó Pando en una entrevista (noviembre de 2004).

El 24 de junio de 2000, Vicente Fox cerró su campaña en el Zócalo de la Ciudad de México y se hizo el evento como dijeron Calvo y sus huestes.

La participación de *Soul Doctor* con el equipo de Fox continuó. Para la toma de posesión del 1 de diciembre de 2000, compuso la música y Slucki la letra de la canción "Amanecer", que Manuel Mijares y Laura León cantaron en el Zócalo. Dichas canciones, señala Velasco Piña, fueron dictadas por ángeles y espíritus, según le dijeron el propio Calvo y Slucki.

Esa canción fue utilizada por la Presidencia en un spot en el cual salían los volcanes y se hablaba de un nuevo amanecer. También, por encargo de Pando, Calvo compuso la música para el primer mensaje de año nuevo de Fox como presidente de la República. Ahí también se usó música de la obra de teatro *Regina*.

Al inicio del gobierno foxista, Rebeca Moreno, que ya había logrado permear Los Pinos, presionaba para que su amigo Calvo participara en las reuniones estratégicas de Comunicación Social; sin embargo, su jefa directa, Ana García, nunca se lo permitió.

La última composición para la Presidencia fue la de "¡Mexicano yo soy!" Calvo dejó de participar en proyectos de la Presidencia porque ya no lo invitaron.

* * *

En la etapa de transición, Rebeca Moreno trabajó en el área de Martha Sahagún e invitó a laborar a su amiga Lourdes Grimaldo, también egresada de la Universidad Panamericana.

Por aquellas fechas, octubre de 2000, *Kadoma Sing Ya* participó en un ritual en el cual bebió el "elixir de los muertos", compuesto por una planta que crece en el Amazonas, llamada *ayahuasca*, con propiedades alucinógenas equiparables a las del peyote. La consumen los chamanes de Perú. Moreno afirma: "Agosto 19 de 2000. Rebeca: Berroa me llama y me dice que en otra vida había tenido que ver con el descubrimiento de América. Incluso me platica que quienes estaban en esa reencarnación hoy están conmigo".

La funcionaria de Los Pinos narra que en Sevilla descubrió otra de sus dotes: la capacidad para prender y apagar luces.

Agosto 29 de 2000. Rebeca: Me han llamado bruja… cuando entré a casa de Lalo pasaron cosas muy extrañas con la energía: se prendieron y apagaron las luces y cada vez que estoy con Lalo su celular se prende y se apaga…

Agosto 30 de 2000. *Toño*: Por acá me acaba de pasar algo esotérico también. Cuando hablé contigo por teléfono acababa de regresar de comer con Pando, pero al regresar me entró la extraña sensación de que tenía que ir a Chapultepec, como si el bosque me estuviera llamando…

Septiembre de 2000. Rebeca: Comencé a tener dudas sobre mi misión en esta vida. De lo que había sido testigo desde mayo de 1999 me había trastornado la existencia. Siempre pensé que yo debía morir joven. Nunca me había visto de más de 35 años. Y estaba por cumplir 30. Y de pronto sentía que se abría de nuevo una luz en mi existencia… México, unido, había logrado un sueño, que se traducía en política. ¿Tenía sentido entonces lo que estábamos haciendo? Después me percataría de que sí, de que lo que había ocurrido el 2 de julio podía olvidarse y el espíritu de México aletargarse. Así que decidí casarme con México. ¿Cómo era esto? Todo lo que hiciera en adelante tendría que ser por México. Así que empecé a tocar puertas… incluso acudí al ritual de la toma de los muertos.

Según dejó registrado la colaboradora de la primera dama, en ese "viaje" ella jugó a los pies de la Virgen de Guadalupe. Afirma que sintió ser "la madre de México" y también Juan Escutia, el niño héroe que se arrojó del Castillo de Chapultepec; además, asegura que vio a Carlota rezando por su esposo, Maximiliano.

Después de su viaje con ayahuasca, Moreno señaló que se encontró con los lamas de artes místicas del Tíbet y que un lama llamado Tupe supuestamente le puso el nombre de *Kadoma Sing Ya*, que significa "lo que está siempre vibrando". Escribió en el diario:

Diciembre de 2000. Rebeca: Por fin creo encontrar el sitio donde debo ahora trabajar. Las casualidades me llevan a un sitio en Chapultepec, aunque no creo que esto haya sido tan casual. Pedí una señal para saber si estaba en lo correcto. Fue cuando el Popocatépetl hizo erupción. Debía quedarme donde ahora mismo me ofrecían trabajar por México.

Moreno participó en las actividades que realizaron el 1 de diciembre, día de la toma de posesión. Se encargó de la instalación del Centro Internacional de Prensa, ubicado en el Centro de Negocios de la Cámara Nacional del Comercio de la Ciudad de México, y ayudó a conseguir patrocinios para las ceremonias alternas a la del Congreso de la Unión. Por ejemplo, consiguió el patrocinador de la ropa que usaron las edecanes que Francisco Ortiz contrató para tal efecto.

* * *

Según la información oficial obtenida en la Presidencia de la República, Moreno comenzó a trabajar en Los Pinos desde enero de 2001, siempre en el área de Martha Sahagún.

Moreno, una de las funcionarias más cercanas a la primera dama, está convencida de que Benito Juárez echó una "maldición" sobre México y que él es el responsable de que el país no avance, lo cual pudo dilucidar en un desquiciado "viaje", bajo los efectos de la ayahuasca:

Octubre 16 de 2000. Rebeca: ...estaba en ese lugar de tierra llamado Chapultepec haciendo un recuento de todo lo que ya había visto. En esa tierra se había roto algo y era el momento de repararlo. Me trasladaron a un templo católico colonial lleno de velas. Estaba una mujer vestida de negro. Una mujer de pelo negro, muy blanca, en un vestido terrenamente hermoso. Sus manos de cera blanca se unían con desesperación en oración... me dolió tanto la visión de esa mujer que penetré en sus pensamientos. Carlota: lo supe al escuchar sus plegarias. Y reza por la inminente muerte de su marido. Carlota lo sabía todo y viajó desde Europa para tratar de rescatar lo perdido. Más allá de la muerte de su marido, le dolía el fracaso de la restitución de lo que en México estaba roto. Pero estaba sola combatiendo a los hombres del triángulo invertido. Carlota se convirtió en mi hermana.

Surgió ante mí nuevamente Carlota llorando y el *León Dorado* se transformó de pronto en Juárez. No quiero decir que Juárez fuera el *León Dorado*, pero tenía toda su influencia negativa en su momento; Juárez sabía todo y en su tumba están las claves de lo maligno.

A principios de 2001, coincidente con la llegada de Moreno a Los Pinos, sin ninguna razón aparente ni explicación, lo primero que salió por la ancha puerta del despacho presidencial de Vicente

116

Fox fue el retrato de Benito Juárez, acto que en su momento fue criticado duramente por historiadores y analistas políticos.

El enorme retrato fue enviado a la Secretaría de Gobernación en Bucareli, lo cual probablemente para ellos explique los desatinos del secretario de Gobernación, Santiago Creel.

> Enero de 2001. Rebeca: Por azares del destino me llevan a conocer sitios de Palacio Nacional que no están destinados a turistas. Descubro una cantidad de símbolos que pocos podemos entender. Los símbolos de una campaña que se libraba y que se librará. Descubro un grupo rindiendo culto a Juárez. Los observo desde la ventana. Empiezo a escuchar voces del pasado y salgo asustada.
>
> Mayo de 2001. *Toño*: Después de ver a Berroa, le conté a *Toño* Velasco del sueño de Rebeca en donde teníamos que descifrar las claves de la tumba de Benito Juárez para desbloquear lo que había hecho contra México, y de las claves que se encontrarían en la tumba de Maximiliano en Viena.

En una plática sostenida con Antonio Velasco Piña (en noviembre de 2004), autor de *Regina*, mencionado en innumerables ocasiones en el diario, ratificó lo que ahí Moreno, Calvo y Slucki escribieron. Comentó que muchas de las cosas escritas por Moreno las había compartido con él y confirmó que efectivamente él presentó al médium Jorge Berroa con *Kadoma Sing Ya;* además, reconoció, según él, que la cercana colaboradora de la esposa del presidente de la República tiene "ciertos poderes paranormales".

* * *

La Presidencia de la República informa que Moreno "en un primer momento tuvo una dirección de área por honorarios con la responsabilidad de apoyar en la planeación y mejora de procesos de la Dirección General de Comunicación Intersecretarial, en la Coordinación General de Comunicación Social".

Cuando la ahora primera dama era vocera de la Presidencia, la mayoría del equipo trabajaba en el edificio de Constituyentes 161, mientras que la oficina de Sahagún estaba en Los Pinos. No había mensajeros y diariamente se requería llevarle tarjetas informativas. *Kadoma Sing Ya* se ofrecía a llevarlas. Mientras muchos de los colaboradores veían a la vocera esporádicamente, Moreno la veía todos los días.

Al poco tiempo, Rebeca Moreno era de todas las confianzas de Martha Sahagún e incluso se abrogó el derecho de llamar a la vocera por el sobrenombre con el que la nombran sólo sus más cercanos: *Totis*.

Rebeca se encargó de decir a quien tuviera la paciencia de oírla que ella y sus amigos habían llevado mensajes del más allá a la campaña presidencial de Vicente Fox y que la vocera lo sabía.

En el primer bimestre de 2001, de regreso de una reunión de trabajo, Moreno reveló a dos compañeras que Martha Sahagún y Vicente Fox se reunieron con los tiemperos del volcán Popocatépetl, una suerte de chamanes que conjuran el agua para que haya buenas cosechas. Según la funcionaria federal, ellos revelaron a la pareja que él estaba designado para ser el presidente de México con el fin de cambiar el país.

Rebeca platicó que ella y su mejor amigo, Antonio Calvo, preparaban la obra musical de *Regina* y que ella convenció a Martha de apoyar el proyecto. Solía decir: "Es que ustedes no saben la historia de Regina. Rebeca decía que mucho de la campaña se había basado en Regina porque era un mensaje del más allá para que Fox ganara".

Cuando *Kadoma Sing Ya* pasó del fanatismo y esoterismo de la campaña al servicio público, no cambió de convicciones. Algunos de sus compañeros recuerdan sus actividades extraoficiales en aquella época.

En los primeros meses de gobierno, Rebeca Moreno preparó

la visita de monjes tibetanos a la oficina de Sahagún. Ese día, Moreno se pintó un lunar en el centro de su frente y repartió a nombre de la primera dama una especie de rosario entre el personal de la oficina de Comunicación Social de Los Pinos. Los monjes bendijeron las oficinas de la vocera y se metieron hasta la acogedora cabaña presidencial donde vivía el presidente.

Los compañeros de *Kadoma Sing Ya* también recuerdan aquel regalo que Rebeca hizo a su jefa en 2001, una época en la cual —dicen— la vocera andaba mal y de malas porque aquello de su romance con el jefe del Ejecutivo no caminaba del todo bien.

Ese día en el cuarto piso del edificio localizado en Constituyentes 161 había mucho movimiento. En una pequeña oficina contigua a la de Ana García, sobre uno de los escritorios acomodados en hilera donde estaban las computadoras, Rebeca y su amiga Lourdes Grimaldo preparaban una canasta con un quemador de incienso, la imagen de la Virgen de Guadalupe y puños de semillas. Cuando alguien les preguntó qué hacían, respondieron: "Le preparamos a la señora un regalo para la buena vibra, pero todavía tenemos que ir al mercado de Sonora por plumas de gallina negra".

Un experto sobre esos temas consultado explicó que este tipo de "trabajos mágicos" sirve para propiciar la fecundidad profesional en una persona, y las gallinas negras son usadas para retirar "malas energías".

A muchos no les gustó la idea y comenzaron a mirar a Moreno con rareza. Cuando le preguntaban a Ana García quién la había llevado a la Presidencia, decía: "la mandó Martha". Pero como toda buena consejera, Moreno consiguió hacerse indispensable para la vocera y pronto consiguió su plaza en la burocracia federal.

A principios del sexenio, ella consiguió que Fernando y Jorge Alberto, los hijos de Martha Sahagún, fueran con los lamas al Tíbet, hecho que se pasaba presumiendo a sus compañeros de trabajo —recuerdan sus compañeros de oficina—; además, dicen que el

119

colmo fue cuando *Rebequita*, como cariñosamente la llama la primera dama, le hizo un regalo de cumpleaños que nunca olvidará...

Martha Sahagún aún era la vocera de la Presidencia y celebraba su primer cumpleaños en Los Pinos. Su pareja sentimental, el presidente Vicente Fox, la iba a invitar a comer, y su equipo de colaboradores más cercanos le prepararon una sorpresa para agasajarla.

Aquel martes 10 de abril de 2001, desde muy temprano la esperaron en el llamado Salón Blanco de Los Pinos para felicitarla. Se habían organizado con anterioridad y habían cooperado para comprar un regalo a su jefa: se trataba de una chalina que fue envuelta en una caja de papel dorado y moño amarillo. En cuanto Martha Sahagún apareció en la acogedora sala, cuyos ventanales dan a los jardines presidenciales, todos se pusieron a entonar Las Mañanitas y le entregaron el regalo.

Antes de que la ahora primera dama pudiera abrirlo, apareció *Kadoma Sing Ya* con una extraña caja de cartón y la puso encima de una mesita ubicada cerca de uno de los ventanales. De su interior sacó varias velas, un quemador de incienso, un puñado de tierra —supuestamente del Popocatépetl— y un frasco con agua deshielada del Tíbet —según dijo *Rebequita* en la ceremonia. A cada movimiento la funcionaria explicaba animosamente el significado de cada uno de los objetos.

No se percató de que alrededor todos sus compañeros la observaban atónitos, pasmados, pero se quedaron en shock al ver la reacción de la vocera presidencial. Martha Sahagún estaba fascinada.

"¡Esto es divino!", exclamó la festejada. Moreno comenzó un largo discurso en el que explicó que el regalo era "para que las buenas vibras del amor estén siempre cerca de ti. Tienes que tener esto siempre muy cerca de ti", dijo *Kadoma Sing Ya*.

"Lo tendré siempre conmigo", respondió obediente Martha Sahagún.

Al final del discurso, la vocera no pudo contener más las lágrimas y terminó fundida en un abrazo con su fiel colaboradora. Todos los demás se retiraron y la hoy primera dama se quedó a solas platicando con Rebeca Moreno.

* * *

Sí. Rebeca Moreno era eficiente en sus *tareas* espirituales y personales con Martha Sahagún, pero en sus responsabilidades como funcionaria pública de la Presidencia de la República no era tan diligente.

Cuando en 2001 hizo su marcha el EZLN y había reuniones de trabajo para definir cuál sería el discurso del gobierno, Rebeca Moreno solía decir que "esa bola de mugrosos" deberían regresarse a su pueblo. "Si se suben a la tribuna, se van a ver muy mal."

Más allá de si Moreno tiene o no poderes paranormales, lo cierto es que posee poderes para hacer enojar hasta a los más sensatos.

Cuando en 2001 se fugó el narcotraficante *El Chapo* Guzmán del penal federal de Puente Grande, hubo una reunión en la Secretaría de la Defensa Nacional. La instrucción de Clemente Vega era que no se dijera nada, pero la oficina de Martha Sahagún decía que sí. Rebeca Moreno llamó a la Sedena para decir que ya tenía listo el boletín y que se los enviaría en un momento. Cuando le preguntaron cómo podía haber hecho un boletín sin tener la menor idea del contenido de la reunión, ella dijo: "yo tengo mis contactos". Por supuesto que la ignoraron.

* * *

Aunque Antonio Calvo ya no ha vuelto a componer canciones del más allá para mantener la buena imagen del presidente, permanece cerca de la pareja presidencial. Va a las posadas que se organizan cada fin de año en Los Pinos y goza del apoyo de la primera dama en sus muy particulares proyectos artísticos.

El 24 de marzo de 2003, Martha Sahagún, acompañada de Rebeca Moreno, asistió al estreno de la obra de teatro *Regina*. Llamó la atención que Moreno aclarara que la obra no era una apología de su jefa.

De alguna manera, Moreno convenció a la esposa del presidente de apoyar el proyecto, hasta el grado de que la primera dama se involucró con la protagonista de la obra, la cantante Lucero, quien personificó a *Regina*.

Una funcionaria de Los Pinos coincidió en el mismo vuelo con la pareja de la mamá de Lucero, quien vivía en El Paso, Texas. Indiscreto, dicho personaje comentó que iba a cenar en Los Pinos con la pareja presidencial, la mamá de Lucero, la cantante y su esposo Manuel Mijares. Era la manera como la esposa del presidente quería agradecerle que hubiera aceptado hacer la obra de teatro *Regina*. Según el señor, no era la primera vez; además, presumió, como si fuera un gran suceso, que el hijo de Lucero, el pequeño Manuel, ya había dormido en la cama presidencial.

Sólo la primera dama podía haberse involucrado en el proyecto de la singular obra de teatro. Ni siquiera Conaculta, que dirige su amiga Sari Bermúdez, quiso entrarle. En 2001, Moreno y Calvo buscaron a Sari Bermúdez para que apoyara el musical de *Regina*, pero en el Consejo se opinó que "el libro de *Regina* es una 'jalada' esotérica y que de ninguna manera Conaculta podría involucrarse con algo así", según apuntaron en su diario.

* * *

El trabajo de *Kadoma Sing Ya* fue recompensado y subió de nivel en Los Pinos, y aumentó su salario mensual a cargo del erario. Actualmente gana 78 000 pesos mensuales.

"Del primero de enero de 2002 al 30 de marzo de 2004 ocupó el puesto de directora de Operaciones y Producción de Eventos (de la primera dama), y a partir del primero de abril de 2004, su cargo toma el nombre de directora de logística de la Oficina de Apoyo a la Esposa del C. Presidente", según informó la Presidencia de la República.

Kadoma Sing Ya es la mano operativa de la primera dama: hace los montajes de todos sus eventos, viaja de avanzada a los lugares donde su jefa va a estar, alecciona con tiempo a grupos acerca de las consignas "espontáneas" que deben lanzar al paso de la primera dama, como la de "¡Martha presidenta!", y escoge al niño más frágil con cáncer para que se siente en las piernas de la primera dama. También lee y contesta la correspondencia que la gente entrega a la señora de Fox en sus giras.

Invitados a la gira de Martha Sahagún a Aguascalientes, realizada a finales de 2003 y cuando estaba en su apogeo la discusión sobre si la esposa del presidente debía o no sucederlo en el poder, narran que cuando la primera dama arribó al cortijo repleto de gente, desde las gradas comenzaron a corear: "¡Presidenta!, ¡Presidenta!", lo cual hizo emocionar a Martha Sahagún hasta las lágrimas.

Testigos señalan que la persona que orquestaba dichas porras fue Moreno, quien se encontraba ahí desde un día antes organizando el evento y quien decía a la gente qué tenía que gritar.

Al finalizar la gira, Moreno se regresó en un jet de la Presidencia con la primera dama, quien iba acompañada de la esposa del ex director de Petróleos Mexicanos, Hilda de Muñoz Leos, y la conductora Ofelia Aguirre, entre otros. Durante el vuelo, el Estado Mayor Presidencial entregó a Moreno el bulto de cartas entregadas ese día a Martha Sahagún. Ella abrió y leyó todas y sólo entregó unas cuantas a la primera dama, las que ella consideró necesarias. Las otras se las llevó para darles seguimiento.

"Rebeca tiene claro su papel", añade Pando. "Yo lo he platicado con ella. Su tarea es terminar el despertar de México, regresar la luz a Los Pinos, y ella está convencida de que Martha Sahagún fue enviada para el despertar femenino de México, y la está ayudando en eso."

Cuando algunos de estos hechos salieron a la luz pública ("La Revista", *El Universal*), Rebeca Moreno y Antonio Calvo prefirieron retractarse a mantener sus fantásticas creencias. Antonio Velasco Piña, Santiago Pando y el místico Jorge Berroa prefirieron ser fieles a lo que piensan.

Rebeca Moreno fue reprendida en Los Pinos por su indiscreción y, según afirman quienes ahí laboran, mientras sollozaba fue advertida de que si no desmentía la información sería despedida.

Por su parte, Antonio Calvo, al intentar desvirtuar que creyeran en tan fantásticas cuestiones, olvidó la larga entrevista concedida a Anabel Hernández a finales de 2004 cuando se puso a cantar ensimismado aquella tonada que la bruja de Microsof le había aconsejado para lograr el conjuro que cambiaría el destino de nuestro país.

No resta más que pensar que quizá utilizaron el hechizo equivocado.

* * *

Para este peculiar grupo, en 2012 la estafeta de la luz del mundo la tendrá México y será entonces cuando realmente pueda haber un equilibrio en el país y en el mundo. Rebeca Moreno y Santiago Pando creen que Martha Sahagún jugará un papel fundamental en ello.

En Los Pinos, algunos funcionarios consideran que la cercanía de personajes como *Kadoma Sing Ya* —quien fue investigada por el Estado Mayor Presidencial y se le encontraron más de dos actas de nacimiento, según fuentes involucradas—, más allá de sus excentricidades y disparates, son uno de los factores que poco a poco han hecho mella en el equilibrio de los habitantes de la cabaña presidencial, por sus prácticas de eterna adulación extrema a la primera dama. Fanatismo a la imagen presidencial que llega incluso a poner de rodillas a la colaboradora de Martha Sahagún de Fox.

Mientras eso sucede, *Kadoma Sing Ya* y *Soul Doctor* se mantienen muy cercanos a la pareja presidencial. Han cenado con ellos en la "cabañita" y acuden a sus posadas de fin de año en la residencia oficial.

Como prueba, ahí está la foto donde *Kadoma Sing Ya* y *Soul Doctor* aparecen abrazados con el presidente de la República Vicente Fox y su esposa, la primera dama Martha Sahagún, en las instalaciones de la residencia oficial de Los Pinos.

5. Hijos de la discordia

Manuel Bribiesca Sahagún luce inocente: apenas tiene unos meses de nacido; está sentado en las piernas de un hombre alto y bien parecido que rodea amorosamente al niño con sus brazos. El pequeño, de pelo rubio y chambrita amarilla, observa a su alrededor con avidez mientras se lleva la mano a la boca.

Treinta y tres años después, el veterinario Manuel Bribiesca Godoy mira con nostalgia la fotografía de su primogénito, colocada en una mesita al lado del escritorio desde donde administra la veterinaria Ofavesa, ubicada en el centro de Celaya, Guanajuato.

El mentor reconoce que su hijo mayor ha utilizado las influencias de ser el primogénito de la primera dama para hacer negocios, y afirma con soltura:

Pendejos si no suben. Si mis hijos no aprovechan las relaciones que tienen ahora por ser quienes son, serían pendejos. Son parte de la familia presidencial, ¿quién les va a decir que no?, ¿ustedes creen que ellos pensaron que iban a estar donde están? Todo el mundo quiere quedar bien con ellos y tienen que aprovecharlo.

Aunque lo bailado ya nadie se los quita, don Manuel está preocupado por sus hijos: teme que cuando termine el sexenio sean el centro de las persecuciones de los adversarios políticos que en tiempo récord Martha Sahagún ha ido dejando en el camino.

Yo estoy viendo que los muchachos entiendan que después del 6 de julio del año que entra ¡chingose el torero!

A la señora (Martha Sahagún) no le van a hacer nada. Pero ¿a ellos?… yo toda mi vida he sido oposición, sé lo que es eso, hay persecuciones. Al hijo de Rafael Corrales Ayala (ex gobernador de Guanajuato en 1985-1991) lo mataron a balazos. Es simple, a unos se las perdonan y a otros no.

✳ ✳ ✳

La preocupación de don Manuel no es para menos. Desde que Martha Sahagún contrajo nupcias con el presidente de la República, los comentarios sobre los negocios, excesos y uso de recursos públicos de sus tres hijos: Manuel, Jorge Alberto y Fernando, están a la orden del día.

La ex panista y diputada federal, Tatiana Clouthier, lo resume en una frase contundente: "Se habla de los hijos de Martha igual que se hablaba de Raúl, hermano de Carlos Salinas de Gortari. El ambiente es el mismo".

En este sexenio hemos pasado del hermano incómodo a los hijos de la discordia, los que su madre asegura haber concebido sin amor, como una mera consecuencia del funcionamiento biológico de su cuerpo.

En esta investigación periodística, hoy se tienen elementos que demuestran que los comentarios sobre los hijos de la primera dama son mucho más que rumores.

De 2001 a la fecha, el crecimiento económico de Manuel Bribiesca Sahagún, el hijo mayor del fallido matrimonio del veterinario y la ahora primera dama, ha sido vertiginoso e inexplicable. Esto sólo se puede afirmar si se hace una compara-

La familia presidencial

Vista panorámica de los majestuosos sembradíos de agave azul del rancho La Estancia, propiedad del presidente Vicente Fox.

bañita acogedora I en La Estancia. Su estilo busca ser a réplica de las cabañas presidenciales en Los Pinos.

Cabaña acogedora II en La Estancia, ambas construidas por el arquitecto Artigas, el mismo que remodeló las cabañas de Los Pinos y la residencia de Miguel Alemán.

El sello del presidente. La tubería del rancho secreto de Vicente Fox lleva grabado el apellido a todo lo largo para dejar claro de quién es la propiedad.

Establos del rancho La Estancia, para los caballos del presidente.

La afición del presidente por los lagos artificiales puede verse en ambas fotos, que corresponden al rancho San Cristóbal en San Francisco del Rincón después del milagro.

◁ Cancha de tenis recién renovada.

Casa de huéspedes en el rancho San Cristóbal.

Vista actual de los establos del rancho La Chinga, donde Martha Sahagún aprendió a hacer quesos.

Entrada a lo que fuera el rancho de la pareja Bribiesca-Sahagún, derruido. Aquí celebraron sus 25 años de casados.

Martha Sahagún en campaña, 1994, cuando su diseñadora era su vecina de Celaya, Tere Velázquez.

Registro de Manuel Bribiesca Godoy como candidato del PAN a diputado federal. Al lado su esposa, Martha Sahagún, lo ve con devoción.

Triángulo electoral: Vicente Fox (primero de izquierda a derecha) durante su campaña a la gubernatura de Guanajuato (1991) acompañado de los esposos Manuel Bribiesca (de derecha a izquierda), candidato a diputado federal, y Martha Sahagún.

Manuel Bribiesca Godoy, ex esposo de Martha Sahagún.

(De izquierda a derecha, Georgina Morris, Liliana Melo de Sada, José Luis Ruiz, Martha Sahagún y Anabel Hernández.)
Inicio de la entrevista realizada en Los Pinos el 29 de septiembre
· de 2003 a raíz del reportaje publicado en *El Universal*, en el que aparece Martha Sahagún imitando a la realeza europea en su vestuario.

La primera dama aprieta el puño en evidente muestra de tensión.

Martha Sahagún, molesta, intenta aclarar en entrevista sus excesivos gastos en vestuario.

La primera dama, en la cabaña presidencial, invita a los reporteros Anabel Hernández y José Luis Ruiz a abandonar la sala y da por concluida la entrevista.

Foto tomada de la revista *Caras*, abril de 2003

CAROLINA DE MÓNACO   MARTA SAHAGÚN   VIVIANA CORCUERA

Se pusieron de acuerdo

Foto de Andrés Carreón

Martha Sahagún comparte escenario con Condolezza Rice, secretaria de Estado del gobierno de Estados Unidos.

Foto cortesía

La foto del recuerdo de los asesores esotéricos de la campaña presidencial (de izquierda a derecha): Antonio Calvo *Soul Doctor*, Rebeca Moreno *Kadoma Sing Ya*, Vicente Fox Quesada y Martha Sahagún en una posada en Los Pinos.

Oficinas del joven Manuel Bribiesca en Celaya, donde opera Construcciones Prácticas y Urbanizaciones Inteligentes para la construcción de casas, en sociedad con SARE, y propaganda de los desarrollos inmobiliarios que se promocionan en las oficinas del hijo mayor de la primera dama.

Los tres hijos de Martha Sahagún: Manuel al teléfono, Fernando de espaldas y Jorge Alberto en medio, con Mónica Jurado, esposa del primero, con sus hijas y dos nanas, en Palacio Nacional, preparándose para el festejo del 15 de septiembre.

La nueva casa en la que vive el controvertido hijo mayor de Martha.

Fachada de la primera casa de Manuel Bribiesca hijo.

En medio de una familia religiosa, el hijo mayor de la primera dama canonizó a su milia, al bautizar las calles de Rinconada San Jorge como Santa Martha, San Manuel (su propio nombre) y San ge (como el de su hermano). Rinconada San Jorge es obra de Construcciones Prácticas.

Excavación para el lago artificial del conjunto residencial que construye Manuel Bibriesca Sahagún en e
rancho de Capellanía.

Huerta de aguacate
del rancho del finado
Alberto Sahagún, padre de
la primera dama. En este
rancho, durante el sexenio
se construyó un helipuerto
para la comodidad de la
familia presidencial.

Éstas son las pequeñas
instalaciones de la empr
de Guillermo Sahagún
Jiménez y Jorge Albert
Bribiesca Sahagún en
Zamora, Mich. Así inici
el sexenio; hoy tienen u
nueva oficina en Santa I
en la Ciudad de México
desde donde exportan
toneladas de aguacate.

Edificio donde vivía *Vicentillo* con su mamá Lillián de la Concha durante la campaña presidencial.

Casa que *Vicentillo*, hijo mayor del presidente, estrenó en este sexenio, la cual se diferencia del resto por su gusto tropical, con cocoteros plumosos en la tierra árida de León, Guanajuato.

La llegada al poder. Vicente Fox, en la toma de posesión el 1o. de diciembre de 2000, festeja con sus hijos Rodrigo, Paulina y Ana Cristina Fox de la Concha.

Paulina Fox de la Concha y Martha Sahagún reciben trato de primera.

Ana Cristina Fox y amigas invitadas a la gira del presidente a Moscú y Ucrania. Aquí caminan en el aeropuerto Vnukovoz de Moscú, al arribo del avión presidencial TP01.

Ana Cristina Fox en medio de Liliana Sada y Federico Sada.

Los nuevos viveros de los hermanos Fox fueron construidos en este sexenio en el rancho San Cristóbal. ➤

◄ Casa anterior de José Luis Fox.

También José Luis Fox estrenó residencia este sexenio. Fachada de la nueva casa del hermano mayor del presidente.

El presidente Fox y su esposa conversan con la reina Sofía, mientras José Luis Fox, hermano del mandatario (lado izquierdo), busca al rey Juan Carlos.

José Luis Fox desplaza a su hermano el presidente y a Martha para platicar con los reyes de España. Fue uno de los invitados en la comitiva de empresarios en la gira presidencial por Argelia, Marruecos, España e Italia a principios de 2005.

Foto de Andrés Carreón

Cristóbal Fox Quesada y su esposa Emma Cabrera, en la gira de Fox a Moscú, en el doble papel: hermano del presidente e integrante de la comitiva de hombres de negocios. A la izquierda el general Armando Tamayo Casillas, jefe del Estado Mayor Presidencial.

Foto de Andrés Carreón

Reunión de un "grupo selecto de empresarios de Moscú" en el World Trade Center de la ciudad. Cristóbal Fox Quesada, hermano del presidente y director general de la empresa Congelados Don José, participó interesado en las reuniones de negocios.

Foto de Andrés Carreón

Al término de la gira de trabajo en Moscú, Cristóbal y Vicente Fox Quesada, y Martha Sahagún avanzan para abordar el TP01 de regreso a la Ciudad de México. Atrás Paulina y Ana Cristina Fox de la Concha.

El presidente Vicente Fox evade la realidad, eso sí, sin perder nunca el buen humor. El 2 de julio de 2005 convocó a un mitin por la "democracia" en el Ángel de la Independencia. Justo allí, donde hace cinco años miles de personas le exigieron: "¡No nos falles!", el presidente Fox hizo una de sus últimas burlas del sexenio: "El gobierno ha dejado de ser un botín que fabricaba millonarios, y hoy quien la hace la paga". Vicente Fox sólo tendría que mirar en sus bolsillos, en sus cuentas bancarias y en las de sus hijos, hermanos, hijastros y amigos, para reírse a carcajadas de lo que aseguró ante una sociedad que alguna vez creyó que éste sería realmente el gobierno del cambio.

ción de cómo vivían antes y cómo viven ahora. Ése es el eje de esta historia.

* * *

Corría el primer trimestre de 2002 cuando Manuel Bribiesca Sahagún arribó a las oficinas del director general del Fideicomiso Liquidador de Instituciones y Organizaciones Auxiliares de Crédito (Fideliq), hoy Servicio de Administración y Enajenación de Bienes (SAE), Luis Miguel Alonso.

El hijo político del presidente Fox no llegó solo, sino acompañado de Jesús Vázquez Raña, quien hasta donde se sabe no es pariente del empresario Olegario Vázquez Raña, según narraron quienes lo vieron.

Sin muchos preámbulos, *Manuelito*— como lo llaman cariñosamente quienes lo estiman— fue al grano: quería comprar unos bienes en liquidación que estaban a la venta por medio de una licitación pública nacional, pero los quería a un precio preferente, a precio de pariente del jefe del Ejecutivo. El funcionario le explicó que eso no podía ser porque los lotes tenían un avalúo oficial del Cabin (Comisión de Avalúos de Bienes e Inmuebles) y no podía alterarlo.

La respuesta no gustó mucho al hijo mayor de la primera dama y reclamó: "¿No sabe con quién está tratando?". El funcionario le dijo que no había nada más que hacer y le pidió que se fuera. Después se comunicó con el secretario particular del presidente, Alfonso Durazo, y le informó sobre lo ocurrido. En Los Pinos se prendió un foco rojo que no fue atendido.

Unos días después, el 24 de abril de ese año apareció Jesús Vázquez Raña asesinado de un tiro en la cabeza, en la cajuela de un automóvil Audi 2000, en el municipio de Tlalnepantla, Estado de México.

Según las noticias policiacas del día (*Reforma* y *La Jornada*), el cuerpo de Vázquez Raña fue encontrado junto al de Ramón Requeijo Abad, quien, según la Procuraduría de Justicia del Estado de México, era investigado por las autoridades federales por presuntos vínculos con el narcotráfico. De acuerdo con las notas periodísticas, Requeijo Abad fue chofer del líder nacional del PRI, Roberto Madrazo Pintado, cuando éste era gobernador de Tabasco.

Sobre Vázquez Raña se dijo que entre sus ropas se encontró la tarjeta "(Carlos) Medina Plascencia necesita el avión 14 y 15 de mayo". Después se supo que Vázquez Raña rentaba una oficina en Polanco al senador panista. La revista *Proceso* publicó hace unos meses que el senador había usado en por lo menos una ocasión el avión Lear Jet 25, cuyo acto de dominio lo ejerce Manuel Bribiesca Sahagún.

Otra nota periodística sobre el mismo hecho señala que familiares de Jesús Vázquez Raña afirmaron que se dedicaba a la industria inmobiliaria.

* * *

Los amigos de Manuel Jr. comienzan a burlarse de la transformación que éste ha sufrido. Antes, el joven Bribiesca se quedaba al margen de las conversaciones sobre los viajes y autos de sus amigos, muchos de ellos miembros de familias tradicionalmente adineradas, y se contentaba con su compañía. Ahora, cuando al primogénito de la primera dama se le pasan las copas, advierte que no se va a "retirar del negocio" hasta que junte 50 millones de dólares. Y pretende impresionar a sus compañeros de parranda hablando de aviones, viajes suntuosos y los placeres que puede comprar con el poder económico que ahora tiene.

Manuel se comporta como si ya no recordara que hace apenas tres años, antes de que su madre se casara con el presidente de la

República, literalmente "metía las manos en la mierda" de los basureros de Guanajuato, según narraciones de su propio padre.

Aunque ahora viaje en su propio jet —y a pesar de que insista en negarlo—, muchos todavía no olvidan cuando al inicio del sexenio Manuel iba a visitar a su madre, la entonces vocera presidencial, manejando una destartalada y vieja camioneta Suburban azul que dejaba estacionada en la glorieta frente a la puerta 2 de la residencia oficial de Los Pinos.

No ha pasado tanto tiempo para haberlo olvidado.

* * *

El hijo mayor de la esposa del presidente estudió la carrera de administración de empresas en el Tecnológico de Monterrey, Plantel León, donde era conocido con el sobrenombre de *El Cebollón*, por su poca capacidad intelectual.

Manuel trabajaba en la empresa Poliductos de Tamayo, creada por su padre el 16 de octubre de 1990 con un capital mínimo de 40 000 pesos. El negocio tenía 400 acciones, de 1 000 pesos cada una. El objeto social era: compra, venta, transformación y reciclaje de plásticos polietilenos nacionales e importados, de sus derivados, subproductos y poliductos, y utilización y transformación de PVC.

En su origen, el presidente de la empresa fue Manuel Bribiesca Godoy; el tesorero, Martha Sahagún Jiménez; el secretario, Albino Dueñas, y el vocal, Manuel Bribiesca Sahagún, según el acta constitutiva.

Las acciones estaban repartidas mayoritariamente entre: Manuel padre, con 160 acciones; Manuel hijo, 60, y Martha, 148. Después del divorcio, Sahagún dejó sus acciones a sus hijos.

Manuel era quien más se involucraba en la pequeña empresa. Desde 1996 comenzó a ir a León a comprar polietileno, el cual adquiría en el relleno sanitario del municipio, donde tenía trato directo con los pepenadores. De ahí que con el tiempo el sobrenombre de *El Cebollón* se transformara en el de *El Ecoloco*.

Don Manuel padre reconoce que en aquellos años su hijo le entraba duro al trabajo, iba al basurero y "metía la mano en la mierda" para recoger el material que después reciclaban.

Lo describe como un joven con mucha energía. Desde muy chico acompañaba al veterinario cuando éste iba a hacer clínica a los ranchos. Su papá dice:

> Lo que le sobra es leche y le faltan entregos. Es muy alegre. Aunque, eso sí, es el más duro de todos, se echa sus gritos y sus tragos.
>
> A los 13 años lo mandamos por un año con una familia que vive en Canadá, por eso es más desmadroso. Queríamos que se valiera por sí mismo, que aprendiera a pedir las cosas.

* * *

Cuando comenzó a ser visto en los tiraderos de León, Manuel Bribiesca Sahagún compraba una tonelada de plásticos a la semana, pero en 1998 ya compraba tres. Tenía una bodega en la colonia Santa Cruz, en León, donde lo limpiaba y luego mandaba el plástico a Celaya.

Pese a su esfuerzo, el negocio no era muy rentable y a veces tenía problemas para pagar a los pepenadores. Quienes lo conocieron en aquella época lo recuerdan como un muchacho amable y sano. En aquel entonces él manejaba una camioneta pick up con remolque. Durante un tiempo lo ayudaron un primo y su hermano Jorge Alberto.

Manuel se casó a los 25 años con Mónica Jurado en una ceremonia sencilla y agradable en San Miguel de Allende. Dado que los recién casados no tenían muchos recursos, se fueron a vivir a un pequeño departamento que su madre tenía sobre el Boulevard Las Torres en León, Guanajuato. Manuel ya había vivido ahí con su hermano Jorge y dos amigos, a quienes Martha les cobraba renta.

En 2001 el primogénito de los Bribiesca Sahagún cambió de negocio: dejó de comprar basura y comenzó a incursionar en los negocios de la construcción y la compra de mercancía incautada por la Secretaría de Hacienda, justo después de que su madre contrajo nupcias con el presidente Fox.

En una visita hecha a Poliductos de Tamayo, S.A. de C.V., se comprobó que sigue siendo una pequeña empresa de apenas tres empleados por cada ocho horas de turno. Fabrican al día 10 metros de manguera, que después se vende en tlapalerías de Guanajuato. Los empleados comentan que Manuel Bribiesca Sahagún ya casi no se para por ahí y quien se ocupa de la fábrica es su papá.

Manuel también es socio de la empresa Conductores Mexicanos Especializados, S.A. de C.V. o CME, tubería PVC, localizada en Avenida del Transporte número 107. La empresa es manejada principalmente por un primo de él, porque el negocio de la pepena ya no es la ocupación principal del hijo mayor de la primera dama.

✳ ✳ ✳

Mediante Conductores Mexicanos Especializados, Manuel Bribiesca Sahagún cometió una de sus presuntas primeras estafas del sexenio. En este caso está involucrado un juez que es hermano de un ex colaborador de Martha Sahagún.

El empresario Marcelo Balestra Lemus, hijo del ex subsecretario de Hacienda, Marcelo Balestra, perdió todo su patrimonio familiar construido a lo largo de 19 años, a raíz de un negocio hecho con Manuel Bribiesca Sahagún, a quien demandó por un monto de 109 millones de pesos.

Balestra, de tez morena, complexión delgada, frente amplia y pelo cano rizado, de 51 años de edad, creó la empresa Grupo CYM División Comercial hace 19 años. Todo su patrimonio proviene de los frutos de la fabricación de conexiones de ABS, que es un material similar al PVC pero de mayor calidad. Dichas conexiones sirven para la instalación de drenaje de casas-habitación e industrial. Su fábrica, localizada en Abraham Olvera número 6, en la colonia México Nuevo, Atizapán, Estado de México, trabajaba las 24 horas del día, 362 días del año. Sólo paraba el día de la Virgen de Guadalupe, Navidad y Año Nuevo. Su producto lo comercializaba a nivel nacional entre ferreterías, distribuidores y mayoristas.

En 2000, sin saber quiénes eran los dueños de la empresa, don Marcelo inició contactos comerciales con la empresa Conductores Mexicanos Especializados, S.A. de C.V. Según el acta constitutiva, de la cual se tiene copia, CME se creó el 4 de febrero de 1998 con un capital de 50 000 pesos y 50 acciones. La empresa tiene tres socios: Manuel y Jorge Alberto Bribiesca Sahagún, con 25 acciones, y Ricardo Eduardo Garza Pons, con las otras 25 acciones.

El presidente del consejo de administración es *Manuelito*, como secretario funge Garza Pons y el tesorero es Jorge Alberto.

"La empresa de Manuel fabrica tubería PVC y mi empresa fabricaba conexiones de ABS (es decir, los codos y partes que sirven para unir la tubería); no nos conocíamos, sólo había intercambio comercial y hasta ahí no hubo ningún problema", señala Marcelo Balestra en entrevista.

A mediados de 2001, Manuel Bribiesca Sahagún llamó a Balestra para proponerle "un gran negocio", que consistía en aumentar su intercambio comercial. El hijo mayor de la primera dama fue a Atizapán a conocer la fábrica de don Marcelo, y viceversa.

Manuel era un muchacho normal, trabajador, como cualquier otra gente. Era el chamaco más sencillo del mundo, siempre andaba de camisa de manga corta y pantalón de mezclilla.

En Conductores Mexicanos tenían una bodega muy grande y una sola máquina, usada. También me invitó a conocer su empresa Poliductos de Tamayo, que la verdad estaba para llorar, tenía una máquina hechiza construida de diferentes partes de máquinas viejas que quien sabe cómo podía echarla a andar.

De aquel entonces para acá tienen todo un equipo de CME: cuatro máquinas estruzoras, seis máquinas inyectoras y el equipo periférico con dos mezcladoras grandísimas, marca Cincinnati, y ya metieron subestación para energía eléctrica y han crecido lo que yo no pude crecer en 17 años: a lo bestia. Cada máquina estruzora cuesta 600 000 dólares, una inyectora 100 000 dólares y una mezcladora anda costando 80 000 dólares.

Los negocios entre ambas compañías continuaron cuando Martha Sahagún contrajo nupcias con el presidente Vicente Fox.

"La verdad yo me enteré de que era el hijo de la nueva esposa del presidente hasta que lo vi en la televisión felicitándola… no tenía idea.

"El cambio de los guaruras fue muy repentino, de la noche a la mañana. Al principio no quería guaruras, 'es molesto, uno no puede hacer nada'", me decía. Y es que le gustaba la parranda.

"Nos caímos bien. Ya siendo hijo de la esposa del presidente le dije que mi hijo Luigi cantaba y él me dijo que iba a hablar con Emilio."

—¿Cuál Emilio? —le pregunté.

—Emilio Azcárraga; somos muy amigos, ahorita le llamo y ya verás.

"Manuel nos citaba en el hotel Fiesta Americana, de Mariano Escobedo (colonia Anzures, DF). Él llegaba a hospedarse ahí y ahí me citaba. Subíamos a un piso donde había un recibidor, y una sala de juntas ¡y había una cola de güeyes para proponerle todo tipo de negocios! Ahí estaban los guaruras bloqueando la puerta de entrada y llegar a verlo era una proeza.

"Nos citaba en la sala ejecutiva del hotel y nos ofrecían refresco y café.

"Cada vez había gente diferente. Luego uno pasaba a la sala de juntas y ahí estaba Manuel, siempre acompañado de Ricardo (Garza Pons); yo lo conocía porque también estaba en Conductores Mexicanos Especializados.

"Ricardo es un hombre alto, delgado, de rostro alargado y mirada fuerte. Siempre iba con la cabeza semirrapada. Es muy técnico, era el de los números. Se veía una muy buena amistad entre ellos, muy unidos; según tengo entendido, son amigos desde la escuela. Tengo entendido que él siempre ha sido de lana.

La relación entre don Marcelo Balestra y *Manuelito* corría a la par de que sus empresas, Grupo CYM y Conductores Mexicanos Especializados, se compraban mutuamente mercancía.

"En una ocasión nos comentaron que iban a sacar un crédito en Nafinsa para construir y crecer.

"Yo le platiqué a Manuel que ya quería retirarme y él me comentó sus planes de dedicarse a construir casas para el Infonavit.

"—'Invítame a hacer casas' —le dije.

"Él me hizo cuentas y me dijo 'cada casa nos deja 40 000 pesos de ganancia por casas de doscientos y tantos mil pesos'.

"De ahí de repente se volvió incomunicable. Manuel traía un coche nada ostentoso, pero al ratito ya traía un Jaguar. ¿Quién le dio para un Jaguar?, cuesta como 45 000 o 50 000 dólares (entre 500 000 y 600 000 pesos)."

A mediados de 2002, Balestra Lemus y Manuel Bribiesca comenzaron a negociar la compraventa de Grupo CYM División Comercial y firmaron el contrato el 20 de diciembre de 2002, en el que Grupo CYM vendía a CME todo el equipo para producir conexiones sanitarias de PVC, incluidos las máquinas, los moldes y todo el equipo adicional.

Se fijó un precio de venta por 3.5 millones de pesos, incluido el IVA, menos 186 000 pesos que Grupo CYM debía a CME. Quedó una deuda de 3.2 millones de pesos, de los cuales Manuel Bribiesca Sahagún sólo pagó a Balestra 1.8 millones, con tubería de PVC. Los otros 1.4 millones de pesos no se los pagó jamás.

"Se atrasaron y ya no me daban material. Busqué a Manuel y me dijo: 'ya no te voy a pagar, te pagué de más y hazle como quieras' ", aunque hay un contrato de por medio que fijó el precio por acuerdo de las dos partes.

Para desgracia de don Marcelo, en el contrato se definió que para dirimir cualquier controversia, ésta se llevaría a los juzgados de León, Guanajuato, de donde son originarios el presidente Vicente Fox y su esposa Marta Sahagún.

"La verdad no tuve inconveniente en que eso en algún momento les pudiera favorecer porque estarían en su territorio, nunca pensé que iba a tener problemas con ellos", señala don Marcelo.

Durante un año, de julio de 2003 a junio de 2004, Balestra Lemus trató de negociar con Manuel Bribiesca y su socio para que terminaran de pagarle, pero ni siquiera lo recibieron.

El 16 de junio de 2004 ingresó al Juzgado de Primera Instancia Décimo de lo Civil, en León, la demanda mercantil 107/2004/M contra Conductores Mexicanos Especializados, la cual quedó en manos del juez de 32 años de edad, Daniel Aguilera Cid.

Entre otras cosas se exige: la rescisión del contrato de compraventa (permuta); la devolución de la maquinaria, moldes de inyección y equipo adicional; el pago de alquiler o renta por horas-trabajo por el uso que ha venido haciendo CME de la maquinaria, moldes de inyección y equipo adicional. Y demanda el pago de una indemnización por el deterioro sufrido por la maquinaria, por daños y perjuicios.

"A raíz de que no me pagaron he tenido una serie de problemas. Tuve que vender propiedades, estoy demandado porque no he podido terminar de pagar la casa que compré. Si tuviera mi maquinaria podría salir adelante, pero ellos se la quedaron", señala el empresario.

Los abogados de la empresa de los hijos de Martha Sahagún, José Antonio Aguilar Suárez y Juan Pablo Zaragoza, respondieron a la demanda el 2 de agosto de 2004. Reconocieron la celebración del contrato entre Grupo CYM y CME y que no terminaron de pagar. Todo el juicio está plagado de contradicciones y presuntas irregularidades.

Según los documentos que obran en el expediente, los abogados de CME cayeron en una serie de contradicciones. Al contestar la demanda dijeron que recibieron la maquinaria, pero no los moldes y el equipo alterno. Después, afirmaron que no recibieron ninguno de los bienes contenidos en el contrato y que ni siquiera conocían a los choferes que se supone habían llevado todo. E incluso responsabilizaron a Marcelo Balestra de haber sido él quien incumplió el contrato porque no instaló la maquinaria. Luego porque no funcionaba. ¡Por fin!, la instalaron y se dieron cuenta de que no funcionaba o, si no estaba instalada, ¿cómo iban a saber que no funcionaba?

El punto de quién era el responsable de no poner en marcha la maquinaria se convirtió en el tema toral del litigio. Si Balestra no había instalado la maquinaria por causas imputables a él, la empresa de Bribiesca Sahagún no tenía que pagarle. Si se probaba que no las había instalado por causas imputables a la empresa del hijo de la primera dama, entonces tenía que indemnizar a Balestra conforme al peritaje.

Durante todo el juicio, los abogados de *Manuelito* no presentaron ningún tipo de prueba, excepto la confesional de Marcelo Balestra, quien repitió lo mismo que dijo cuando interpuso su demanda.

Los abogados de Balestra ofrecieron 10 pruebas. La principal era una documental pública: la escritura 38 667.

"Ésta es la prueba clave del caso, que demuestra a través del testimonio de un notario público que CME no le permitió a mi cliente poner en funcionamiento la maquinaria porque la empresa que preside Manuel Bribiesca Sahagún no cumplió con las especificaciones técnicas ni físicas", señala el abogado de Balestra, Rafael Moreno, en entrevista.

También ofrecieron, entre otras pruebas, la documental pública —escritura 39 806— en la que se prueba que CME no pagó a Balestra. Y solicitaron que el juez hiciera una inspección física en el lugar para verificar la entrega de todo el equipo objeto del contrato. Estas pruebas fueron admitidas. Otra, como el testimonio de uno de los choferes de CME, no fue admitida y así quedó asentado claramente por el juez.

El 26 de noviembre de 2004, durante el desahogo de pruebas, el juez Aguilera Cid pudo comprobar en una visita a la fábrica que dirige Manuel Bribiesca Sahagún que fueron entregados la maquinaria, los moldes y el demás equipo convenido en el contrato. El 28 de marzo de 2005, el juez dio por desahogadas todas las pruebas y abrió el periodo de alegatos. Los únicos que presentaron alegatos fueron los abogados de Balestra. Entre los alegatos, el abogado Carlos Alberto Olvera Gasca —parte del equipo de litigantes que defienden la causa de Balestra— señaló que ellos pudieron probar que todo el equipo del contrato fue entregado y que "la maquinaria y equipo adicional no se instaló debidamente" porque CME no cumplió con las condiciones físicas para hacerlo.

Cuando el 8 de abril pasado el juez Aguilera Cid anunció que el proceso había terminado, en 10 días hábiles debía de dictar sentencia. Pero Aguilera Cid lo hizo hasta el 30 de mayo. Pese a todas las pruebas y a que él mismo vio que el equipo había sido entregado, inexplicablemente falló en contra de Marcelo Balestra y absolvió a la empresa de los hijos de la primera dama.

En su fallo admitió y valoró todas las pruebas, excepto una: la escritura pública 38 667, en la que se probaba que el incumplimiento del contrato recaía en la empresa de Manuel Bribiesca Sahagún porque no había cumplido con todos los requisitos técnicos para que Balestra pudiera instalar la maquinaria.

"El juez tomó una salida incongruente para fallar a favor de la empresa de los hijos de la primera dama. Fue una salida parcial evidentemente porque sólo así podía fallar a favor de la empresa demandada", afirma el abogado de Balestra, Rafael Moreno.

"A lo largo del juicio nos llamó la atención que la única prueba que presentó la parte demandada fue la confesional de Marcelo Balestra, en la que no obtuvieron nada. No realizaron ninguna otra actuación, lo que hace pensar que esto desde un inicio estaba arreglado con el juez. Estoy completamente seguro de que el juez desde un inicio se confabuló con ellos para el resultado del juicio. ¿Quién quiere quedar mal con los hijos políticos del presidente?", comenta Jesús Enrique Olvera Gasca, otro de los litigantes que trabajan en el caso.

"Se trata de un caso de tráfico de influencias claro. Reto públicamente al juez a que sustente su sentencia. En ella no sólo dejó de valorar pruebas admitidas en el proceso, sino que al final la hizo de abogado de los hijos de la esposa de Fox, defendiendo por qué incumplieron el contrato cuando ése no es su papel."

Lo que hace más sospechoso el fallo del juez es que el desarrollo profesional de él y su hermano, Juan Aguilera Cid, se dio cuando Vicente Fox era gobernador de Guanajuato.

Juan Aguilera Cid, actual director de Radio y Televisión de la Oficina de Comunicación Social del gobierno de Guanajuato, fue empleado de Martha Sahagún cuando ella era vocera del gobierno estatal. Él ocupaba el mismo puesto que ahora.

Cuando Vicente Fox y su vocera dejaron el gobierno estatal en busca de la candidatura presidencial, Fox recomendó a Aguilera Cid para que se quedara en el puesto de director de Radio y Televisión de Guanajuato (RTG) durante el gobierno interino de Ramón Martín Huerta, hoy secretario de Seguridad Pública. Cuando Juan Carlos Romero Hicks llegó al gobierno de Guanajuato, Juan Aguilera Cid volvió al cargo que tenía con Martha Sahagún.

Por su parte, el polémico juez comenzó su carrera en el Poder Judicial en 1995, a la par de que Vicente Fox asumió la gubernatura de Guanajuato. Fue durante el gobierno de Fox cuando el Consejo del Poder Judicial —integrado por magistrados nombrados en su mayoría por el gobernador— asignó a Daniel Aguilera Cid el cargo de juez, primero menor, luego de oposición. En 2001 tuvo el nombramiento de juez de partido.

"¿Dónde queda la honestidad si a una familia bien hecha y trabajadora la están aplastando abusando de su posición?, ¿qué pueden hacer por México? ¡Nada!", se queja Marcelo Balestra, quien afirma que seguirá con el caso hasta que le paguen lo que corresponde:

> ¿Por qué pregonan el presidente y su esposa que, caiga quien caiga, las cosas deben de ser rectas si dentro de la casa no pueden corregir a un miembro de la familia que está afectando la imagen del presidente y de la primera dama?, ¿cómo es posible que puedan aceptar que un familiar haga este tipo de cosas? ¡Lo que me hicieron es una chicanada!
>
> Luego sale la señora defendiendo a sus hijos. ¡Que mejor los ponga en orden!

Ahora anda de precandidato Santiago Creel diciendo que debe haber estado de derecho, ¡pues que comience por los hijos de Marthita! ¿Cómo es posible que el PAN (el partido en el poder) no se dé cuenta de que todas estas raterías lo afectan?

De antemano Marcelo Balestra responsabiliza a Manuel Bribiesca Sahagún de cualquier daño que puedan sufrir él y su familia a raíz de esta denuncia.

* * *

Hace por lo menos dos años, Manuel y Mónica vivían en una pequeña casa en la clasemediera colonia de León, Portones del Moral, en un conjunto habitacional ubicado en el número 131 interior 103. Actualmente Mónica renta esa casa a otra familia, porque los Bribiesca Jurado cambiaron su nivel socioeconómico evidentemente.

En León aseguran que el manual del nuevo rico dicta tres condiciones elementales: contar con un buen cirujano plástico (el de moda es David Hernández), tener a Humberto Artigas de arquitecto y vivir en la colonia de mayor tradición y abolengo: Residencial Club Campestre. Allá emigró el hijo mayor de la primera dama.

El joven matrimonio vive en una enorme casa ubicada en la calle Nogal número 212, cinco veces más grande que su casa anterior. Se trata de una residencia con fachada de ladrillo rojo, cubierta por una verde enredadera y amplio portón café. El alto muro impide ver hacia el interior, pero por las palmeras que hay adentro se aprecia que gozan de un amplio jardín.

Durante todo el día hay movimiento: cada vez que Manuel Bribiesca Sahagún entra o sale, hay toda una parafernalia organizada por el grupo de escoltas del Estado Mayor Presidencial. Sin más ni más cierran toda la calle para que pase el hijo de la primera dama, lo cual cada vez molesta más a los vecinos del lugar.

Aunque se supone que las membresías del club deportivo de la zona residencial están agotadas, Manuel y su familia ya forman parte de la élite que convive en el campo de golf, las canchas de tenis y las albercas.

El muchacho que hace apenas cuatro años trataba con pepenadores se roza ahora con la crema y nata de la sociedad de León, aunque muchos no lo aceptan.

Para buscar ingresar en el cerrado círculo de la pequeña burguesía leonesa, Manuel sigue el camino de su madre en los rentables caminos de la caridad. Desde 2004 es consejero de la Cruz Roja de León y trabaja junto a Julia Lira Degabriel, presidenta del patronato estatal.

Al inicio de la colecta nacional en 2005, el joven Bribiesca salió en las páginas de los principales diarios locales y nacionales, junto al alcalde de León, el ex senador panista Ricardo Alanís. Lucía fulgurante, enfundado en un reluciente traje gris y su botecito de la Cruz Roja.

* * *

El hijo mayor de la esposa de Vicente Fox es objeto de señalamientos sobre sus presuntas relaciones con personas vinculadas con el narcotráfico, como el ex policía Guillermo González Calderoni, acribillado en 2003 y a quien se le asociaba con el cártel de Juárez.

El 27 de junio de 2002, a las 15:44 horas, un ex colaborador del llamado *equipo de transición* se presentó a levantar una delicada denuncia en las oficinas de la Secretaría de la Contraloría del gobierno federal (hoy Secretaría de la Función Pública), ubicadas en Insurgentes Sur número 1735, planta baja, ala norte, colonia Guadalupe Inn (véase anexo 11).

Era Ramón Alfonso Sallard, quien había trabajado con Alfonso Durazo, entonces secretario particular del presidente en las últimas semanas de la campaña presidencial y en los meses de transición (julio-noviembre de 2000).

ANEXO 11

SECRETARÍA DE CONTRALORÍA
Y DESARROLLO ADMINISTRATIVO

Subsecretaría de Atención Ciudadana y Normatividad

Dirección General de Atención Ciudadana

Dirección General Adjunta de Atención Ciudadana

Dirección de Atención Directa y Gestión Inmediata

ACTA ADMINISTRATIVA

EN LA CIUDAD DE MÉXICO, DISTRITO FEDERAL, SIENDO LAS QUINCE HORAS CON CUARENTA Y CUATRO MINUTOS DEL DÍA VEINTISIETE DE JUNIO DEL DOS MIL DOS, EN EL LUGAR QUE OCUPAN LAS OFICINAS DE LA DIRECCIÓN DE ATENCIÓN DIRECTA Y GESTIÓN INMEDIATA DE LA SECRETARÍA DE CONTRALORÍA Y DESARROLLO ADMINISTRATIVO, UBICADAS EN LA AVENIDA INSURGENTES SUR NÚMERO 1735, PLANTA BAJA, ALA NORTE, COLONIA GUADALUPE INN, DELEGACIÓN ÁLVARO OBREGÓN, DE ESTA CIUDAD, COMPARECE EL C. RAMON ALFONSO SALLARD, QUIEN SE IDENTIFICA CON PASAPORTE EXPEDIDO A SU NOMBRE POR LA SECRETARÍA DE RELACIONES EXTERIORES CON NÚMERO DE FOLIO 9526000857, MISMA QUE LE ES DEVUELTA EN ESTE ACTO POR SER DE SU UTILIDAD Y A QUIEN SE LE ADVIERTE DE LAS PENAS EN QUE INCURREN LOS QUE DECLARAN CON FALSEDAD ANTE AUTORIDAD DISTINTA A LA JUDICIAL EN TÉRMINOS DE LA FRACCIÓN PRIMERA DEL ARTÍCULO DOSCIENTOS CUARENTA Y SIETE DEL CÓDIGO PENAL FEDERAL, ANTE EL C. LICENCIADO ARNOLDO NAJERA PACHECO, SUBDIRECTOR DE ATENCIÓN DIRECTA, QUIEN ACTÚA LEGALMENTE ACOMPAÑADO DE LA C. ELSA MITSUE SALAZAR TAKAHASHI Y EDGAR ROMERO ESQUIVEL, COMO TESTIGOS DE ASISTENCIA, QUIENES FIRMAN AL FINAL PARA CONSTANCIA.————————————

————————— M A N I F I E S T A —————————

LLAMARSE, COMO HA QUEDADO ESCRITO, SER DE 35 AÑOS DE EDAD, NACIONALIDAD MEXICANA ESTADO CIVIL CASADO, OCUPACIÓN PERIODISTA, R.F.C. SAXR66091001, CON DOMICILIO PARA OÍR Y RECIBIR NOTIFICACIONES EN CALLE RÍO TIBER NÚMERO 100, SEXTO PISO, COLONIA CUAUHTÉMOC, DELEGACIÓN CUAUHTÉMOC, EN ESTA CIUDAD, C.P. 06500, SIN CONTAR CON NÚMERO TELEFÓNICO, SIN CONTAR CON CORREO ELECTRÓNICO.————————

Y MANIFIESTA QUE COMPARECE VOLUNTARIAMENTE ANTE LAS OFICINAS DE LA DIRECCIÓN DE ATENCIÓN DIRECTA Y GESTIÓN INMEDIATA DE LA SECRETARÍA DE CONTRALORÍA Y DESARROLLO ADMINISTRATIVO, A DENUNCIAR PRESUNTAS IRREGULARIDADES COMETIDAS EN SU AGRAVIO, POR LOS CC. ALFONSO DURAZO MONTAÑO, SECRETARIO PARTICULAR DEL PRESIDENTE DE LA REPÚBLICA; JULIO CAMINO MARTÍNEZ, DIRECTOR CORPORATIVO DE ADMINISTRACIÓN DE PETRÓLEOS MEXICANOS; MARCOS RAMÍREZ, DIRECTOR GENERAL DE PEMEX GAS Y PETROQUÍMICA BÁSICA; GONTRAN LIZÁRRAGA ALMADA, GERENTE DE COMERCIALIZACIÓN DE PETROQUÍMICOS BÁSICOS, ANDRÉS VILLASEÑOR DELGADILLO, CONSULTOR JURÍDICO; MAURICIO MIRELES POULAT, SECRETARIO PARTICULAR DEL DIRECTOR GENERAL DE PEMEX, Y RAYMUNDO COLLINS FLORES, COMANDANTE DE LA POLICÍA JUDICIAL FEDERAL, ACTUAL SUBSECRETARIO DE SEGURIDAD PÚBLICA DEL DISTRITO FEDERAL; EN ESTE ACTO SE LE DA EL USO DE AL COMPARECIENTE QUIEN MANIFIESTA LO SIGUIENTE: VENGO A DENUNCIAR PRESUNTAS IRREGULARIDADES COMETIDAS EN LA ASIGNACIÓN PRESUMIBLEMENTE IRREGULAR DE UN CONTRATO DE SUMINISTRO DE SOLVENTE 'L' QUE ES UN DERIVADO DE GAS, CELEBRADO ENTRE PEMEX GAS Y PETROQUÍMICA BÁSICA Y LA EMPRESA NEGROMOR S.A. DE C.V., EL PRIMERO DE OCTUBRE DEL DOS MIL UNO, ESTE CONTRATO TIENE UN VALOR SUPERIOR A LOS DOCE MILLONES CON QUINIENTOS MIL PESOS, OBLIGATORIO POR UN AÑO Y POR UN MÍNIMO DE QUINIENTAS TONELADAS DEL PRODUCTO SIN LÍMITE, ESTO ES EXISTISTE LA CLÁUSULA PRIMERA PUNTO 1.1 EN EL CONCEPTO VOLUMEN CONTRACTUAL 'BASE' POR QUINIENTAS TONELADAS MÉTRICAS MENSUALES, RELACIONADA CON LA CLÁUSULA TRES DEL PUNTO 3 LLAMADO DETERMINACIÓN DEL VOLUMEN CONTRACTUAL, INCISO II, DENTRO DEL CONTRATO EN EL CUAL SE SEÑALA QUE LA COMERCIALIZACIÓN DEL PRODUCTO TIENE QUE SER CON UN MÍNIMO DE QUINIENTAS TONELADAS, SIN ESPECIFICAR UN MÁXIMO DE VENTA, DEL CUAL NO EXISTÍA LICITACIÓN PARA SU VENTA, ADJUDICÁNDOSELA DIRECTAMENTE A UNA EMPRESA QUE NO SE ENCONTRABA DENTRO DEL PADRÓN DE PROVEEDORES COMO LO SEÑALA LA NORMATIVIDAD, MISMA QUE SE ENCONTRABA EN SUSPENSIÓN DE ACTIVIDADES FISCALES Y EN SU OBJETO

CONTRATO, SEGÚN ESTO LA EMPRESA, SE CONSTITUYÓ SEGÚN ESCRITURA PÚBLICA NÚMERO 37,842 DE FECHA VEINTINUEVE DE SEPTIEMBRE DE MIL NOVECIENTOS NOVENTA Y SIETE AMPARADA ANTE LA FE DEL LICENCIADO RAÚL NAME NEME, NOTARIO PÚBLICO NÚMERO TRECE DE ESE MISMO MUNICIPIO, ESTA EMPRESA ES PRESUNTAMENTE PROPIEDAD DEL PARTICULAR SALVADOR HELLMER MIRANDA, PERO EN REALIDAD LA PROPIEDAD ES DEL EXDIRECTOR DE INTERSECCIONES DE LA POLICÍA JUDICIAL FEDERAL, GUILLERMO GONZÁLEZ CALDERONI, PRÓFUGO DE LA JUSTICIA MEXICANA Y TESTIGO PROTEGIDO DE LOS ESTADOS UNIDOS, TAMBIÉN ES EL YA CITADO RAYMUNDO COLLINS, QUIÉN ADEMÁS TIENE DE SOCIOS A LOS SEÑORES GABRIEL QUESADA, PRIMO DEL PRESIDENTE DE LA REPÚBLICA; DE MANUEL BIBRIESCA SAHAGÚN, HIJO MAYOR DE LA CONSORTE PRESIDENCIAL MARTHA SAHAGUN Y DEL SEÑOR MIGUEL ÁNGEL MUÑIZ RIZO, PRESUNTO JEFE DE ASESORES DE JULIO CAMELO MARTÍNEZ, ÉSTE ÚLTIMO QUE DESPACHA EN LA OFICINA DEL MULTICITADO CAMELO, SEGÚN CONSTA EN LA AVERIGUACIÓN PREVIA QUE ABRÍ EN SU CONTRA EN LA PROCURADURÍA GENERAL DE JUSTICIA DEL DISTRITO FEDERAL AVERIGUACIÓN PREVIA NÚMERO FSPI/017/02-01 DONDE SE PUEDE CONFIRMAR CON LAS SECRETARIAS TERESA TORRES Y PATRICIA MURGUÍA

EL COMPARECIENTE	EL SUBDIRECTOR DEL ÁREA
C. RAMON ALFONSO SALLARD	LIC. ARNOLDO NAJERA PACHECO

TESTIGOS DE ASISTENCIA

C. ELSA MITSUE SALAZAR TAKAHASHI	C. EDGAR ROMERO ESQUIVEL

Copia de la demanda levantada en contra de Manuel Bribiesca Sahagún por su vínculo con el ex director de intersecciones de la Policía Judicial Federal, Guillermo González Calderoni, presuntamente involucrado con el cártel de Juárez.

Ante el subdirector Arnoldo Nájera Pacheco y los testigos Elsa Mitsue Salazar y Edgar Romero Esquivel, Sallard denunció un fraude presuntamente cometido por Alfonso Durazo, Julio Camelo Martínez, director corporativo de administración de Petróleos Mexicanos; Marcos Ramírez, director general de Pemex Gas y Petroquímica Básica; Raymundo Collins Flores, subsecretario de Seguridad Pública del D.F., y Guillermo González Calderoni, protector de narcotraficantes, todos ellos presuntamente coludidos con Manuel Bribiesca Sahagún y el primo del presidente, Gabriel Quesada.

Según la denuncia, mediante el tráfico de influencias, el ex policía involucrado en narcotráfico González Calderoni y Collins Flores —entonces subsecretario de Seguridad Pública del D.F.— consiguieron para la empresa Negromor, S.A. de C.V., un contrato para que Pemex le vendiera 500 toneladas de un químico llamado *solvente L*, que comercialmente sirve para desmanchar ropa. Hasta entonces la compra de este químico era monopolizada por una sola empresa del norte. El contrato se llevó a cabo el 1 de octubre de 2001.

En el acta administrativa levantada se indica:

Esta empresa es presuntamente propiedad del particular Salvador Hellmer Miranda, pero en realidad la propiedad es del ex director de intersecciones de la Policía Judicial Federal, Guillermo González Calderoni, prófugo de la justicia mexicana y testigo protegido de los Estados Unidos. También es el ya citado Raymundo Collins, quien además tiene como socios a los señores Gabriel Quesada, primo del presidente de la República, Manuel Bribiesca Sahagún, hijo mayor de la consorte presidencial Martha Sahagún, y el señor Miguel Ángel Muñiz Rizo, presunto jefe de asesores de Julio Camelo.

En una entrevista realizada en un restaurante al sur de la Ciudad de México con Ramón Alfonso Sallard, éste reafirma su historia. Reconoce que él fue el intermediario para que se concretara dicho contrato: puso en contacto a Collins con Durazo y Camelo, y lo demás lo logró el policía González Calderoni con sus "buenos oficios".

Sallard reveló que desde la época de transición, cuando trabajaba en las oficinas del presidente electo (Paseo de la Reforma 607), Raymundo Collins comenzó a acercarse a él buscando un nexo con el nuevo gobierno. Le mandaba choferes para que lo recogieran y llevaran a donde él quisiera, lo invitaba a comer y pasaban horas tomando café. De ahí surgió una amistad.

A mediados de 2001, Collins presumió ante Alfonso Sallard que, en busca de contactos más arriba, se acercó al hijo de la primera dama. Le aseguró que le había prestado a Manuel Bribiesca Sahagún una de las casas ubicadas en la calle de Río Volga números 53, 55 y 57, casi esquina con Río Tíber, en la colonia Cuauhtémoc, en el Distrito Federal.

Cuando gracias a la intervención de Sallard el contrato se firmó, Collins, en muestra de agradecimiento, lo llevó a McAllen para presentarle a su jefe, el verdadero dueño de la empresa: Guillermo González Calderoni, entonces prófugo de la justicia, acusado de proteger al cártel de Juárez desde la Procuraduría General de la República.

"Cuando me di cuenta de quién era, no quise saber más; sólo quería que me pagaran mi parte como broker (intermediario)", comentó Sallard. En la entrevista sostenida, señaló que le consta que Raymundo Collins era tanto subordinado de González Calderoni como su "operador ante las distintas mafias del narcotráfico".

Sin embargo, el pago nunca llegó, se quejó Sallard. Personalmente fue a buscar a González Calderoni en Nuevo Laredo, Tamaulipas, para reclamarle el incumplimiento del contrato; habló con él, pero no resolvió nada. A los pocos meses, González Calderoni fue ejecutado en la vía pública en McAllen, Texas, el 5 de febrero de 2003.

Bajo protesta de decir verdad y advertido de las sanciones penales a las que se haría acreedor, Sallard levantó en la Procuraduría General de Justicia del D.F. una denuncia penal contra quien resulte responsable por el tráfico de influencias y amenazas de muerte en su contra (averiguación previa número FSPI/017/02-01).

Para documentar la presente investigación se pidió a Pemex Gas y Petroquímica Básica la información sobre la existencia del contrato firmado entre Negromor, S.A. de C.V. (solicitud de información número 1857700001805) y la oficina de la paraestatal, así como su contenido. Pemex Gas y Petroquímica Básica reconocen la existencia del contrato, pero afirman que su contenido permanecerá en secreto o reservado.

La respuesta de la paraestatal dice a la letra: "Toda vez que los contratos solicitados son firmados entre el organismo y un particular, en donde el particular ha proporcionado cierta información de carácter confidencial y la ha protegido mediante cláusula de confidencialidad, por lo tanto no es posible hacer pública la información solicitada por el particular".

Finalmente se tuvo acceso a parte de la información del contrato mediante una versión pública del mismo otorgada por Pemex, luego de una resolución del Instituto Federal de Acceso a la Información.

Aunque el documento es totalmente escueto, se confirma información denunciada por Ramón Alfonso Sallard. Efectivamente la fecha de la firma del contrato fue el 1 de octubre de 2001. La venta del *solvente L* a Negromor se realizaría en el centro de producción y embarcación de Pemex Gas y Petroquímica

Básica, localizado en Reynosa, Tamaulipas, lugar donde se encontraba Guillermo González Calderoni.

* * *

Sin la más mínima experiencia en el ramo de la construcción, Bribiesca Sahagún ha incursionado exitosamente en el negocio. Hoy se afirma que construye no sólo en Guanajuato, sino también en Michoacán, Acapulco, San Luis Potosí y Quintana Roo.

El único punto de comparación que se puede dar para entender la forma como el hijo de la primera dama opera sus negocios es la complicada estructura creada por el empresario argentino Carlos Ahumada, acusado de lavado de dinero y fraude y quien se encuentra hoy encarcelado en el Reclusorio Oriente de la Ciudad de México.

Sin que su nombre apareciera en todas las actas constitutivas de las empresas, Ahumada operaba desde Quart cerca de siete empresas constructoras por medio de las cuales realizaba diferentes obras públicas en el D.F., muchas de ellas incumplidas o con sobreprecios.

El hijo primogénito de la primera dama también forma parte de un complejo grupo empresarial. Su centro de operaciones está en León, Guanajuato, en la oficina 402 del cuarto piso del edificio Exporta 2004 o Edificio Nissan, como lo llaman coloquialmente los leoneses porque en la planta baja está una concesionaria de dicha marca automotriz.

El edificio está en Boulevard Adolfo López Mateos número 861 y es propiedad del padre de Mauricio Cano, quien no sólo es socio de Manuel Bribiesca Sahagún en los negocios de la construcción, sino también su compadre desde marzo de 2005. Es el padrino de bautizo de Macarena, la hija menor de los Bribiesca Jurado.

Al llegar a dicho despacho, la pared frontal, la puerta y el tapete de bienvenida están rotulados con el nombre de Organización y Administración Efectiva, S.C. Pero si uno llama al teléfono 763-46-01, correspondiente a dicha oficina, responden: "Megaventas".

Organización y Administración Efectiva, S.C., fue constituida el 6 de enero de 2000 ante el notario público Federico Plascencia Pérez, con un capital variable de 12 000 pesos. La duración de la sociedad será por 50 años.

La empresa está dada de alta en el Registro Público de la Propiedad de León con el folio mercantil 0893040 y cuenta con 10 socios: Manuel Bribiesca Sahagún, Horacio Cano Flores, Ricardo Eduardo Garza Pons, J. Refugio Ramírez Saldaña, Arnulfo Díaz Moreno, Arturo Oliveros Jiménez, Salvador Rojas Galindo, J. Isaías Bustos Santoyo, Joel Hernández Neri, Catalina Muñoz Muñoz y Marcelina Valtierra Pérez.

Cada uno de ellos aportó 1 000 pesos para constituir la sociedad y sólo Garza Pons aportó 2 000, pero no todos recibirán las mismas ganancias.

En el acta constitutiva se señala: "En virtud de que los socios son al mismo tiempo capitalistas y socios industriales, de conformidad con el artículo 2246 del *Código Civil para el Estado de Guanajuato*, se les podrán distribuir anticipadamente las utilidades a las que cada uno tenga derecho por su trabajo aportado como socio industrial".

El objeto social de la empresa es:

a) Prestación de servicios de contabilidad, cobranza, de personal, compras, ventas, capacitación, control de calidad, estudios de mercado y asesoría empresarial.

b) Adquirir en propiedad arrendamientos y vender, hipotecar o negociar de manera legal toda clase de bienes muebles e inmuebles.

c) Otorgar, girar, aceptar, endosar, certificar o por cualquier otro medio suscribir, inclusive por aval, toda clase de créditos permitidos por la ley.

d) Celebrar toda clase de trámites mercantiles para cumplir con el objeto social de la sociedad.

Desde la oficina de Organización y Administración Efectiva, S.C., ubicada en el cuarto piso del Edificio Nissan, se gestionan créditos de Infonavit y Fovissste, de la Sociedad Hipotecaria Federal (SIF) y bancarios. Además, se promociona la venta de todas las casas que edifican las cuatro empresas constructoras en las que está involucrado Manuel Bribiesca Sahagún: Construcciones Prácticas, S.A. de C.V., Urbanizaciones Inteligentes, S.A. de C.V., Progresiva Arquitectos y Edificaciones Integrales Futura, S.A. de C.V. (las que también se hacen llamar Grupo VGI), según explicó Mari Tere Porras, una guapa ejecutiva, alta, de pelo largo recogido en una estirada cola de caballo, en una visita realizada al lugar la mañana del lunes 18 de abril de 2005 (véase anexo 12).

Para que no quepa duda, se preguntó en el mostrador por Manuel Bribiesca Sahagún y se informó que efectivamente ahí se encuentran sus oficinas, pero que llevaba unos días fuera de México en viaje de negocios y que la siguiente semana regresaba.

* * *

Don Manuel Bribiesca Godoy afirmó que su hijo mayor es socio de Construcciones Prácticas, S.A. de C.V., constituida el 4 de febrero de 2002 ante el notario 39, Jorge Chauran Arzate, con un capital de 100 000 pesos.

Sin embargo, en el Registro Público de Comercio de Celaya sólo aparecen como dueños de la compañía Miguel Isaac Khoury Siman, de 37 años de edad y RFC KOSM680623A-CZ, con domicilio

ANEXO 12

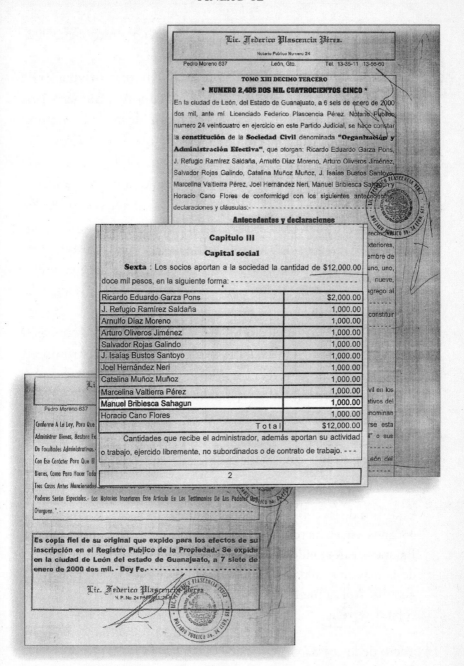

Lic. Federico Plascencia Pérez.

Notario Público Número 24

Pedro Moreno 637   León, Gto.   Tel. 13-35-11   13-56-60

TOMO XIII DECIMO TERCERO
* NUMERO 2,405 DOS MIL CUATROCIENTOS CINCO *

En la ciudad de León, del Estado de Guanajuato, a 6 seis de enero de 2000 dos mil, ante mí Licenciado Federico Plascencia Pérez, Notario Público numero 24 veinticuatro en ejercicio en este Partido Judicial, se hace constar la **constitución** de la **Sociedad Civil** denominada **"Organización y Administración Efectiva"**, que otorgan: Ricardo Eduardo Garza Pons, J. Refugio Ramírez Saldaña, Arnulfo Díaz Moreno, Arturo Oliveros Jiménez, Salvador Rojas Galindo, Catalina Muñoz Muñoz, J. Isaías Bustos Santoyo, Marcelina Valtierra Pérez, Joel Hernández Neri, Manuel Bribiesca Sahagún y Horacio Cano Flores de conformidad con los siguientes antecedentes declaraciones y cláusulas:- -

Antecedentes y declaraciones

Capítulo III
Capital social

Sexta : Los socios aportan a la sociedad la cantidad de $12,000.00 doce mil pesos, en la siguiente forma: -

Ricardo Eduardo Garza Pons	$2,000.00
J. Refugio Ramírez Saldaña	1,000.00
Arnulfo Díaz Moreno	1,000.00
Arturo Oliveros Jiménez	1,000.00
Salvador Rojas Galindo	1,000.00
J. Isaías Bustos Santoyo	1,000.00
Joel Hernández Neri	1,000.00
Catalina Muñoz Muñoz	1,000.00
Marcelina Valtierra Pérez	1,000.00
Manuel Bribiesca Sahagun	**1,000.00**
Horacio Cano Flores	1,000.00
Total	$12,000.00

Cantidades que recibe el administrador, además aportan su actividad o trabajo, ejercido libremente, no subordinados o de contrato de trabajo. - - -

2

Pedro Moreno 637

Conforme A La Ley, Para Que Administrar Bienes, Bastara Fa De Facultades Administrativas. Con Ese Carácter Para Que El Bienes, Como Para Hacer Toda Tres Casos Antes Mencionados Poderes Serán Especiales.- Los Notarios Insertaran Este Artículo En Los Testimonios De Los Poderes Que Otorguen. ". -

Es copia fiel de su original que expido para los efectos de su inscripción en el Registro Público de la Propiedad.- Se expide en la ciudad de León del estado de Guanajuato, a 7 siete de enero de 2000 dos mil. - Doy Fe.- - - - - - - - - - - - - - - - - - -

Lic. Federico Plascencia Pérez

N.P. No. 24 PART III 24-24

Acta constitutiva de la empresa Organización y Administración Efectiva, S.C., compañía clave en el manejo de los negocios del primogénito de la primera dama, Manuel Jr.

<small>FUENTE: Registro Público de la Propiedad de Celaya, Guanajuato.</small>

en Privada de San Jorge 109, colonia Alameda, y quien tiene 99% de las acciones.

El otro socio es su padre, Munir Isaac Khoury, originario de Yucatán, con domicilio en Privada de Matamoros, número 101, colonia Alameda, de 78 años. El representante legal de la empresa es Rubén Ayala Chauran, primo del notario que la constituyó.

Miguel Khoury es yerno de Luis Alfonso Chauran Arzate, hermano del senador priísta Carlos Chauran Arzate (ex presidente municipal de Celaya) y del notario, además de ser compadre de Martha Sahagún y Manuel Bribiesca Godoy.

Las oficinas de Construcciones Prácticas se encuentran en la calle Norte 11, esquina con avenida Poniente 2, en la zona industrial de Celaya. Se trata de un enorme terreno de fachada amarilla y un moderno edificio construido en su interior.

Actualmente Construcciones Prácticas tiene a la venta 600 casas en el conjunto Galaxia Brisas del Carmen, construido en sociedad con SARE, la tercera empresa más importante del país en cuanto a construcción de vivienda de interés social. Cotiza en la Bolsa Mexicana de Valores y reporta una ganancia anual de 2 700 millones de pesos.

La provechosa sociedad fue anunciada en la estrategia de ventas como sigue:

SARE, una de las principales desarrolladoras de vivienda, con más de 35 años en el mercado, anuncia su alianza con Construcciones Prácticas, esforzándose por acercar a las familias mexicanas hogares de la más alta calidad, edificados con diseños de punta y de vanguardia. Aplica tu crédito y aprovecha la preventa en este espectacular desarrollo.

El precio de las casas va de los 237 000 a los 491 000 pesos.

Construcciones Prácticas también construye la segunda etapa de la pomposamente llamada Rinconada San Jorge, donde piensan vender casas de entre 246 000 y 322 000 pesos, y en Residencial Palmas, donde Manuel Bribiesca padre ya tiene su casa, regalo de su hijo, según reveló una muy cercana amistad del doctor.

Las construcciones de esta empresa están promocionadas en el boletín de vivienda nacional micasa.gob.mx, en el listado de constructoras afiliadas al Infonavit, en el padrón de las empresas registradas en el Fovissste y en la lista de desarrolladores afiliados a Nafín (Nacional Financiera).

Según se informó en Infonavit, las empresas que están dadas de alta como desarrolladores afiliados a Nafín podrían haber recibido o podrían estar recibiendo financiamiento de recursos provenientes del gobierno federal para construir los conjuntos de interés social.

Nacional Financiera reconoció ampliamente el otorgamiento de créditos a Construcciones Prácticas, pero se negó a informar cuál fue el monto.

* * *

En la fachada de Construcciones Prácticas está grabado el nombre de otra empresa que opera el hijo mayor de la primera dama: Urbanizaciones Inteligentes, S.A. de C.V., creada el 19 de marzo de 2003, según una visita hecha a las instalaciones la tarde del 17 de abril de 2005.

Para esta investigación se obtuvo en el Registro Público de la Propiedad de Celaya el acta constitutiva de Urbanizaciones Inteligentes, S.A. de C.V.

Si en el acta constitutiva de la inmobiliaria Construcciones Prácticas, S.A. de C.V., Manuel Bribiesca Sahagún no aparece formalmente como socio de Miguel Khoury Siman, en ésta sí.

Manuelito y Miguel son los dos únicos propietarios de Urbanizaciones Inteligentes y cada uno es dueño del 50 por ciento de la sociedad. Los dos tienen poder para pleitos y cobranzas de la empresa, así como para realizar cualquier acto administrativo.

En el acta constitutiva de la empresa quedó asentado que su dirección oficial es Norte 11, lote 8, manzana 1, en la zona industrial de Celaya, que, como ya se mencionó, es el mismo lugar donde están las oficinas de Construcciones Prácticas (véase anexo 13).

* * *

Cabe señalar que se presume que Manuel Bribiesca Sahagún y su socio Miguel Isaac Khoury podrían estar involucrados en otras seis empresas constructoras constituidas en Celaya, todas el mismo día.

Cuando el Registro Público de la Propiedad de Celaya entregó la información sobre Construcciones Prácticas, S.A. de C.V., reveló que cuando se solicitó ante la Secretaría de Relaciones Exteriores la constitución de la sociedad, la misma persona, Efrén Palma Matías, por medio del mismo oficio, solicitó permiso para constituir otras compañías constructoras, todas de nombres muy similares que incluso se confunden entre sí: Casas Inteligentes, S.A. de C.V. (similar a Urbanizaciones Inteligentes), Construcciones Prácticas, S.A. de C.V., Construcciones Clásicas, S.A. de C.V., Construcciones Técnicas, S.A. de C.V., Constructora Calidad de Vida, S.A. de C.V., Técnicos en Construcción, S.A. de C.V., y Casas del Centro, S.A. de C.V. (véase anexo 14).

Urbanizaciones Inteligentes, S.A. de C.V., comenzó a construir un ambicioso proyecto a principios de 2004: se trata de un exclusivo conjunto residencial, localizado sobre la autopista de cuota León-Aguascalientes, en la hacienda de Loera, en el rancho de Capellanía de Loera. Son 10 residencias con un enorme lago al centro.

Desde la autopista se puede apreciar la barda de adobe construida y al centro el hueco del enorme estanque de agua artificial. Manuel Bribiesca Sahagún supervisaba directamente el proyecto.

INSTRUMENTO NOTARIAL 29,424 VEINTINUEVE MIL CUATROCIENTOS VEINTICUATRO
TOMO 444 CUATROCIENTOS CUARENTA Y CUATRO
EXPEDIENTE: 239/2003.
En la Ciudad de Celaya, Estado de Guanajuato, a los 19 diecinueve días del mes de Marzo del año 2003 dos mil tres, el suscrito Licenciado ENRIQUE JIMENEZ LEMUS, titular de la Notaria Pública número 3 tres, en ejercicio en esta adscripción y con domicilio en Alvaro Obregón número 603 seiscientos tres, HAGO CONSTAR:
La constitución de una sociedad mercantil en la modalidad de SOCIEDAD ANÓNIMA DE CAPITAL VARIABLE, que otorgan los señores MIGUEL ISAAC KHOURY SIMAN y MANUEL BRIBIESCA SAHAGUN, que girará bajo la denominación de "URBANIZACIONES INTELIGENTES", SOCIEDAD ANÓNIMA DE CAPITAL VARIABLE, de conformidad con la Ley General de Sociedades Mercantiles y demás disposiciones aplicables, bajo los términos que más adelante se indican.
—————————————— A N T E C E D E N T E ——————————————
UNICO.- Manifiesta el señor MIGUEL ISAAC KHOURY SIMAN, que para los efectos de constituir la sociedad mercantil solicitó y obtuvo de la Secretaria de Relaciones Exteriores el permiso Número 11000596, Expediente número 200311000553, Folio 2S050W51, concedido con fecha 4 cuatro de Marzo del año 2003 dos mil tres, documento que en original me presenta; dándose fe de su existencia, por lo que lo agregué al apéndice del tomo, bajo el número que le corresponda.
Atento lo anterior, otorgan las siguientes:

—————————————— N A C I O N A L I D A D ——————————————
SEXTA.- La nacionalidad de la sociedad es mexicana, con sujeción a las leyes mexicanas.
SEPTIMA.- CLAUSULA DE EXCLUSION DE EXTRANJEROS: La Sociedad en ningún tiempo podrá admitir directa o indirectamente como socios o accionistas, a inversionistas extranjeros y sociedades sin Cláusula de Exclusión de Extranjeros, ni tampoco reconocerá en absoluto derechos de socios o accionistas, a los mismos inversionistas y sociedades.
—————————————— C A P I T A L   S O C I A L ——————————————
OCTAVA.- El capital Social se fija por ahora:
Como mínimo fijo sin derecho de retiro, en la cantidad de $50,000.00 (CINCUENTA MIL PESOS 00/100 MONEDA NACIONAL), representado por 50 cincuenta acciones nominativas, con valor nominal de $1,000.00 (MIL PESOS 00/100 MONEDA NACIONAL) cada una, integramente suscritas y pagadas.
NOVENA.- La parte fija del Capital social solo será susceptible de aumento o disminución, por acuerdo tomado en asamblea general extraordinaria de accionistas.
DECIMA.- La parte variable del capital será ilimitada y susceptible de aumento o disminución, por acuerdo tomado por los accionistas en Asamblea General Extraordinaria, de conformidad con lo dispuesto por los Artículos 213 doscientos trece y 216 doscientos dieciséis, de la Ley General de Sociedades Mercantiles.
DECIMA PRIMERA.- El Capital Social será susceptible de aumento por aportaciones posteriores de los socios, o por admisión de nuevos; en la inteligencia de que el retiro deberá notificarse de manera fehaciente a la Sociedad, surtiendo efectos hasta el fin del ejercicio anual en curso, si la notificación se hace antes del último trimestre del propio ejercicio y hasta el fin del ejercicio siguiente, si se hiciere después. No podrá ejercerse el derecho de separación, cuando tenga como consecuencia reducir el mínimo del capital social.
DECIMA SEGUNDA.- El capital social siempre estará representado por acciones nominativas y la sociedad deberá llevar un libro de registro, en el que deberá inscribirse todo aumento o disminución al capital.
DECIMA TERCERA.- La sociedad, además del libro que se menciona en la cláusula anterior, deberá llevar un libro de Registro de Accionistas en el que deberá anotar: Primero.- El nombre, nacionalidad y el domicilio del accionista y la indicación de las acciones que le pertenezcan, expresándose los números, series, clases y demás particularidades; Segundo.- La indicación de las exhibiciones que se efectúen; y Tercero.- Las transmisiones que se realicen de los títulos de las acciones.

ACCIONISTAS	ACCIONES	IMPORTE
MIGUEL ISAAC KHOURY SIMAN	25	$ 25,000.00
MANUEL BRIBIESCA SAHAGUN	25	$ 25,000.00
TOTAL:	50	$ 50,000.00

SEGUNDA.- La totalidad de los socios de "URBANIZACIONES INTELIGENTES", SOCIEDAD ANÓNIMA DE CAPITAL VARIABLE, representando el total del capital social y quienes manifiestan que la reunión que tienen para la firma de la presente escritura, constituye su Asamblea Ordinaria de Accionistas, por unanimidad y en los términos de la Cláusula Trigésima Cuarta de la escritura social, toman los siguientes:
—————————————— A C U E R D O S: ——————————————
I.- Que la administración de la sociedad este a cargo de un Administrador Único;
II.- Se nombra como Administrador Único de la sociedad al señor MIGUEL ISAAC KHOURY SIMAN;
III.- Se nombra como Comisario de la sociedad al señor JOSE FRANCISCO GARCIA MENDOZA;
IV.- La Asamblea así mismo acuerda otorgar el siguiente poder:
En favor de los señores MIGUEL ISAAC KHOURY SIMAN y MANUEL BRIBIESCA SAHAGUN un PODER GENERAL AMPLISIMO PARA PLEITOS Y COBRANZAS, ACTOS DE ADMINISTRACION y DE RIGUROSO DOMINIO, en los términos de los Artículos 2064 dos mil sesenta y cuatro, 2065 dos mil sesenta y cinco y 2100 dos mil cien, del Código Civil vigente para el Estado de Guanajuato y sus correlativos en las demás Entidades Federativas del País; expresando que otorgan a sus mandatarios las siguientes facultades, las que podrán ejercer conjunta o separadamente, podrán:
Contestar demandas, oponer excepciones y defensas, reconvenir, recusar con causa o sin esta, rendir y aportar toda clase de pruebas; reconocer firmas y documentos, objetar y redargüir de falsos a los de la contraria, en su caso; presentar testigos y a su vez protestar a los de la contraria y los repregunte y tache articular y absolver posiciones; aceptar sentencias definitivas e interlocutorias, interponer toda clase de recursos; desistirse de lo principal, de sus intereses, de cualquier recurso e inclusive del juicio de amparo, el que podrá promover cuantas veces lo estime conveniente; transigir y comprometer en árbitros; asistir a juntas, diligencias de cualquier índole, hacer posturas, pujas y mejoras y obtener para el mandante adjudicación de toda clase de bienes y, por cualquier título, hacer subrogación de derechos; endosar en procuración títulos de crédito; ejecutar, embargar y representar a su mandante en los embargos que en su contra se decreten; pedir el remate de los bienes embargados, nombrar peritos y recusar a los de la contraria; asistir a almonedas; percibir valores y otorgar recibos y cartas de pago en su caso; continuar, obtener y aceptar el otorgamiento de garantías por terceros, como hipotecas, prendas o cualquiera otras, celebrando al efecto toda clase de contratos y convenios privados, ante notario público, corredor público, o ante cualquier otro funcionario que por la materia del asunto debe conocer del mismo.

Acta constitutiva de la empresa Urbanizaciones Inteligentes, S.A. de C.V., cuya existencia ha sido ocultada hasta ahora por Manuel Bribiesca Sahagún.
FUENTE: Registro Público de la Propiedad de Celaya.

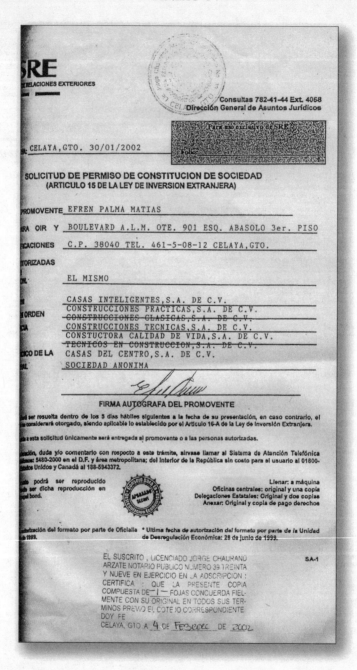

SRE
RELACIONES EXTERIORES

Consultas 782-41-44 Ext. 4068
Dirección General de Asuntos Jurídicos

Para uso exclusivo de SRE

CELAYA, GTO. 30/01/2002

Folio:

SOLICITUD DE PERMISO DE CONSTITUCION DE SOCIEDAD
(ARTICULO 15 DE LA LEY DE INVERSION EXTRANJERA)

PROMOVENTE EFREN PALMA MATIAS

PARA OIR Y BOULEVARD A.L.M. OTE. 901 ESQ. ABASOLO 3er. PISO

NOTIFICACIONES C.P. 38040 TEL. 461-5-08-12 CELAYA, GTO.

AUTORIZADAS

EL MISMO

CASAS INTELIGENTES, S.A. DE C.V.
EN ORDEN CONSTRUCCIONES PRACTICAS, S.A. DE C.V.
CONSTRUCCIONES CLASICAS, S.A. DE C.V.
CONSTRUCCIONES TECNICAS, S.A. DE C.V.
CONSTUCTORA CALIDAD DE VIDA, S.A. DE C.V.
TECNICOS EN CONSTRUCCION, S.A. DE C.V.
CASAS DEL CENTRO, S.A. DE C.V.
SOCIEDAD ANONIMA

FIRMA AUTOGRAFA DEL PROMOVENTE

ser resuelta dentro de los 5 días hábiles siguientes a la fecha de su presentación, en caso contrario, el considerará otorgado, siendo aplicable lo establecido por el Artículo 15-A de la Ley de Inversión Extranjera.

esta solicitud únicamente será entregada al promovente o a las personas autorizadas.

ción, duda y/o comentario con respecto a este trámite, sírvase llamar al Sistema de Atención Telefónica 5480-2000 en el D.F. y área metropolitana; del interior de la República sin costo para el usuario al 01800-Unidos y Canadá al 188-5943372.

podrá ser reproducido   Llenar: a máquina
ser dicha reproducción en   Oficinas centrales: original y una copia
bond.   Delegaciones Estatales: Original y dos copias
                                              Anexar: Original y copia de pago derechos

rización del formato por parte de Oficialía   * Ultima fecha de autorización del formato por parte de la Unidad
1999.   de Desregulación Económica: 28 de junio de 1999.

EL SUSCRITO, LICENCIADO JORGE CHAURAND   SA-1
ARZATE NOTARIO PUBLICO NUMERO 39 TREINTA
Y NUEVE EN EJERCICIO EN LA ADSCRIPCION:
CERTIFICA: QUE LA PRESENTE COPIA
COMPUESTA DE-1 — FOJAS CONCUERDA FIEL-
MENTE CON SU ORIGINAL EN TODOS SUS TER-
MINOS PREVIO EL COTEJO CORRESPONDIENTE
DOY FE
CELAYA, GTO A 4 DE FEBRERO DE 2002

Copia de la solicitud de permiso de constitución ante la SRE
para crear la empresa Construcciones Prácticas, S.A. de C.V.

Para construir el elegante fraccionamiento en la hacienda de Loera, el arquitecto Fernando Balboa, de Urbanizaciones Inteligentes, contrató los trabajos del pequeño constructor Juan Infante Negrete, porque éste tenía la maquinaria pesada para hacer la excavación requerida para el lago de cinco metros de profundidad.

De marzo a mayo de 2004, don Juan, junto con una flotilla de trabajadores y una división de 14 camiones Torton, siete camiones chicos, cinco trascavos, dos retroexcavadoras y dos motoconformadoras, realizó los trabajos. En los tres meses que duró la obra, don Juan laboró de siete de la mañana a siete de la noche, de lunes a domingo, para terminar los urgentes trabajos ordenados por el primogénito de la primera dama.

El arquitecto Balboa llevó a don Juan al rancho secreto del presidente en La Gorda Atorada, con el fin de sacar de ahí la piedra para levantar los costados del lago en el nuevo conjunto residencial.

Aunque el encargado de la supervisión de los trabajos era el arquitecto Fernando Balboa, Manuel Jr. fue varias veces a ver la obra, acompañado de su séquito de guardias presidenciales.

Uno de los potenciales compradores era el secretario de Seguridad Pública Ramón Martín Huerta, amigo y colaborador de Vicente Fox. A finales de abril de 2004 fue al terreno en Capellanía para que le explicaran en qué consistía el proyecto.

Las facturas que le pagaban a don Juan eran emitidas por Urbanizaciones Inteligentes, S.A. de C.V. Terminó en mayo y en junio le dieron el último pago, pero le quedaron a deber 500 000 pesos, de un total de 1 085 000 pesos.

Mientras eso ocurría, Balboa mandó llamar a don Juan para otra obra del hijo de la primera dama que se llevaría a cabo en Irapuato, a un costado de la colonia Arandas. El terreno de 30 hectáreas sería destinado para la construcción de 1 000 casas de interés social. La tarea del constructor era hacer tres plataformas para unas casas muestra y la caseta de ventas.

Asimismo, le encargaron hacer un helipuerto provisional, porque los socios de Manuel Bribiesca Sahagún irían a ver la ambiciosa obra. Don Juan sólo compactó la tierra y pintó un círculo blanco. Ese trabajo sí se lo pagaron, porque la cantidad era mínima, pero del otro pago ni sus luces.

Como prueba de la relación laboral que existió entre don Juan Infante Negrete y Urbanizaciones Inteligentes, S.A. de C.V., el constructor entregó para esta investigación la copia del cheque número 6563913, emitido por la empresa de la cuenta maestra número 04024245078, del banco HSBC, por 165 921 pesos, con fecha 4 de junio de 2004 (véase anexo 15).

Manuel Bribiesca Sahagún lo citó en su oficina del edificio Exporta 2004; lo recibió en una amplia sala de juntas y le dijo: "Yo le pago, ustedes se ganaron su dinero a ley y yo le pago. El fin de semana le doy la mitad y el lunes el resto". Pero eso nunca ocurrió. Bribiesca ya nunca volvió a darle la cara.

Desde entonces, su calvario por la cobranza no termina. Al final, el arquitecto Balboa le dijo que no se preocupara, que como andaban en un negocio con su primo José Luis Infante Apolinar, dueño de Constructora ECO, él le pagaría. Efectivamente había ese compromiso, pero cuando don Juan dijo al primo de cuánto era la deuda de Bribiesca Sahagún, le pareció muy elevada.

Tampoco es la primera vez que el hijo de la primera dama es acusado de no pagar sus deudas. El 7 de abril de 2003, José Leopoldo Montes González inició un juicio ejecutivo mercantil en contra de Poliductos de Tamayo, S.A. de C.V., en el Juzgado Primero de lo Civil en Monterrey, Nuevo León, porque no le había pagado un dinero.

Cabe señalar que las empresas Construcciones Prácticas y Urbanizaciones Inteligentes, S.A. de C.V., tienen a dos personas en común: Manuel Bribiesca Sahagún y el arquitecto Fernando Balboa, el brazo derecho del hijo de la primera dama y quien

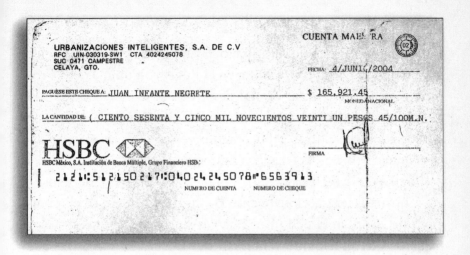

Cheque pagado al constructor Juan Infante Negrete; aún le deben 500 000 pesos desde hace un año.

trabaja en ambas empresas como supervisor de obra, según se constató por vía telefónica en las dos compañías.

* * *

La empresa Progresiva Arquitectos construye viviendas de nivel medio alto. Actualmente vende cuatro casas de nivel medio superior en el fraccionamiento Cañada del Refugio, en León. Se trata de terrenos de 300 metros cuadrados, con residencias de 320 metros de construcción que tienen acabados de lujo; además, cuentan con sala, comedor y terraza con jardines, según la publicidad de la empresa. En la publicidad se indica el teléfono de la oficina de Manuel Bribiesca Sahagún en el Edificio Nissan.

Cabe señalar que no existe ninguna inscripción de dicha empresa en el Registro Público de la Propiedad de León.

* * *

Edificaciones Integrales Futura o Grupo VGI, creada el 16 de marzo de 2001, está dada de alta en el Registro Público de la Propiedad de León, con un capital de 50 000 pesos. Sus socios son J. Ismael Plascencia Núñez, Héctor Manuel Jiménez Aguirre y Esteban Fabela Corral. Actualmente vende 600 casas del fraccionamiento Brisas del Lago, ubicado en las inmediaciones del zoológico de León. Los precios van de 275 000 a 650 000 pesos.

Construye el fraccionamiento Brisas del Carmen, en el municipio de León en el ejido San Nicolás de González, León, Guanajuato. Los precios de venta van desde 267 000 hasta 394 000 pesos. Dicha empresa aparece en el boletín de vivienda nacional micasa.gob.mx, en el listado de constructoras afiliadas al Infonavit, en el padrón de las empresas registradas en el Fovissste y en la lista de desarrolladores afiliados a Nafín, por lo cual también podría estar recibiendo financiamiento público para hacer sus construcciones de interés social.

* * *

La diputada Tatiana Clouthier, quien ayudó a Martha Sahagún a hacer su campaña para la alcaldía de Celaya, explica cuáles son las tres formas con las que un desarrollador puede obtener preferencias irregulares: que el Infonavit aparezca como aval cuando un desarrollador pide un crédito para construir vivienda; con ese aval, el banco está seguro de que las viviendas se venderán y no arriesgará su dinero. El segundo es que goce del privilegio de recibir rápidamente los recursos de Infonavit y Fovissste y no tenga que esperar, como otros, meses para que recupere pronto el capital invertido.

La tercera modalidad con la cual se pueden obtener preferencias es que haya un acuerdo previo con los sindicatos, para que éstos canalicen los créditos a esa empresa y no a otra.

* * *

El hijo mayor de la primera dama hace negocios a costa de los ahorros de enfermeras, maestros, y modestos empleados del gobierno de Guanajuato y empresas privadas, que con mucho esfuerzo logran que les autoricen su crédito de Infonavit y Fovissste, pero se quedan enganchados de por vida pagando una casa disfuncional.

Eso hizo Manuel Bribiesca Sahagún con más de 150 familias que viven en el conjunto habitacional Rinconada San Jorge, localizado en avenida Guanajuato, colonia Las Flores, en Celaya, Guanajuato. Allí bautizó las calles de la colonia con los nombres de su familia: Santa Martha, San Manuel y San Jorge.

Los compradores entrevistados enumeraron los incumplimientos en los que incurrió la constructora:

1. El lugar está rodeado por un pestilente rastro y un río de aguas negras. En los días de calor intenso, el nauseabundo olor hace que el aire sea casi irrespirable. Antes de comprar, les dijeron que el rastro sería retirado y que el río de aguas negras estaría entubado.

2. A principios de abril de 2005, la colonia se quedó sin luz dos días completos porque la constructora, que todavía es la administradora oficial del conjunto mientras no haga la entrega formal al municipio, no pagó la luz.

3. En la promoción para vender las casas prometieron a los futuros compradores áreas verdes con árboles y setos, así como juegos infantiles y asadores en el parque ubicado en la Privada Santa Martha, para el recreo en los días familiares. En su lugar, las esquinas donde se supone habría áreas verdes son un terregal. Los juegos para niños son un par de tubos torcidos; los famosos asadores, un pedazo de cemento, y ni siquiera hay alumbrado público en el lugar; además, en la colonia no hay un solo árbol.

4. Los vendedores dijeron que Rinconada San Jorge sería precisamente eso: una privada, y que contarían con una caseta de vigilancia. Sin embargo, no sólo no es así, sino que ahora van a abrir una calle para otra colonia aledaña y la unidad habitacional será únicamente un asentamiento de paso.

5. Las casas se caen a pedazos, pese a que hace apenas un año y medio las estrenaron sus habitantes. Una vecina comentó que al estar peinándose, se le cayó el cepillo al lavabo y éste se desplomó. "Clavas algo y se viene la pared encima" denunció la señora Hernández.

6. Otra vecina, doña Raquel, quien vive en Privada de Santa Martha, enseña con vergüenza su casa; el techo se le cae encima, pues se hizo un boquete que tuvo que tapar. Además, su hija Xóchitl —empleada del gobierno de Guanajuato— tiene que pagar un seguro de 87 pesos a la quincena, pero éste sólo funciona para desastres naturales y no cubre los defectos de la construcción.

"Yo pienso que se cae primero la casa, antes de que llegue un terremoto", dice irónica y triste Xóchitl, quien durante 20 años pagará la casa que no sirve.

Comenta que en realidad no tuvo de dónde elegir. Cuando en el sindicato le anunciaron que estaba liberado su crédito de 232 000 pesos exactos, le dieron una lista con el nombre de cinco inmobiliarias con las cuales podía comprar. Los precios de todas eran superiores a lo que le habían asignado de crédito. Sólo la empresa del hijo mayor de la primera dama vendía casas a ese precio. Xóchitl tenía dos opciones: comprar en Rinconada San Jorge o comprar en Rinconada San Jorge.

¡Qué irónico! El presidente Fox había afirmado contundente ante cientos de personas en la colonia del Salero:

Hay cantidad de lugares donde las casas del Infonavit dejan muchísimo que desear, que fueron construidas con poca calidad, respetando poco las normas y seguramente actuando con deshonestidad, porque resulta que una vivienda que debía de cumplir con ciertas normas y ciertos criterios para que nos sirviera por largo tiempo, al año ya está cuarteada, al otro año ya está fallando otra cosa y no tiene la calidad deseada. ¡Eso es algo que no vamos a permitir que se repita! Que si se va a construir vivienda, se construya con calidad, apegada a normas y se construya para que tenga una duración de largo plazo, porque es el patrimonio que adquirimos para muchos años, para muchas décadas.

Y no, no se refería a las casas que construye su hijo político, Manuel Bribiesca Sahagún, en Rinconada San Jorge. El discurso, del cual se conserva el audio, fue de cuando Fox era candidato a la Presidencia de la República en el año 2000, pero en el "gobierno del cambio" nadie parece recordarlo.

✳ ✳ ✳

El primogénito de la primera dama extiende su imperio constructor en Guanajuato, sin que nadie pueda explicarse qué le da tanta liquidez. Hace unos meses acaba de comprar una manzana en el conjunto residencial Cima Diamante, localizado a la salida de la vieja carretera León-Lagos de Moreno, propiedad del empresario inmobiliario Ruiz Arellano.

De acuerdo con una visita hecha al lugar el 15 de mayo de 2005, una manzana tiene más de 30 lotes, cada uno con un costo de 280 000 pesos, según explicó la vendedora del lugar. Por ello, habría tenido que gastar 8.4 millones de pesos.

Pilar Mancilla explicó que algunas constructoras compraron manzanas con el fin de construir ahí casas para después ponerlas a la venta.

Según el testimonio ofrecido por el vigilante de la puerta, don Antonio Almaguer Juárez, Manuel Jr. acude dos veces por semana a supervisar las construcciones de las casas que ha comenzado a levantar en los terrenos que adquirió. Llega acompañado de su séquito de guaruras, permanece en el lugar algunas horas y después se retira.

El primogénito de Martha Sahagún también está construyendo, aliado con SARE, un conjunto de 1 000 casas de interés social que llevarán el nombre de El Naranjal, localizado a espaldas del Seminario Salesiano, en Irapuato, Guanajuato, que es el mismo lugar donde don Juan Infante Negrete construyó un par de pies de casa.

En los pies de casa construidos por don Juan están montadas un par de casetas y los trabajos de excavación ya iniciaron en todo el terreno. Trabajadores de la construcción que laboran en el predio comentaron que están por empezar a construir las casas y que la preventa ya comenzó.

* * *

Comenzaba el año 2005 y salió a la luz pública un bacanal de Manuel Bribiesca Sahagún en la casa de visitas del gobierno mexicano en Cancún, mejor conocida como la Casa Maya, una imponente residencia de 3 037 metros cuadrados de construcción que ocupa uno de los mejores sitios frente al mar Caribe. Se dijo que incluso había habido destrozos en el lugar.

La Casa Maya era administrada por el Fondo Nacional de Fomento al Turismo (Fonatur), aunque la Presidencia de la República instruía a la dependencia acerca de quién podía ocuparla. Había sido utilizada para albergar a invitados especiales del gobierno mexicano, presidentes e integrantes de la realeza europea.

Cuando se hicieron públicos los festejos del primogénito de Martha Sahagún —lo cual nunca fue desmentido por el joven empresario—, el secretario de Turismo, Rodolfo Elizondo, salió rápidamente a desmarcarse y dijo que la Casa Maya había sido vendida antes de los festejos.

—Mire: la casa se vendió antes de diciembre; ya el que la haya utilizado después de diciembre pues Dios que lo ayude; ¿sí me explico?

—¿Fueron los hijos de Martha Sahagún?

—No sé, yo no cuido a los hijos de Martha Sahagún.

Para esta investigación se solicitó a Fonatur la información pública sobre cuándo vendieron la Casa Maya, en cuánto y a quién. La institución respondió que la venta se hizo según la invitación pública COCA-01 del 17 de diciembre de 2004 y que el cierre de la operación de venta se realizó el 24 de diciembre de 2004 por un monto total de 264 millones de pesos.

Lo que se vendió fue el terreno y la construcción de la Casa Maya (el terreno mide 52.7 hectáreas) por 123.4 millones de pesos, a 2 383 pesos el metro cuadrado, con todo y construcción, aun cuando el valor comercial del metro cuadrado en esa zona exclusiva, la mejor de Cancún, es de por lo menos 1 000 dólares el metro cuadrado. También se vendió al mismo comprador el paquete con los lotes 1 y 2, de 33.2 hectáreas, por 68 millones de pesos, es decir, 2 046 pesos por metro cuadrado. Y se remató el paquete con los lotes 1 y 2 de 29 hectáreas, por 72.5 millones de pesos, a 2 430 pesos el metro cuadrado.

Por toda la venta se les hizo un descuento de 2.5% (por haber pagado de contado), aunque, según los mismos papeles entregados por Fonatur, queda un adeudo de 55.4 millones de pesos que deberán pagar en tres mensualidades de 18.4 millones de pesos cada una. El primer pago debió de realizarse, según Fonatur, el 24 de enero de 2005.

Fonatur explicó que la venta se hizo no para el uso de un particular, sino para la construcción de un exclusivo *hotel boutique*.

La institución pública se negó a dar oficialmente el nombre del comprador, por considerarlo información reservada.

Extraoficialmente, un alto funcionario de la dependencia señaló que el comprador fue una empresa llamada BECSA Arquitectos, cuyo registro se hallaría en el Distrito Federal.

Al acudir al Registro Público de la Propiedad se encontró con que la empresa BECSA Arquitectos, S.A. de C.V., con el folio mercantil 154928 y dada de alta el 10 de marzo de 1992, fue liquidada en 1995, lo cual resulta ilegal, porque significaría que estarían vendiéndole a una empresa fantasma (véase anexo 16).

Sus socios eran Moisés Becker Kabachnik, Vivián Schwarz y Alan Becker Schwarz. Como comisario fue nombrado Jaime Martínez Villa.

Cabe señalar que, según el certificado entregado por el Registro Público de la Propiedad y de Comercio del D.F., no existe ninguna otra empresa con ese nombre.

Se preguntó extraoficialmente a Fonatur para saber a quién realmente habían vendido el predio y la fuente consultada señaló que el comprador provisional fue BECSA Arquitectos, pero que se estaba constituyendo una empresa en Quintana Roo a nombre de quien realmente se escrituraría la compra.

El director de Fonatur, John McCarthy, señaló en febrero de 2005 que la Casa Maya fue vendida a Inmobiliaria Punta Nizuc, de Quintana Roo. Pero este nombre no aparece en la información oficial entregada por Fonatur a raíz de una solicitud de información hecha para esta investigación. Ocultar información pública es un delito sancionado por la *Ley Federal de Acceso a la Información Pública*.

Hasta ahora, no se sabe quién invitó a Manuel Bribiesca Sahagún al gran festejo, ¿o es él el nuevo propietario o copropietario de la Casa Maya?

ANEXO 16

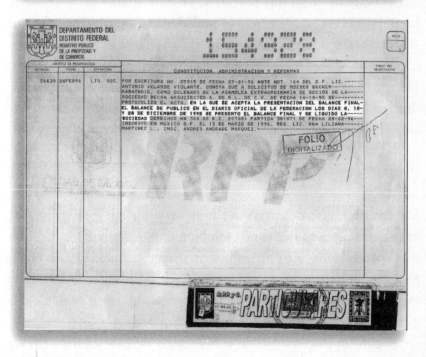

Constancia de liquidación de la empresa BECSA Arquitectos, que se supone compró la Casa Maya en Cancún, según Fonatur.

FUENTE: Registro Público de la Propiedad y de Comercio del Distrito Federal.

* * *

El 24 de febrero, cuando salió a la luz pública que había sido anulado el matrimonio por la Iglesia entre Martha y el veterinario, a primera hora del día el teléfono de don Manuel Bribiesca estaba sonando. Era Mónica, su nuera, quien quería comunicar a su esposo Manuel con su padre.

"Lo vimos en el periódico (*Reforma*); nosotros no sabíamos nada, ¿cómo está?", preguntó Mónica a Margarita, la pareja sentimental del veterinario.

El hijo mayor de Martha estaba molesto, sentido. Lo primero que dijo a su padre es que él acababa de comer el fin de semana con su mamá ¡y no le había dicho nada!

Un mes después, en marzo de 2005, Manuel y Mónica celebraron el bautizo de su hija Macarena en San Miguel de Allende. Al lugar asistieron, entre otros, el presidente Fox, Martha Sahagún, el gobernador de Aguascalientes y amigos personales de Manuel.

Para ir, don Manuel puso una condición: que no estuviera Martha Sahagún cuando él llegara. Por eso Manuel pidió a su madre que se retirara a las cinco de la tarde. Algo así como una segunda versión presidencial del *affaire* cubano "comes y te vas".

* * *

Sin embargo, en descargo del hijo mayor de la primera dama, cabe decir que sus hermanos también han desquitado el sexenio.

Apenas hacía unos meses que su madre se había casado con el presidente Vicente Fox y Jorge Alberto Bribiesca Sahagún ya estaba solicitando un permiso de importación de un vehículo originario de la Comunidad Económica Europea.

Según un documento de la Secretaría de Economía, a principios de 2002 el muchacho de 24 años importó un vehículo cuya marca se desconoce, en la categoría de "personas físicas y morales que no cuenten con antecedentes de importación de vehículos bajo el esquema de cupos".

En el inmenso listado de más de 800 importadores, entre ellos BMW, Renault, Nissan, Peugeot y particulares, aparece el nombre de Jorge Alberto Bribiesca Sahagún.

Pese a contar con el documento que avala que el hijo de la primera dama obtuvo el permiso, la Secretaría de Economía afirmó lo contrario.

Su padre describe a Jorge Alberto como un hombre educado y sofisticado, el más "fufurufo" —según él— de los Bribiesca Sahagún.

—Se parece a su madre —dice don Manuel.

"Jorge tiene más disciplina y es más tímido que Manuel. Era el más tranquilo. A los 13 años (1991) se fue a estudiar con los Legionarios de Cristo a Estados Unidos y luego a Irlanda. Estuvo dos años fuera. Yo creo que fue allá, en Irlanda, cuando empezó con las drogas, porque de allá regresó con esos problemas."

Estuvo internado dos veces en Querétaro en una granja, donde tenía que convivir con gente de todas las clases sociales (1994).

"Jorge fue voluntariamente. Eso sí, los trataban duro, pero son enfermos, los tienen que tratar como tales", recalca don Manuel.

Después de Querétaro, Jorge Alberto tuvo una recaída y sus padres lo mandaron a Oceánica. La reincidencia en el consumo de drogas coincidió con el ingreso de Martha Sahagún al gobierno de Guanajuato (1996).

"Yo lo respeto, tuvo carácter para salir adelante. Ahora quiere terminar la carrera. Yo les decía que una carrera era su arma para abrirse las puertas en la vida. ¡Imagínate que todavía les tenga que heredar en la posición en que están! Con las relaciones que tienen ¡que den el brinco!"

El padre de los Bribiesca Sahagún recuerda que, en los primeros años del sexenio, sus hijos Jorge Alberto y Fernando fueron al Tíbet con los lamas, cada quien por su lado.

"A Jorge no le gustó, pero a Fernando sí. Jorge decía que ¡a chingar a su madre con eso! Que en vez de usar papel de baño, los lamas se limpiaban con la mano y después se la lavaban, además de que la gente olía a madres", narra su padre.

"Jorge es el más cariñoso y tierno de todos. Es noble, pero, a pesar de ser muy fufurufo, él también andaba en la basura recogiendo plástico."

* * *

Hoy, Jorge Alberto, de 27 años, es socio de la empresa Sabrimex, S.A. de C.V., creada en 1997 por su padre y el hermano menor de la primera dama, Guillermo Sahagún Jiménez. De ser una modesta comercializadora de frutas, ahora se ha transformado en un emporio que exporta a prácticamente todos los rincones del mundo y cuenta con las referencias bancarias de Banamex y HSBC.

"El padre de Martha tenía huertas de aguacate y de ahí nació la idea de exportar; hubo un contacto con un japonés hace 25 años, y así nació Sabrimex (cuyo nombre proviene de la composición Sahagún Bribiesca). Jorge se quedó con ese negocio de exportación de frutas, junto con su tío Guillermo", explica Manuel Bribiesca Godoy.

Para realizar la parte administrativa de este negocio, Sabrimex tiene dos oficinas pequeñas en el quinto piso del número 620 de la calle doctor Alonso Martínez, en la colonia Jardinadas, en Zamora, Michoacán. No necesitan más el segundo hijo de Sahagún y su tío para negociar las millonarias exportaciones.

En la recepción presumen orgullosos la placa del premio que entregó el presidente Fox en 2001 a la empresa, en reconocimiento a sus altas exportaciones. ¡Qué lejos están hoy los tiempos en que el hermano menor de la primera dama, *Memo*, perdió todo por tener problemas económicos!

La empacadora de Sabrimex, desde donde se realizaría el trabajo operativo y de empaque del producto, está en San Juanico, sobre la carretera Zamora-Los Reyes, aproximadamente a la altura del kilómetro 39.5.

Para llegar al pueblo de San Juanico, en el municipio de Tingüindín, Michoacán, la única vía es la carretera Zamora-Los Reyes, que se asemeja a las autopistas recién bombardeadas en Irak.

De los servicios de Tingüindín no se acordaban el actual gobernador michoacano Lázaro Cárdenas, nieto del general del mismo nombre y ex presidente de la República, ni la administración federal, hasta hace unos meses cuando se inició la repavimentación de la carretera Zamora-Los Reyes.

La obra se la adjudican tanto el gobierno estatal como el federal, pero fueron los hijos de la primera dama quienes presumieron, antes de que el gobernador local hiciera el anuncio, que mandarían hacer una carretera nueva. Actualmente las obras llevan 9 kilómetros de avance.

La razón para hacer accesible el camino parece ser una: en esas tierras fértiles, que resultan una bendición para los productores de aguacate o frutas, no sólo están las bodegas de Sabrimex, sino también se encuentra el rancho que fuera propiedad de Alberto Sahagún de la Parra, padre de Martha de Fox, y adonde acostumbraba ir a descansar los fines de semana.

En esa misma región de Tingüindín, Alberto Sahagún Jiménez, hermano de la primera dama, adquirió 50 hectáreas de tierra en las que sembró en este sexenio 200 árboles de aguacate. Cada uno de estos árboles tiene un precio aproximado en el mercado de 100 pesos.

Acostumbrados a nulos avances impulsados por las autoridades, los pobladores de San Juanico confiesan, resignados, que esa carretera se hace no con el fin de beneficiarlos a ellos, sino para facilitar los caminos a las empresas familiares y para que el padre de la primera dama tuviera un traslado más cómodo.

En un recorrido por el poblado, realizado antes del deceso de Alberto Sahagún de la Parra, un ex empleado de Sabrimex confió el sentir de sus paisanos: "Todo el pueblo reza para que no se muera el doctor (padre de Martha) porque si se muere, ya estuvo que nos quedamos sin carretera quién sabe hasta cuándo. Él la utiliza para llegar a su rancho; por eso le habían metido velocidad".

Otro negocio en el que están involucrados los Sahagún está en esa región, justo en el kilómetro 37.5 de la carretera Zamora-Los Reyes: se trata de la Comercializadora de Frutas Acapulco, S.A. de C.V., cuya exportación de aguacate es una de las más altas del país. Dicha empresa es dirigida por Julio Sahagún Calderón, sobrino de la primera dama y que hace negocios con Sabrimex.

La misma razón que los hace festejar que reciban de manera indirecta el beneficio de un camino repavimentado les ha quitado la tranquilidad. No estaban acostumbrados al estruendoso ruido de un helicóptero que sobrevolara la zona, pero ahora lo ven de manera natural porque en el rancho del suegro del presidente se construyó un helipuerto.

Los pobladores no entienden con qué recursos la familia Sahagún lo construyó, pero aseguran que el presidente Fox aterriza en los terrenos de lo que fuera la casa de descanso del padre de Martha, por lo menos dos veces al mes.

De acuerdo con la respuesta de la Presidencia a la solicitud de información 021000023605, el Estado Mayor Presidencial no ordenó construir un helipuerto en los terrenos del padre de la primera dama y, en consecuencia, tampoco erogó ni un peso.

Pero en ese pueblo, que es uno de los centros de los negocios de la familia Sahagún, llama la atención un hecho más: la empacadora de la empresa Sabrimex, que recibiera en 2001 el premio nacional a la exportación otorgado por la Secretaría de Economía, está cerrada.

A la altura del kilómetro 39.5, un letrero de lámina oxidada anuncia que unos metros adentro están las instalaciones de la empacadora; sin embargo, éstas se hallan en el abandono. En una visita a las instalaciones de Sabrimex en San Juanico pudo constatarse que no están en operación y a estas alturas ya no cuentan ni con un vigilante. A pesar de ello, la empresa se anuncia en internet como una compañía que tiene una "producción" anual de 500 toneladas de aguacate Hass, el más caro del mercado, de las cuales 475 son para la exportación, además de 920 de mango que se exporta en su totalidad a Japón, Europa, Canadá y Estados Unidos.

Un ex empleado de la empresa informó que cuando Sabrimex recibió el premio nacional a la exportación, la empacadora ya no funcionaba, y detalló el trabajo real que realizan Guillermo Sahagún y Jorge Alberto Bribiesca desde la empresa galardonada por sus altos índices de producción y el volumen de exportación.

"El negocio es la compra y venta del producto, no la producción. Compran el aguacate a la empacadora que se los venda más barato, a veces a su abuelo, a veces a otras y lo vende a sus contactos en el extranjero. Su negocio son sus contactos, porque ellos no tocan el aguacate, ya lo compran incluso empacado en cajas", detalló.

En materia del campo, el presidente Vicente Fox ha lanzado arengas contra los intermediarios agrícolas que ganan más que los productores. En su segundo informe de gobierno ante el Congreso de la Unión, el primer mandatario dijo: "Avanzamos en el ordenamiento de los mercados agropecuarios... Ello ha permitido que reciban (los productores) un mayor ingreso. Nuestros productores se quedan con 30 centavos de cada peso que paga el consumidor por los productos del campo, en lugar de 20 centavos que recibían antes de esta administración". Sin embargo, entregó un reconocimiento nacional a la empresa de la familia de su esposa, cuya principal tarea es ser precisamente el intermediario con el extranjero.

✳ ✳ ✳

Hoy la dupla Guillermo Sahagún y Jorge Alberto Bribiesca tiene una imagen de hombres de negocios exitosos, producto de la sorprendente metamorfosis económica de la familia presidencial en el transcurso del sexenio. Pero en Zamora hay quienes no olvidan la situación de Guillermo Sahagún y Sabrimex cuando por sus deudas, originadas por su farmacodependencia y desatención al negocio, perdió todo.

De acuerdo con el doctor Francisco Lunar, director del área de emergencias del hospital general de Michoacán y ex dirigente del Barzón en la entidad, *Memo* —como conocen al hermano menor de la primera dama—, al igual que toda la familia Sahagún, tuvo graves problemas económicos a mediados de 1990. La desesperación hizo a los hermanos Alberto y Guillermo Sahagún Jiménez participar en la toma de bancos para exigir que se les perdonara su adeudo.

El doctor Lunar, entrevistado para esta investigación, afirma: En aquella época tomábamos bancos y juzgados en Morelia y en Zamora y ahí estaban *Memo* y Alberto y le entraban duro a los tiznadazos, pero luego reculaban y mejor mandaban a sus empleados.

Memo tenía problemas con la empacadora de aguacate y Alberto con el Hospital San José, que ya estaba en proceso de confiscación. Los Sahagún eran conocidos como gente de dinero. En la década de 1950 su padre, don Alberto Sahagún de la Parra, creó el primer hospital con servicios médicos calificados; crearon el primer hospital regional privado y ganaron mucho dinero. Pero después las cosas cambiaron y cayeron en crisis, como muchos empresarios.

El ex trabajador de lo que hoy se conoce como Sabrimex narró la historia de Guillermo Sahagún Jiménez. Su primer negocio en el mundo de la compraventa de aguacate fue la Empacadora de Aguacate Sol, que quebró a raíz de la compra de aguacate helado, que hizo en sociedad con Joaquín Barragán (entre 1990 y 1995):

Querían convertirlo en guacamole y exportarlo, pero no se hizo y perdió mucho dinero, aparte de que se juntó con el problema de farmacodependencia que traía. La empacadora fue embargada por el banco y después la compró Farmer Best y empacaban bajo la razón social de Agrícola Alex.

Después del cierre, Memo se fue a trabajar a la Comercializadora de Frutas Acapulco. En 1997 Guillermo reabrió una nueva empacadora:

Daba lástima verlo, andaba bien jodido. No tenía dinero y él solo hacía todo porque no tenía para pagarle a nadie. En aquel entonces traía un automóvil Nissan todo traqueteado. Jorge Alberto (el segundo hijo de Marta Sahagún Jiménez) comenzó a ayudarlo como empleado y entre los dos hacían el trabajo.

A raíz del problema de adicción, surgió una amistad y crearon la sociedad Sabrimex.

¿Cómo de estar tan jodido están ahora como están? Es algo inexplicable.

Apenas en 2003, *Memo* Sahagún recuperó su vieja empacadora, cuyo costo estimado es de 9 millones de pesos.

"No hay forma de explicar de dónde la familia Sahagún ahora tiene tantos recursos cuando estaban quebrados y las pruebas están ahí, cuando participaban en la toma de bancos. Ahora todas sus cuentas están saneadas, lo cual no deja más que pensar que los hermanos de Martha lavan dinero", dice el doctor Lunar.

La suspicacia de los negocios de Sahagún se levanta por una razón más que los pobladores de Zamora declaran con miedo. El cuñado de Guillermo Sahagún, Ignacio Alcázar, aseguran, es compadre de Armando Valencia, jefe del cártel del Milenio, el cual nació en esta zona.

El muchacho ha aprovechado el viento a su favor. En 2004, su tío Guillermo Sahagún, entrevistado en el marco de una evaluación del TLC con la Unión Europea, presumía los logros de su empresa: "Del 2000, que es cuando el tratado entró en vigor a la fecha, mis exportaciones han crecido 40% en mango y aguacate; y a pesar de que ya exportaba con anterioridad, el arancel cero y que la gente descubriera el producto hicieron que aumentara el envío de mis productos".

Esto es lo que se dice un negocio redondo, si se toma en cuenta que a cada tonelada de aguacate que exportan le ganan de 40 a 50% sobre el precio pagado al productor, según explicó el ex empleado de Sabrimex entrevistado.

Según el perfil de la empresa que elaboró Goliat Company Profile, Sabrimex es una compañía internacional que en el año fiscal de 2003 tuvo ventas por 2.5 millones de dólares. Ese crecimiento no lo han logrado solos, sino con el apoyo del gobierno federal.

Jorge Alberto Bribiesca Sahagún y Guillermo Sahagún Jiménez no sólo tuvieron el impulso de haber ganado en 2001 el Premio Nacional de Exportación que otorga el gobierno de Vicente Fox, como "comercializadora de aguacate, mango y limón", sino que han sido beneficiados con recursos públicos del Fondo de Apoyo a la Micro, Pequeña y Mediana Empresa.

La Secretaría de Economía reconoce haber dado a Sabrimex 28 000 pesos entre 2001 y 2002 (véase anexo 17). La empresa Sabrimex, S.A. de C.V., fue beneficiaria del fondo mediante dos servicios de consultoría de los siguientes proyectos: "Consultoría para desarrollar oferta exportable en el estado de Michoacán", por un monto de 17 000 pesos, y "Consultoría especializada para consolidar la oferta exportable del municipio de Zamora, Michoacán", por 10 606 pesos.

El gobierno federal ha dado ese apoyo económico proveniente de recursos destinados a la "pequeña y mediana empresa", cuando, según información del Consejo Nacional Agropecuario, la empresa del hijo y del hermano de la primera dama produce al año 500 toneladas de aguacate Hass y 920 toneladas de mango Haden, Kent, Keitt y Tomy Atkins.

Pero según el testimonio del ex empleado de Sabrimex, el negocio de la exportadora de aguacate no es la única vertiente empresarial de *Memo* y Jorge Alberto.

> Hay algo oculto que me encabrona —dice el ex trabajador—; alguna vez Guillermo y Jorge Alberto dijeron en una junta colectiva de Sabrimex: "¿ustedes se imaginan los negocios que tenemos allá en México? Esto no se compara, no es nada con lo que tenemos allá", nos dijeron a los empleados de la empresa.

A finales de 2004, Manuel Bribiesca Sahagún reconoció en entrevista —publicada por Miguel Badillo en la columna "Oficio de papel"— que su tío Guillermo y su hermano Jorge habían hablado a Pemex para recomendar a la empresa Oceanografía con el fin de que le dieran un contrato que buscaba.

ANEXO 17

SECRETARIA DE
ECONOMÍA

SUBSECRETARIA PARA LA PEQUEÑA Y MEDIANA EMPRESA
DIRECCIÓN GENERAL DE CAPACITACIÓN E INNOVACIÓN
TECNOLÓGICA

Oficio 210.2005.136

Asunto: Respuesta a Oficio STPCE.PC.05/0123

México, D.F., 17 de marzo de 2005

Lic. Miguel Salcedo Hernández
Secretario Técnico del Comité de Información
Secretariado Técnico de Planeación, Comunicación y
Enlace
Dentro de Asesoría Primer Contacto y
Unidad de Enlace

Estimado licenciado Salcedo:

En atención a su Oficio STPCE.PC.05/0123 mediante el cual nos turna la solicitud proveniente del SISI con el No. 000100007605, relativa a los montos otorgados por la Secretaría de Economía, a través de los distintos programas de apoyo, a la Sociedad Agropecuaria La Estancia, SPR de RL y a Sabrimex, S.A: de C.V. de diciembre de 2000 a la fecha, me permito informarle respecto al Fondo de Apoyo para la Micro, Pequeña y Mediana Empresa, resultando lo siguiente:

1. La Sociedad de Producción Rural de Responsabilidad Limitada denominada Sociedad Agropecuaria La Estancia no ha sido beneficiaria desde el año 2001 a la fecha.
2. **La empresa Sabrimex, S.A. de C.V.** fue beneficiaria del Fondo en comento, mediante dos servicios de consultoría de los siguientes proyectos: "Consultoría para desarrollar oferta exportable en el Estado de Michoacán", **en el 2001 y "Consultoría especializada para consolidar oferta exportable del Municipio de Zamora, Michoacán"** en el 2002, por un monto de **$17,647.06 y $10,606.06** respectivamente, de acuerdo a los informes finales presentados por el Organismo Intermedio que promovió ambos proyectos.

Sin otro particular, reciba un cordial saludo.

Atentamente
El Director General

Dr. Alejandro González Hernández

CIBIDO
ÍA DE ECONOMÍA
2 2 MAR 2005
UNIDAD DE
ENLACE

Constancia de los recursos públicos dados a la empresa Sabrimex, propiedad de los hijos de la primera dama y de su hermano menor, Guillermo Sahagún Jiménez. FUENTE: Secretaría de Economía.

* * *

El hijo menor de Martha Sahagún, Fernando, se graduó de la carrera de relaciones internacionales en el Tecnológico de Monterrey, el 27 de mayo de 2005, en la ciudad de Monterrey. Entre su círculo de amigos más cercanos está el ciclista Raúl Alcalá.

Durante los cuatro años de estancia en Monterrey, la primera dama encargó a su vástago con una de sus mejores amigas y cómplices: la robusta Liliana Melo de Sada, esposa del empresario socio de Vitro, Federico Sada.

La rubia mujer es integrante del consejo de la fundación Vamos México y como incondicional de la primera dama sale a dar la cara por ella cuando está en aprietos, como en el caso del reportaje de la periodista Sara Silver del *Financial Times*, en el que la comedida regia intentó provincianamente impedir que el reportaje sobre los deficientes manejos de recursos de la fundación saliera a la luz pública, recurriendo a un miembro de la realeza inglesa. Por supuesto, lo que consiguió fue un palmo de narices.

En las visitas de trabajo hechas por el presidente Fox y su esposa a Monterrey era frecuente que la pareja se reuniera después en el restaurante El Rey del Cabrito, junto con el matrimonio Sada-De Melo y Fernando Bribiesca Sahagún.

Aquel 27 de mayo, en el gimnasio de la universidad, Martha Sahagún se fundió en un cálido abrazo con su hijo. En su mirada brilla el orgullo de su maternidad. Fernando es el hijo que más satisfacciones ha dado a su madre, pero, contrario a lo que se ha dicho, es el que más se parece físicamente a su padre. Eso es muy fácil de ver si se comparan las fotos del muchacho con las de su progenitor cuando éste era joven; son muy semejantes incluso en la usanza de la melena larga.

"¡Hasta él tiene escolta! A todos me los adoptaron", señala su padre.

Fernando sólo tiene 22 años, pero don Manuel dice que es el más intelectual de la familia: "Le gusta la filosofía y este año que acabe la universidad piensa salir al extranjero a estudiar una maestría... a Londres quizá".

"Cuando Fernando fue al Tíbet —dice don Manuel— lo vivió desde otro punto de vista: desde un ángulo filosófico; a él sí le gustó."

Habitualmente, de los tres hermanos, Fernando es el más sereno y el que más acompaña a su madre en giras presidenciales y cenas de Estado, pero también la ha metido en apuros.

A finales de 2001, el hijo menor de la primera dama protagonizó un escándalo en una discoteca de Nuevo León en contra del hijo de Federico Arreola, ex director del Grupo Multimedios Estrella de Oro y ahora asesor de Andrés Manuel López Obrador. Estrella de Oro es una empresa que tiene estaciones de radio, canales de televisión y periódicos en distintos estados del país. Así, es imaginable el temor de Martha Sahagún de que saliera a la luz pública el altercado en el cual hubo empujones y hasta pistolas de los escoltas militares de su hijo menor.

La esposa del presidente Fox tuvo que llamar a Arreola para ofrecer una disculpa, preocupada de que hubiera un escándalo en los medios de comunicación. Arreola aceptó las disculpas y dejó todo en el ámbito de lo privado.

* * *

Es su padre, don Manuel Bribiesca Godoy, quien termina exhibiendo a sus hijos.

La entrevista fue concedida la tarde del miércoles 16 de marzo de 2005, en el segundo piso del edificio donde está su veterinaria, en el centro de Celaya. El doctor estaba acompañado de su actual pareja, la señora Margarita, una joven y guapa mujer, de tez morena, alta, que se dedica a la venta de plata mexicana en una empresa española.

Sobre su escritorio tiene un casete de Alejandro Lora llamado "Lora, su lira y sus rolas" y a un costado, en una mesita lateral, seis portarretratos de todos tamaños con las fotografías de sus hijos, sus nietas y de él cuando era joven.

Sobresale la foto del pequeño Manuel, sentado en sus piernas, la cual fue tomada durante una comida familiar.

—¿Le preocupa lo que dicen de sus hijos?

—Yo creo que a veces le echan más crema a los tacos. Y si hay algo mal, ya son maduros y tienen una edad con la que van a ser responsables de lo que esté mal o bien. Ya no está en mis manos; yo, como padre, sólo estoy atrás viendo.

Este hombre de Celaya tiene su propia visión de lo que es el poder y para qué sirve. Escucharlo es toda una experiencia:

¿Se acuerdan de los hijos de Miguel de la Madrid?, ¡hacían lo que querían! Si mis hijos no aprovechan las relaciones que tienen ahora por ser quienes son, serían pendejos.

Son parte de la familia presidencial, ¿quién les va a decir que no?, ¿Ustedes creen que ellos pensaron que iban a estar donde están? Todo el mundo quiere quedar bien con ellos.

—¿Qué dice cuando se comenta que tienen contactos con el narco? —se le pregunta.

Mis hijos saben lo que es trabajar porque lo vieron. Cinco años no tomé vacaciones cuando llegamos a Celaya; todo lo hicimos a costa de esfuerzos y de la friega diaria, desde que amanecía hasta que anochecía. ¡Sí, yo era millonario, nomás que la política me dejó rico!

No tienen nada que ver en eso del narco, de eso sí estoy muy pendiente.

Por momentos la plática se torna tensa, por lo que Margarita le sirve más café. Definitivamente no es fácil para el veterinario hablar del tema, aunque al final termina respondiendo porque le gana el temperamento ligero.

No culpa a sus hijos por aprovechar las "oportunidades" que les caen del cielo. Él mismo dice haber sido objeto de propuestas para traficar influencias: "¡Y eso que sólo soy el ex marido! A mí me ofrecían un millón de dólares por que les consiguiera la concesión de los buques de Pemex. ¡Imagínense a ellos!; sin embargo, ellos están trabajando. Podrían sacar dinero muy fácil, pero están trabajando".

Don Manuel confirma los negocios de su hijo mayor y afirma que él mismo hace las gestiones en el Infonavit y el ISSSTE, pero asegura que las casas construidas por su vástago son de primera.

"Si comparas las casas que está haciendo Manuel en el Infonavit... ¡comparen las que se hacían antes y las que hace ahora Manuel! Son unas casitas más dignas. Lo único que no te perdonan en México es el éxito. Me preocuparía que hicieran gestiones, pero están trabajando."

Don Manuel acepta que su hijo mayor tiene un avión particular de ocho plazas (Lear Jet 25), supuestamente en sociedad con cuatro amigos.

"Ya lo conocí. Bueno, son lujos y gustos que se están dando, pero en el narco aseguro que no están. Si hubieran andado con Ahumada, yo habría visto."

Don Manuel reconoce que tradicionalmente hay abusos en las familias presidenciales; pero para él, la diferencia es que sus hijos "están trabajando", insiste una y mil veces.

La diferencia es que ellos están trabajando, están usando las influencias, pero están trabajando. Sin necesidad de construir o de trabajar hubieran tenido muchas oportunidades. Con puras relaciones y sin meter la mano, ¿no hubieran sacado lo mismo? Si se hace algo trabajando, no está mal.

Por lo pronto, antes de que termine el sexenio, Manuel Bribiesca Godoy, padre de los hijos de la primera dama, les da sus últimas consejas: "inviertan su dinero".

"Ellos me preocupan como padre, pero ¿cuál es el problema?"

Don Manuel recoge las fotografías que muy amablemente nos enseñó y vuelve a echar una mirada sobre el pequeño Manuel sobre sus rodillas. Aunque sus revelaciones confirmen de forma rotunda el comportamiento irregular y el tráfico de influencias de sus hijos, nadie podría decir que no los ama… a su manera.

6. El clan Fox

Vicente Fox de la Concha siempre fue un mal estudiante que apenas terminó la preparatoria en el sistema abierto, pero no se queja, pues a sus 23 años es un hombre de éxito: posee una enorme residencia en uno de los fraccionamientos más exclusivos de la ciudad de León, maneja un minicouper convertible último modelo, es dueño de un camión con un valor de más de 1.5 millones de pesos, y a la puerta de su casa lo espera una camioneta BMW azul marino, sin placas.

La historia de Vicente Jr. es quizá la mejor muestra de la rápida evolución económica que han tenido los integrantes del clan de los Fox, desde que Vicente asumiera la Presidencia de la República hace ya casi cinco años.

En la pequeña ciudad de León, las cosas no pasan desapercibidas. Así como llama la atención la repentina bonanza de los hijos de Martha Sahagún, también destaca la acelerada prosperidad del hijo y de los hermanos del jefe del Ejecutivo.

* * *

Vicente Fox de la Concha estudió con dificultad la preparatoria en la Universidad Anáhuac de León, pero no la terminó sino hasta después en el sistema abierto.

Quienes lo quieren y lo conocen afirman que definitivamente lo suyo no es el estudio, "no le gusta". Y siempre ha preferido el campo como su actividad principal. Lo definen como un joven generoso y quien siendo niño solía regalar los juguetes que le traían Santa Claus y los Reyes Magos a sus amigos del rancho de la hacienda de San Cristóbal, donde vivía sin pretensiones de lujo cuando su padre buscaba la candidatura presidencial en el año 2000.

Según el acta constitutiva de la sociedad de producción rural Agropecuaria La Estancia, del 26 de julio de 2001, Vicente Jr. es sólo un "agrónomo".

Cuando su padre asumió la Presidencia de la República, el joven se mudó junto con sus hermanos: Ana Cristina, Paulina y Rodrigo, a la residencia oficial de Los Pinos, donde compartió la "cabaña" con el presidente y su madrastra, Martha Sahagún.

La paternidad lo sorprendió a temprana edad. A los 21 años contrajo matrimonio con Paulina Rodríguez, con quien tiene un hijo, Vicente III, de apenas dos años de edad, quien acapara el afecto y atención del presidente.

Sin ninguna preparación que lo respaldara, en 2003 incursionó en los negocios de transporte, con el cobijo de Salvador Sánchez Alcántara, dueño de Estrella Blanca. Un familiar del joven confirmó lo que hasta entonces sólo ha sido un rumor: el muchacho es dueño de por lo menos un autobús con un valor estimado de un millón y medio de pesos. Supuestamente, el vehículo fue comprado en módicos pagos descontados de su sueldo mientras trabajó en la empresa de transporte.

Estrella Blanca no sólo cobijó a Vicente Jr., sino también desde esa época apoya las acciones filantrópicas de Martha Sahagún en la fundación Vamos México. Estrella Blanca ha donado los autobuses que ya no le sirven para que sean utilizados como aulas en sitios de extrema pobreza, los cuales son entregados por la primera dama en ceremonias en las que participan el secretario de Educación, Reyes

Tamez, y en su momento Vicente Fox de la Concha. Hasta el 3 de abril de 2003, Estrella Blanca había donado 103 unidades y pensaba donar 490 más, según dijo Martha Sahagún en un evento de entrega de autobuses. Además, la empresa ha donado a Vamos México más de 23 millones de pesos en efectivo. El vicepresidente de Estrella Blanca, Arturo Sánchez de la Peña, hijo de Sánchez Alcántara, es fundador de Vamos México.

Según especialistas en la materia, en este sexenio Estrella Blanca ha sido beneficiada con una importante restructuración de sus adeudos bancarios en el Fobaproa por más de 1 489 millones de pesos.

Vicente Fox de la Concha, *Vicentillo* —como lo llaman sus más allegados—, se tomó en serio su papel en Grupo Estrella Blanca. Igual ha participado en la entrega de autobuses-aula que la empresa ha donado a la organización civil encabezada por su madrastra, Martha Sahagún; que se ha presentado a reuniones de socios de Estrella Blanca acompañando al presidente de la compañía, Salvador Sánchez Alcántara.

En muchos de los eventos de Estrella Blanca y Vamos México, realizados en 2002 y 2003, la pequeña figura de *Vicentillo* estuvo presente. Siempre vestido de traje y muy callado, compartía el templete con Martha Sahagún y Sánchez Alcántara.

En agosto de 2003, socios minoritarios de la empresa acusaron a Sánchez Alcántara de defraudarlos por un monto de 500 millones de pesos (*La Jornada*, 17-08-2003) bajo el amparo de su cercanía con *Vicentillo* Fox y Martha Sahagún. Los denunciantes, Manuel de Jesús Vallejo, Miguel Silva de Anda, Ramón Navarro Serrano y José de Jesús González, afirmaron que el presidente de Estrella Blanca ha llegado a presentarse a las reuniones de socios acompañado del hijo del presidente de la República, cuyos escoltas rodearon todo el lugar. "Así, ¿cómo podemos pedir cuentas?" se quejaron en ese entonces.

Los empresarios denunciaron que cómo era posible que a ellos, con muchos años de trabajo, les hubiera costado tanto conformar su flotilla de autobuses y cómo el hijo del presidente lo consiguió "de la noche a la mañana", eso sin contar con su cortísima edad y que no tiene ningún tipo de estudio ni experiencia en los negocios.

La empresa en la que el hijo del presidente Fox tiene intereses ha sido favorecida este sexenio con importantes contratos del gobierno federal.

De 2002 a 2005, Estrella Blanca ha obtenido contratos por un monto de 290 474 925 pesos por medio de licitaciones públicas, invitación restringida y hasta adjudicación directa (sin concurso), por servicios de transporte, según consta en documentación oficial a la que se tuvo acceso.

Los contratos coinciden con las fechas en que *Vicentillo* Fox entró a las filas de la empresa y con su actual papel de camionero. Las dependencias que han dado los contratos más jugosos a Estrella Blanca son el Instituto Mexicano de Seguridad Social, el Instituto de Salud y Seguridad Social para los Trabajadores del Estado (ISSSTE); Banobras, Bansefi, CFE, Pemex Petroquímica, Diconsa, Agroasemex y el Instituto Nacional de Migración (que depende de la Secretaría de Gobernación). Esta última dependencia, tan sólo en 2004, le dio contratos por 234 millones de pesos (véase el anexo 18).

En la actualidad Vicente Jr. ya no trabaja como empleado en Estrella Blanca, sino que oficialmente es "gerente de ventas" de una sucursal de la BMW localizada en la esquina de Boulevard Campestre y Boulevard Juan Alonso de Torres, en la ciudad de León.

La sucursal pertenece a la empresa Euromotors del Centro, S.A. de C.V., de Grupo Sony. Según personal administrativo de la concesionaria, ésta se halla ligada al Grupo Bavaria, propiedad de Eduardo Henkel, amigo íntimo de la pareja presidencial, quien

ANEXO 18

Proveedores y contratistas

Para ver el detalle de las partidas o conceptos adjudicados, oprima su número. Si requiere ir a una licitación, invitación o adjudicación, selecciónela.

AUTOBUSES ESTRELLA BLANCA S.A. DE C.V.	
R.F.C.	AEB-611030-SN7
Domicilio	PONIENTE 140 . 659, INDUSTRIAL VALLEJO,AZCAPOTZALCO,DISTRITO FEDERAL 2300
Teléfono	57295187
Fax	57295130
Correo electrónico	
Giro u objeto social de la empresa	SERVICIO DE TRANSPORTACION TERRESTRE DE PASAJEROS, PAQUETERIA Y MENSAJERIA.

No. de licitación	Cantidad de partidas	Importe sin IVA
00005003-001-03	2	$1,600,000.00
00005003-028-04	1	$481,739.13
00637111-006-03	1	$281,200.00
	2	$1,596,540.00
		$114,108.00
		$2,399,999.99
		$79,925.00
		$847,500.00
		$32,403.00
		$148,846.95
		$24,000.00
		$53,476.00
		$418,200.00
		$173,880.00
		$998,282.00
		$190,000.00
		$2,437,488.00
		$65,193.60
		$8,542,891.04
		$8,475,600.00
		$95,742.00
		$2,534.55
		$92,347.50
		$537,175.00
		$323,928.00
		$4,000,000.00
		$3,684,762.60

No. de licitación	Cantidad de partidas	Importe sin IVA
04111002-008-04	4	$48,420,000.00
04111002-034-04	1	$14,620,000.00
04111002-035-04	4	$163,620,864.00
06084001-001-03	2	$43,560.00
06084001-001-05	2	$118,920.00
06084001-007-03	1	$128,064.00
06320035-013-03	2	$834,240.00
06325001-011-03	4	$1,891,912.80
06325001-012-04	1	$1,800,000.00
06325001-015-02	1	$1,078,272.00
06370001-011-04	1	$1,739,130.40
06800002-020-02	1	$1,700,000.00
06800002-021-03	1	$995,820.00
06812002-004-04	1	$800,000.00
08331069-005-04	1	$340,374.37
09195011-013-04	1	$700,000.00
12270001-014-03	1	$327,250.00
16101113-010-03	1	$324,864.00
16101113-011-04	1	$345,600.00
18164012-032-03	1	$7,660,800.00
18578010-010-04	1	$1,110,000.00
18578010-017-02	1	$922.15
20095001-015-04	1	$47.00
20150001-006-02	1	$1,300,000.00
Subtotal acumulado durante el año 2002		$9,778,279.64
Subtotal acumulado durante el año 2003		$20,143,728.80
Subtotal acumulado durante el año 2004		$257,557,494.64
Subtotal acumulado durante el año 2005		$118,920.00
No. de invitación	Cantidad de partidas	Importe sin IVA
11186001-0001-05	1	$360,000.00
11186001-0003-03	1	$756,000.00
11186001-0022-03	1	$66,000.00
16101113-0029-04	1	$1,588,000.00
Subtotal acumulado durante el año 2003		$822,000.00
Subtotal acumulado durante el año 2004		$1,588,000.00
Subtotal acumulado durante el año 2005		$360,000.00
No. de adjudicación	Cantidad de partidas	Importe sin IVA
06101133-0010-03	1	$4,997.00
06101133-0037-03	1	$24,750.00
09437025-0261-04	1	$55.00
11186001-0002-05	1	$76,700.00
Subtotal acumulado durante el año 2003		$29,747.00
Subtotal acumulado durante el año 2004		$55.00
Subtotal acumulado durante el año 2005		$76,700.00
Total acumulado		$290,474,925.08

Contratos dados a la empresa en la que Vicente Fox de la Concha tiene camiones.
FUENTE: Compranet.

junto con su esposa Rosaura Henkel es el segundo proveedor más importante de Los Pinos, y en lo que va del sexenio ha obtenido contratos —sin licitación pública de por medio— de por lo menos 40 millones de pesos.

Llama la atención que cuando uno se comunica por teléfono a la concesionaria preguntando por Vicente Jr., los empleados responden que no está.

Nadie olvida que cuando llegó el primer minicouper convertible a León (distribuido por la BMW), de más 400 000 pesos, el hijo del presidente lo apartó de inmediato. Se lo llevó y al día siguiente lo mandó pintar de otro color.

Vicente Jr. vive hoy en uno de los fraccionamientos más exclusivos y caros de León, según se pudo constatar mediante diferentes recorridos en la zona. Habita una amplia residencia estilo californiano, de color amarillo claro, teja roja y unos cocos plumosos plantados en la banqueta exterior, localizada en la entrada del fraccionamiento Privada Cumbres del Campestre en la calle de Monte Líbano, justo a un costado del Tecnológico de Monterrey.

En la cochera de la casa se puede distinguir una Suburban azul marino con cerca de cinco elementos del Estado Mayor Presidencial y en la puerta del caserón una camioneta BMW azul marino sin placas.

✳ ✳ ✳

Ana Cristina Fox de la Concha es la mayor de los hijos del jefe del Ejecutivo. Sus familiares afirman que le encantan las fiestas; será por eso que desde que inició el sexenio no cesa de aparecer en las revistas *Quién* y *Caras*, especializadas en la cobertura del *jet set* mexicano. A los reporteros que cubrieron las actividades de la campaña electoral de 2000 llegó a decirles: "A mí lo que me gusta es el desmadre".

En junio de 2002 salieron a la luz pública las diferentes cirugías y arreglos que se hizo la primogénita del presidente. Su revista favorita *Quién* publicó su notable descenso de peso, la cirugía plástica en la nariz y las extensiones de pelo que transformaron su corta cabellera por una larga y sedosa.

Ana Cristina va a todas: igual asiste a las fiestas de sus hermanastros, los Bribiesca Sahagún, que a las de los políticos de partidos opositores a su padre, como Jorge Kawaghi, los Madrazo o los Zedillo. Cuando alguien pretende sugerirle que baje el ritmo de sus salidas, ella se queja: "Todos los muchachos de mi edad salen todos los fines de semana, ¡pero sólo a mí me retratan!"

Pese a que se ve una joven de carácter fuerte, en realidad quienes la conocen la describen como una muchacha "muy tierna y tímida". Estudió leyes en la Universidad Iberoamericana, en el plantel Santa Fe de la Ciudad de México, donde sus compañeros no olvidan una de las frases más célebres de la hija mayor del presidente. En una clase en la que se hablaba de los distintos regímenes políticos y de los beneficios de tener un gobierno democrático, Ana Cristina levantó la mano desde su mesabanco: "yo pienso que sería mejor que en México tuviéramos una monarquía", dijo ante el asombro y algunas risas de sus compañeros. "¿Por qué?" preguntó el profesor, "porque entonces mi papi sería un rey y yo una princesa".

Ana Cristina, afecta a las bolsas *fake* de Louis Vuitton con la que acompaña sus costosas prendas de Armani o Versace, se mudó durante varios meses a Madrid en 2004 por sugerencia de su madre. Ahí, recomendada por su padre con el presidente de la Asociación de Restaurantes, aprendió un poco del negocio turístico. En un principio viajó sin escoltas, pero, después de los atentados del 11 de marzo de ese año, su padre pagó de su bolsillo —según Los Pinos— escoltas para su hija.

Ana Cristina disfruta las facilidades de ser la hija del presidente y hoy día trabaja en el departamento de relaciones públicas del hotel Camino Real, propiedad de Olegario Vázquez Raña, uno de los mejores amigos de su madrastra, Martha Sahagún.

Para la buena suerte de Ana Cristina Fox, ella no tuvo que esperar meses o años —como muchos de los egresados universitarios— para conseguir un buen empleo, gracias a una feliz "coincidencia".

El 19 de enero de 2005, la colaboradora de *El Universal*, Lilia Abarca, publicó una reveladora entrevista con la hija mayor de Vicente Fox, quien hasta la fecha no se ha titulado de la carrera de derecho que cursó en la Universidad Iberoamericana.

—¿Y cómo encontraste tu trabajo actual?

—Cuando regresé de Europa decidí integrarme de nuevo a la hotelería y comencé a analizar los perfiles de los hoteles mexicanos. El Camino Real cubría lo que yo pretendía: es un hotel muy contemporáneo, muy mexicano… en fin, fui a visitar a un amigo de la familia, don Olegario Vázquez Raña, propietario de la cadena Camino Real, y él me pidió entrevistarme con su hijo Olegario Vázquez Aldir.

"Mi visita coincidió justo con un puesto vacante de relaciones públicas. Era justo el de directora de relaciones públicas del hotel Camino Real México."

Pese a que Ana Cristina pasó un año haciendo pininos en algunos hoteles y restaurantes de España, al parecer los propietarios de la cadena hotelera le encontraron el talento necesario para ocupar el puesto.

En esa entrevista dio luz sobre los lugares donde las hijas y la ex esposa presidencial suelen pasar sus vacaciones.

—¿A dónde vas de vacaciones?

—Siempre voy con mi hermana (Paulina) y mi mamá a lugares exóticos, como Egipto, Rusia, la Patagonia y Estambul.

Lo anterior no tiene nada que ver con aquellos tiempos de austeridad de la campaña presidencial en que Vicente Fox no podía pagar a sus hijos ni las colegiaturas, y la madre de éstos, Lillián de la Concha, tenía que pedir dinero a Lino Korrodi, el operador financiero de Amigos de Fox.

Y como si esas vacaciones no fueran suficientes, Ana Cristina Fox, pese a su trabajo en la Ciudad de México, no restringe su participación en las giras de su padre por el mundo. En la realizada a Ucrania y Moscú a finales de junio de 2005 invitó a por lo menos dos amigas en la comitiva presidencial, quienes viajaron en el avión Boeing TP01, Benito Juárez.

* * *

En las megamisiones que organizaron los Legionarios de Cristo para la Semana Santa de 2005 hubo una *responsable* —así llaman a las jóvenes mayores que van de guía— muy especial: Paulina Fox de la Concha.

La megamisión inició con una misa oficiada por el cardenal Norberto Rivera en la Basílica de Guadalupe y concluyó en las instalaciones de la Universidad Anáhuac.

Durante una semana, del 19 al 27 de marzo, la hija del presidente guió a un grupo de más de 20 jovencitas para hacer trabajos de evangelización en Aguazotepec, Hidalgo.

Pese a que todo el tiempo estuvo vigilada por ocho escoltas del Estado Mayor Presidencial que viajaban a bordo de dos Suburban, Paulina pasó las mismas penurias que las chicas a quienes cuidaba. Igual durmió en colchonetas sobre el piso, lavó baños, se bañó a jicarazos, caminó kilómetros para visitar rancherías y comió las decenas de latas de atún que llevaban casi como único alimento. Hasta igual tuvo que pegar de brincos y gritos cuando un ratón se metió al cuarto donde dormían.

Cuando las estudiantes de colegios como El Rosedal, Paseo del Bosque, Monte Verde y Cumbres —entre otros— se percataron de que era la hija del presidente, la bombardearon con todo tipo de preguntas, sobre todo acerca de Martha Sahagún: que cómo se llevaba con ella, que si de verdad ni se hablaban, que si no la quería, que si la esposa de su padre era una bruja.

"Lo único que voy a decir es que es una relación de respeto" afirmó Paulina. Ante la insuficiencia de la respuesta para satisfacer la curiosidad de las jovencitas, las preguntas se volcaron otra vez.

"No vine a hablar de política ni de esas cosas", las paró en seco y ya nadie volvió a preguntarle nada sobre el tema.

Como cualquier chica, Paulina platicó sobre su novio Luis e incluso compartió la forma como se le declaró. Fue hace un par de años en Six Flags, justo cuando los dos iban a saltar del *bongie*.

Cuando su pareja quiere darle una sorpresa, lo hace en la casa de su madre, Lillián de la Concha. También comentó que le encanta bailar salsa y que de hecho toma clases de baile con su novio en una academia.

Para evitar cualquier conflicto, cuando Paulina Fox acudía a hacer trabajo social a las comunidades junto con el grupo de chicas, se presentaba como *Paulina Flores*. Las jóvenes que estuvieron con ella la recuerdan como una muchacha muy sencilla y sin pretensiones.

Cuando las *responsables* dieron testimonio de sus vidas en una misa celebrada en el transcurso de esos días, Paulina Fox de la Concha dijo que ella era adoptada y —sin decir el nombre de sus padres— afirmó que era muy afortunada por el amor y la educación que le habían dado y que siempre estaría agradecida con la vida por ello.

En abril de 2005 celebró su cumpleaños 22 e hizo una magna fiesta en los jardines de Los Pinos, a la que asistieron unos 250 invitados, según narró una de las jóvenes de la misión invitada a la celebración.

Paulina entonces ya no parecía tan sencilla rodeada del imponente ambiente donde vive. La festejada apareció con una minifalda negra, botas negras y una blusa.

A su escasa edad, Paulina es considerada la más inteligente y centrada de esa familia. Estudió la preparatoria en la Universidad Anáhuac de León y luego se inscribió en la carrera de relaciones industriales en el plantel norte de dicha universidad en la Ciudad de México. Sus familiares la describen como una "niña" de carácter fuerte y "llena de valores". En los últimos años ha obtenido excelencia académica en sus estudios.

Paulina es la más cercana a su madre, aunque en su carácter son poco parecidas. Lillián asegura que comparte más el ánimo festivo de Ana Cristina; pocas veces se han separado: fue Paulina quien dio apoyo a su madre cuando Vicente Fox se casó con su vocera y quien se fue a vivir con su mamá a Roma, donde terminó su último año de preparatoria.

En junio de 2005 terminará su licenciatura y sus planes son cursar una maestría. Actualmente trabaja en el corporativo transnacional de Bimbo, propiedad de Lorenzo Servitje, en el área de Relaciones Interinstitucionales. Después va al gimnasio y por las tardes asiste a la universidad.

✻ ✻ ✻

Rodrigo, de 17 años y el más pequeño de la familia Fox De la Concha, cursa el penúltimo año de preparatoria en el Colegio Manuel Mounier, en Cuajimalpa, Ciudad de México. Lo que más gusta a sus padres es que en ese plantel es sólo un muchacho más, igual de importante que el resto de sus compañeros.

Quienes lo conocen lo describen como "un chico chistoso", "buen amigo" y aplicado estudiante, sin ser una lumbrera. Hace poco incursionó en los caminos del amor y acaba de terminar con su primera novia.

Sus mejores amigos, los más queridos, son los hijos de trabajadores de su padre en el rancho San Cristóbal, adonde sale cada viernes. Ahí pasea con *El Venan*, *Danny* y *Raulito*, entre otros, a quienes incluso ha llegado a invitar a vacacionar a la bahía de Acapulco.

Mientras llega el anhelado viernes, el hijo menor del presidente recibe por las tardes clases de tenis en Los Pinos, aunque, según sus familiares, pasa demasiado tiempo solo.

* * *

La familia Fox Quesada, encabezada por doña Mercedes Quesada viuda de Fox y nueve hijos: José Luis, Vicente, Cristóbal, Javier, Mercedes, Martha, Susana, Cecilia y Juan Pablo, tiene prestigio y abolengo, pero nunca ha sido considerada una de las más ricas.

Don José Fox, quien murió en 1995, era un hombre muy alto —más que el presidente—, delgado, con buen carácter, dicharachero, folclórico y vacilador. Quienes lo conocieron lo recuerdan como un hombre muy trabajador.

Doña Mercedes siempre ha cargado con la fama de tener un carácter fuerte y reacio.

Así, entre esas dos aguas, los nueve hijos fueron creciendo en la hacienda de San Cristóbal, en San Francisco del Rincón, Guanajuato. Los más chicos, Cristóbal, Javier y Juan Pablo, iban a un medio internado en León, con las monjas guadalupanas.

Conforme los hijos se casaron, llegaron a vivir a León a colonias de clase media y media alta, como la Arvide, Tepeyac y Jardines del Moral, lejos de lujos excesivos y automóviles ostentosos, con excepción de Mercedes, quien desde hace muchos años vive en Residencial Club Campestre, una de las zonas residenciales de clase alta más caras de la ciudad.

Los cuatro hermanos varones estaban asociados en partes iguales en distintas empresas: El Cerrito, S.P.R. de R.L., Botas Fox y Congelados Don José, S.P.R. de R.L., como las más importantes. Vegetales Frescos y Fox Brothers ya desaparecieron.

El Cerrito, S.P.R. de R.L., registrada con el folio mercantil M31187 en el municipio de San Francisco del Rincón, Guanajuato, fue constituida en febrero de 1981 con un capital de un millón de pesos (100 000 pesos de ahora). El presidente era Cristóbal; el secretario, Vicente; el tesorero, José Luis, y el comisario, Javier. Durante muchos años, el hoy presidente fue el apoderado de la empresa. Según el historial de registro consultado, en la década de los noventa la empresa necesitó recursos frescos; por ello, el 30 de noviembre de 1994, El Cerrito pidió un préstamo a Banca Serfín por 50 000 pesos, a pagar en 24 meses. En 1995 pidieron al mismo banco otro préstamo por 250 000 pesos, a pagar en julio de 1997.

Congelados Don José, S.P.R. de R.L., dada de alta con el folio mercantil número 57 en el Registro Público de la Propiedad de León, fue constituida el 3 de octubre de 1984 con un capital social de 50 000 pesos. Como socios estaban los cuatro hermanos.

Botas Fox, S.A. de C.V., con el folio mercantil M20-1081, fue constituida el 20 de julio de 1970. Los socios iniciales eran José, Javier, Cristóbal, Emma Cabrera de Fox y José Luis Fox Pont.

Durante varios años, la empresa fue objeto de diferentes préstamos. Según se registró el 11 de noviembre de 1995 —cuando Fox era gobernador de Guanajuato— Exportadores y Empresas del Centro, S.A. de C.V., le prestó 4.8 millones de pesos, pagaderos hasta el 31 de diciembre de 1997. Unos días después, el 15 de diciembre, Banamex le hizo un préstamo pagadero a 10 años por 4.9 millones de pesos. El 24 de julio del año siguiente quedó registrado un nuevo préstamo por 2.8 millones de pesos.

* * *

Durante el año 2000, mientras Vicente Fox competía por la Presidencia de la República, sus hermanos pasaban por una de las peores crisis económicas y legales.

Un pariente político de los Fox Quesada entrevistado sobre el tema comentó que en la familia existe una cultura del despilfarro y suelen gastar más de lo que tienen.

En octubre de 1999 (*Milenio* semanal) salieron a relucir las precarias finanzas de la familia Fox Quesada y sus múltiples adeudos con el Fobaproa.

Enrique Vilatela, entonces director del Banco Nacional de Comercio Exterior, informó que la familia Fox tenía un adeudo por 3 121 600 dólares y que, al no cumplir con sus obligaciones, el banco aceptó que sólo pagaran 440 000 dólares, 14% de lo que recibieron. Los 2 681 600 dólares restantes fueron absorbidos por el Fobaproa, como parte del rescate bancario.

Dicha familia también tenía débitos con seis bancos privados que ascendían a 12 398 000 dólares, de los cuales 5 211 000 se encontraban también en el Fobaproa. En ese entonces, Cristóbal Fox Quesada reconoció la información y aclaró que su hermano ya no tenía nada que ver en los negocios familiares: "Vicente ha tomado la decisión de retirarse de las empresas, donde tenía 20% de las acciones".

Los problemas les llovían. El 5 de marzo del año 2000 (periódico *La Jornada*), el First National Bank (*sic*), por medio de su apoderado legal Michael McCarthy, denunció penalmente a Juan Pablo Fox Quesada, el hermano menor del presidente, por el delito de fraude.

La empresa financiera aseguró que el menor de los Fox la había engañado y perjudicado en su patrimonio, al haberse ostentado como director general de la empresa Vegetales Frescos, ubicada en San Francisco del Rincón, Guanajuato, con facultades para contraer créditos.

En octubre de 1997, Juan Pablo Fox Quesada fue a Edinburg, Texas, y firmó un crédito con First National Bank por 100 000 dólares, los cuales se supone que pagaría en 10 mensualidades, a partir de febrero de 1998. Un año después, octubre de 1998, el menor de los Fox tenía siete mensualidades vencidas, lo cual originó una renegociación de la deuda en la que se comprometió a liquidar todo el préstamo en octubre de 1999. Hasta ese año el banco descubrió que no era el director, ni tenía facultades para contraer créditos a nombre de la empresa.

La denuncia levantada ante la Procuraduría General de la República exigía el pago de los 100 000 dólares más 18% anual de intereses y una indemnización por gastos y honorarios devengados por el denunciante. Ante ello, se inició la averiguación previa 87/DGMOEB/2000. El abogado del First National Bank, Jesús Horacio Rodríguez, y autoridades de la PGR supuestamente constataron la inexistencia de dicha compañía (Vegetales Frescos).

El lunes 19 de junio de 2000 (*La Jornada*), las autoridades hacendarias enviaron a la Secretaría de Hacienda información relacionada con las investigaciones que agencias de Estados Unidos llevaban a cabo en torno a las transferencias financieras que realizaron los hermanos Juan Pablo y Cristóbal Fox Quesada. Se estima que las triangulaciones ascendieron a cerca de 30 millones de pesos.

"Los hermanos de Vicente Fox realizaron una venta de dólares a Consultoría Internacional Casa de Cambio por 1.3 millones de dólares, entre transferencias, documentos destinados a terceros y efectivo; y a su vez compraron a la casa de cambio 630 000 dólares", indicaba la información.

Autoridades hacendarias de Estados Unidos informaron a la Secretaría de Hacienda, el 24 de junio de 2000 (*La Jornada*), que los hermanos Juan Pablo y Cristóbal Fox Quesada "realizaron, entre agosto de 1997 y mayo de 2000, transferencias financieras que podrían estar relacionadas con delitos bancarios en México, por 1.95 millones de dólares".

Dichas autoridades dijeron que para hacer esas transferencias se usaron cuentas bancarias abiertas en Estados Unidos a nombre de Vegetales Frescos, S.P.R. de R.L., y Congelados Don José, S.P.R. de R.L., cuyo director era Cristóbal Fox Quesada.

Una vez pasadas las elecciones del 2 de julio, el Tribunal Electoral del Poder Judicial de la Federación ordenó investigar cuatro empresas de la familia: Congelados Don José, El Cerrito, Vegetales Frescos y Fox Brothers (estas dos últimas están liquidadas), por su presunta participación en la triangulación de recursos a la campaña presidencial de Vicente Fox, junto con las empresas de Lino Korrodi. Al final, en el último dictamen del Instituto Federal Electoral se dijo que no se encontraron pruebas suficientes para afirmar que el dinero entregado de las cuentas bancarias de las empresas de Lino Korrodi a las compañías de los hermanos Fox hubiera sido transferido a la campaña presidencial.

Cuando terminó la campaña de Vicente Fox, las finanzas y la reputación de las empresas de la familia Fox Quesada estaban por los suelos. Sólo un milagro podía salvarlos, y los milagros llegaron.

"¿Cómo pueden ahora gozar de una posición económica bastante acomodada si estaban tan mal hace apenas cuatro años? —comentó un amigo de la familia—. Siempre fueron malos para los negocios; ¿de dónde viene ahora tanto éxito?"

* * *

José Luis es el mayor de los hermanos de la familia Fox Quesada. Cuando su padre don José murió, él se quedó como una especie de patriarca de la familia. "Es el líder de la familia" señalaron familiares. Cuando los hermanos Fox comenzaron a crear negocios por doquier en la década de los noventa, José Luis se quedó a cargo de El Cerrito, S.P.R. de R.L.

El hermano mayor del presidente tiene una gran ascendencia sobre éste y mucha más cercanía que el resto de los hermanos. De hecho, en la boda del presidente con la vocera Martha Sahagún, celebrada el 2 de julio de 2001, el único familiar de Vicente Fox que asistió a la secreta ceremonia llevada a cabo en una de las "cabañas" de Los Pinos fue José Luis, acompañado de su esposa Lucha.

Otra prueba de la cercanía es que Vicente confió a su hermano José Luis la administración de los negocios y bienes de la empresa Agropecuaria La Estancia, S.P.R. de R.L., creada por el presidente a principios del sexenio y cuyo objeto social se había desconocido hasta ahora.

Quienes conocen a los hermanos Fox afirman que José Luis y Lucha son los que "brillan en sociedad".

A lo largo de su vida, José Luis Fox Quesada ha sido sobre todo un hombre de campo, aunque por un tiempo estuvo muy involucrado con la Confederación Nacional de la Pequeña Propiedad y el grupo Venexport. Además, junto con Miguel Álvarez del Castillo promovía la exportación de productos de Guanajuato.

Cuando Vicente ganó la gubernatura, anunció que no iría a ningún evento social y, a falta de primera dama, su cuñada Lucha tomaría ese lugar. Ella iba a todos los eventos y salía en las páginas de sociales de los diarios locales. Cuando alguien quería acercarse al gobernador, lo hacían con la autorización de la pareja Fox-Lozano.

Quienes conocen a José Luis lo describen como un hombre "muy buena onda" y "encantador", pero los primeros años de este sexenio presidencial mostró otro rostro. Empresarios de León afirman que él y su esposa se comportaban más como los *Beverly Ricos* y se la pasaban pegados a Sari Bermúdez, directora del

Consejo Nacional para la Cultura y las Artes (Conaculta) con el fin de asistir a los eventos culturales más exclusivos.

Algunos todavía recuerdan que cuando Martha Sahagún estaba organizando el concierto de Elton John en el Castillo de Chapultepec, José Luis y Lucha trataban a toda costa de vender boletos para asistir al evento y, aseguran, andaban en actitud engreída.

En la actualidad, el hermano del presidente se encarga del rancho de su madre y de la empresa El Cerrito, S.P.R. de R.L., ubicada en el kilómetro 1 de la carretera León-Cuerámaro, en San Francisco del Rincón.

Según la información oficial, durante todos los ciclos agrícolas primavera-verano 2001, 2002, 2003 y 2004, el hermano mayor del presidente ha sido uno de los beneficiados del Programa de Apoyos Directos al Campo (Procampo) con el número de registro en el padrón 804029376.

En la página de internet de Procampo y en su decreto de creación (25 de julio de 1994) se especifica:

> El programa es un subsidio directo que el gobierno federal otorga por medio de la Sagarpa. Tiene como objetivo específico apoyar el ingreso de los productores rurales.
>
> El objetivo del programa, desde su inicio, ha sido mejorar el nivel de ingreso de las familias rurales, principalmente aquellos productores que destinan su producción al autoconsumo y que por comercializar su cosecha se encontraban al margen de los sistemas de apoyo anteriores.

Se supone que el programa está enfocado al apoyo de las familias rurales con escasos recursos.

Según las reglas de operación publicadas en febrero de 2002, ningún propietario puede recibir apoyos para más de 100 hectáreas, pero el hermano mayor del jefe del Ejecutivo es la excepción.

En el primer año de gobierno del sexenio de su hermano, José Luis Fox Quesada recibió 91 190 pesos de apoyo para el riego de 110 hectáreas, ubicadas en el municipio de San Francisco del Rincón, Guanajuato. Para el ciclo primavera-verano de 2002, obtuvo del gobierno federal 96 030 pesos; en 2003, 99 550 pesos; y en 2004, 102 850 pesos como subsidio federal. En cuatro años, el hermano del presidente recibió 389 000 pesos (véase anexo 19).

El apoyo que ha recibido el hermano del presidente contrasta con su ritmo de vida, pues a simple vista queda muy lejos de ser un agricultor con escasos recursos que necesite subsidios del gobierno, sobre todo si se conoce la lujosa residencia que acaba de adquirir.

A finales del primer año del sexenio, José Luis y su esposa, Lucha Lozano, decidieron abandonar su casa en Debussy número 205, en la colonia Tepeyac, para mudarse con bombo y platillo a una majestuosa casa en Residencial Club Campestre.

La vivienda que ocupaban en el Tepeyac, colonia de clase media en León, era grande y contaba con un amplio jardín con un sauce llorón en el centro. Quienes la visitaron señalan que no era lujosa ni ostentosa. En la sala, en vez de sillones, tenían bases de cemento donde ponían cojines para sentarse y del mismo estilo eran las recámaras.

José Luis Fox Quesada se vio golpeado con las crisis económicas de las empresas de la familia, al igual que el resto de sus hermanos. Por eso sorprendió a todos cuando a finales de 2001 se mudó a su casa de Residencial Club Campestre.

El hermano del presidente hoy vive en una hermosa residencia ubicada en la calle Álamo 321. La casa fue construida por el arquitecto de la familia presidencial Humberto Artigas y tiene un valor comercial de por lo menos nueve millones de pesos, según el mercado inmobiliario de la zona.

La fachada frontal de la residencia está flanqueada por unas palmas. El portón principal de cedro rojo se halla rodeado de un

ANEXO 19

ASERCA
PROCAMPO
APOYOS DE 2001 A 2004

PRODUCTOR	NOMBRE	APELLIDO PATERNO	APELLIDO MATERNO	AÑO	CICLO	SOLICITUD	PREDIO	SEC	SUPERFICIE APOYADA (Has.)	MONTO APOYADO ($)
804029376	JOSE LUIS	FOX	QUEZADA	2001	PV01	08016237170	800306150	1	40.00	33,160.00
804029376	JOSE LUIS	FOX	QUEZADA	2001	PV01	08016237172	800306179	1	40.00	33,160.00
804029376	JOSE LUIS	FOX	QUEZADA	2001	PV01	08016237306	803929919	1	15.00	12,435.00
804029376	JOSE LUIS	FOX	QUEZADA	2001	PV01	08016237309	803929920	1	15.00	12,435.00
804029376	JOSE LUIS	FOX	QUEZADA	2002	PV02	08026233515	800306150	1	40.00	34,920.00
804029376	JOSE LUIS	FOX	QUEZADA	2002	PV02	08026233517	800306179	1	40.00	34,920.00
804029376	JOSE LUIS	FOX	QUEZADA	2002	PV02	08026233650	803929919	1	15.00	13,095.00
804029376	JOSE LUIS	FOX.	QUEZADA	2002	PV02	08026233661	803929920	1	15.00	13,095.00
804029376	JOSE LUIS	FOX	QUEZADA	2003	PV03	08036287555	800306150	1	40.00	36,200.00
804029376	JOSE LUIS	FOX	QUEZADA	2003	PV03	08036287557	800306179	1	40.00	36,200.00
804029376	JOSE LUIS	FOX	QUEZADA	2003	PV03	08036287689	803929919	1	15.00	13,575.00
804029376	JOSE LUIS	FOX	QUEZADA	2003	PV03	08036287690	803929920	1	15.00	13,575.00
804029376	JOSE LUIS	FOX	QUEZADA	2004	PV04	08046238735	800306150	1	40.00	37,400.00
804029376	JOSE LUIS	FOX	QUEZADA	2004	PV04	08046238737	800306179	1	40.00	37,400.00
804029376	JOSE LUIS	FOX	QUEZADA	2004	PV04	08046238853	803929919	1	15.00	14,025.00
804029376	JOSE LUIS	FOX	QUEZADA	2004	PV04	08046238885	803929920	1	15.00	14,025.00

INFORMACIÓN CONSULTADA DE LAS B.D. DE CIERRE

Recursos públicos recibidos por José Fox Quesada, hermano mayor del presidente.
FUENTE: Sagarpa.

inmenso marco de cantera y al lado derecho tiene una fuente al ras del suelo. Los enormes ventanales con marcos de madera permiten mirar hacia adentro, donde se aprecia una biblioteca, cuyos enormes libreros de cedro claro ocupan algunos muros de piso a techo; por eso se ha puesto una escalera corrediza para alcanzar los libros que están hasta arriba. De los muros de la biblioteca llama la atención la cabeza de un antílope disecado, que en otros tiempos estuvo colgada en el rancho de su hermano Vicente, en la hacienda de San Francisco del Rincón.

Pero la parte más espectacular de la casa es la fachada trasera que da justo al *green* del campo de golf del club. Desde ahí se aprecian los enormes ventanales con persianas blancas de madera, que sirven como cortinas, y los salones con pisos de cantera y madera.

En el jardín, al igual que en las remodelaciones que hizo en las oficinas de transición, ubicadas en Paseo de la Reforma 607, Ciudad de México, el arquitecto Artigas colocó un aro de cantera blanca, rodeado por brillantes pensamientos amarillos. Y están sembrados unos esbeltos cocos plumosos.

En el garage de la casa estacionan un Mercedes Benz gris oxford placas GJA 8450 y una camioneta jeep Liberty último modelo.

Actualmente El Cerrito es considerada una empresa internacional y multinacional, según el perfil de la empresa obtenido en Thomson, Gale. Cuenta con 50 empleados y en 2003 tuvo ventas por 100 000 dólares, algo así como 1.1 millones de pesos. El Cerrito produce brócoli, cebollas y maíz.

Pero José Luis Fox Quesada, el hermano más cercano al presidente, no sólo ha sido beneficiado con recursos públicos de Procampo, sino también ha gozado del privilegio de viajar en las comitivas de hombres de negocios de las giras presidenciales. Así ocurrió en la gira realizada en febrero de 2005 a Argelia-Marruecos-España-Italia. El hermano mayor del presidente viajó en la cabina principal del avión presidencial TP01, junto con empresarios como el regiomontano Federico Sada, dueño de Vitro; y aunque mantuvo un bajo perfil absteniéndose de hablar con la prensa, participó en las reuniones de negocios que llevó a cabo Vicente Fox en su gira de trabajo. Con esa posibilidad de contactos y presentándose como hermano del presidente, es difícil pensar que no pueda cerrar un buen negocio, en competencia desleal con los cientos de pequeños, medianos y grandes empresarios de México.

Cuando su hermano el presidente llegaba a algún evento, como una cena con la reina Sofía de España, José Luis iba pegado a él. Así ocurrió en el recorrido por la Feria de Arte Contemporáneo llevada a cabo en Madrid, donde se expuso el cuadro de *Las dos Fridas*, de Frida Kahlo. José Fox encontró la oportunidad de hablar amenamente con los reyes de España: la reina Sofía y el rey Juan Carlos. En Argelia no perdió el tiempo para entrar a una reunión con el mandatario de ese país.

A principios de 2005, Lucha Lozano de Fox también fue invitada de honor en una gira presidencial, pero sólo para turistear. Fue parte de la comitiva que acompañó a Vicente Fox a visitar las ruinas de Calacmul, en Campeche.

* * *

El mejor ejemplo de la bonanza de las empresas que fundaron los hermanos Fox Quesada es la empresa Congelados Don José, S.P.R. de R.L., que actualmente es considerada una compañía "transnacional y multinacional", según el perfil de la empresa difundido por la misma Thomson, Gale. Y goza de créditos millonarios del West Fargo.

En una entrevista concedida por Vicente Fox a *Proceso* en julio de 1993, resumió en una frase la situación de la congeladora: "Es parte del enorme ejército de pequeños y medianos empresarios, cuya economía está destrozada".

El objeto social de la compañía, según la información del Registro Público de la Propiedad de León, es la compraventa e industrialización en todas sus formas de productos agrícolas, así como su congelamiento, distribución, venta y exportación, y la prestación de servicios de congelamiento de productos agrícolas por cuenta propia o de terceros.

A los tres años de su fundación, los hermanos Fox iniciaron una escalada de solicitudes de préstamos con diferentes instituciones crediticias, principalmente Banca Serfín. Según el historial de la empresa, de 1987 a 1998 la congeladora pidió préstamos por más de 16 millones de pesos para salir adelante; sin embargo, no lo logró.

En 1997 quedó inscrito en el folio del registro de Congelados Don José el embargo realizado por la Secretaría de Hacienda por una deuda fiscal de 233 000 pesos. En 1999 tocó el turno al Instituto Mexicano del Seguro Social, quien solicitó al Registro Público de la Propiedad la inscripción de un embargo por una deuda de 715 000 pesos por no haber enterado las aportaciones de los trabajadores. Ese año, en julio, los hermanos José Luis, Vicente, Javier y Juan Pablo donaron sus acciones a su madre, doña Mercedes. El 20% restante lo conservó su hermano Cristóbal. Ese día la señora donó a Cristóbal todas las acciones, por lo que él se quedó con la Congeladora y en bancarrota. Muchas de las deudas de la compañía estaban en Fobaproa.

No obstante, Cristóbal Fox Quesada pronto encontró nuevos compañeros de negocios: en junio de 2001, como su hermano es el presidente de la República, el 5 de junio de 2001 se asoció con Roberto Servitje Achutegui, presidente de Grupo Altex y sobrino de Lorenzo Servitje, dueño de Bimbo.

De 1.3 millones de pesos de capital social, Congelados Don José aumentó a 6.5 millones. Servitje Achutegui es dueño de 80% de las acciones y Cristóbal conserva el 20%. Con el dinero, Cristóbal Fox pudo pagar todas sus deudas en Fobaproa.

Personal que ha colaborado con la empresa, a quien se le ha consultado, señala que en 2001 la fábrica de congelados era sólo una nave industrial descuidada, con dos líneas de producción. Hoy prácticamente es una instalación nueva y cuenta con tres líneas de producción.

Las fuentes comentan que al inicio de la sociedad, personal de Altex tomó el control de la compañía para sanearla y ponerla al día, y que incluso hubo una época en la cual Cristóbal no tomaba las decisiones en la empresa ni estaba físicamente ahí.

Desde la sociedad con Servitje Achutegui, los recursos no paran de fluir, como si el negro historial crediticio de Congelados Don José se hubiera borrado de un plumazo. Prácticamente cada año la empresa recibe un préstamo que se puede cuantificar en millones de dólares.

El primer crédito quedó registrado en el Registro Público de la Propiedad con el número de solicitud de inscripción 827 998, el 24 de octubre de 2001. El crédito lo dio Banamex por 1.3 millones de dólares.

El segundo crédito lo dio nuevamente Banamex el 22 de julio de 2003 por 53.5 millones de pesos y tres meses después el mismo banco les prestó 1.3 millones de dólares.

El 14 de diciembre de 2004, Congelados Don José celebró un contrato con Wells Fargo Bank para obtener un crédito hasta por un monto de 2.5 millones de dólares.

En sólo tres años, la pequeña empresa Congelados Don José, con un pésimo historial crediticio, ha recibido en préstamos 10.1 millones de dólares (113.6 millones de pesos).

Con todo ese flujo de capital, Congelados Don José ha sido beneficiada en varias ocasiones con apoyos de dinero público que le ha entregado el gobierno federal mediante la Secretaría de Economía y por parte de la Secretaría de Agricultura. Por ejemplo, en 2002 recibió capacitación para Pymes (programa oficial para apoyar pequeñas y medianas empresas) en materia de exportación y ese año también fue apoyada con recursos de Sagarpa vía el Consejo Nacional Agropecuario.

En 2003, Congelados Don José aparece en el listado de empresas beneficiadas con el Programa de Promoción Comercial y Fomento a las Exportaciones de Productos Agroalimentarios y Pesqueros.

La empresa fue aceptada para ser apoyada por el Fondo Sectorial Sagarpa 2004 destinado "al desarrollo de tecnología de vanguardia para automatizar el proceso de reembolsado de vegetales congelados IQF con fines sanitarios de exportación". La mayoría de los organismos apoyados con dicho fondo son universidades públicas e instituciones de investigación.

Actualmente, según la página de internet del Consejo Nacional Agropecuario, la empresa produce 45 millones de libras de brócoli, 8 500 libras de colifor y cuatro millones de libras de calabaza.

En los terrenos de los hermanos Fox, incluidos los del jefe del Ejecutivo, en los últimos años se han levantado cerca de 40 viveros enormes que se pueden apreciar a simple vista a partir de donde termina la barda de la casa de doña Mercedes Quesada, en la hacienda de San Cristóbal. Los expertos afirman que prácticamente cada vivero tiene un costo de un millón de dólares.

Personal que colabora en la empresa señaló que volvió a quedar bajo la administración directa de Cristóbal Fox y que los administrativos enviados en un principio por grupo Altex ya no están físicamente en el lugar. El hermano de Vicente Fox es oficialmente el director general de la compañía.

Aunque se supone que Roberto Servitje es el socio mayoritario, Cristóbal Fox Quesada representa a la empresa a nivel internacional, como ante Texas-Mexico Frozen Food Council o el Buró Trilateral (Canadá-EU-México) para la Solución de Controversias sobre Frutas y Hortalizas. En 2005, el hermano del primer mandatario funge como vicepresidente del organismo internacional.

Cristóbal está casado con Emma Cabrera y oficialmente viven en Puerto de Almeira 204, en la colonia Arvide. Se trata de una casa de unos 20 años de antigüedad, con muros de color café claro, portón de aluminio y un indiscreto letrero que dice "Fox", con un valor fiscal de 2.2 millones de pesos. Además, la pareja tiene una propiedad en Debussy 204 en León Moderno (Tepeyac) y otra en el Club Campestre, en la calle de Álamo A 20, según la Dirección de Impuestos Inmobiliarios y Catastro, de la Presidencia Municipal de León.

Cristóbal también se quedó a cargo de la Fábrica de Botas Fox, S.A. de C.V., y, según los registros de las últimas asambleas ordinarias de socios, su hijo Cristóbal Fox Cabrera está al frente de la empresa que ahora sólo maquila.

En 2001, mediante el programa Procede, de la Secretaría de Economía Procede, dicha empresa fue beneficiada con 5 000 pesos. Y como parece que la familia presidencial no está dispuesta a desperdiciar el último año del sexenio de Vicente Fox Quesada, Cristóbal también participa en las comitivas de negocios en las giras de su hermano. Así sucedió en el viaje realizado a finales de junio de 2005 a Ucrania y Moscú. Cristóbal viajó con su esposa Emma y, según dijo el secretario de Economía Fernando Canales, lo hizo en su calidad de hermano del presidente y de hombre de negocios exitoso.

Cristóbal Fox Quesada participó en Moscú en la reunión con un "selecto grupo de empresarios", según quedó indicado en la agenda presidencial.

Como parte de la comitiva de negocios también fueron invitados Gastón Azcárraga, del Grupo Posadas y presidente del Consejo Mexicano de Hombres de Negocios, y Federico Sada, esposo de Liliana Nieto de Sada, amiga íntima de la primera dama, quien ha sido el viajero frecuente en las giras presidenciales del sexenio.

* * *

Juan Pablo Fox Quesada, el más chico del clan Fox, ha vuelto al ruedo de los negocios. Respecto a la demanda interpuesta por First National Bank, el entonces procurador general de la República, Jorge Madrazo Cuéllar, la desechó por considerar que no había elementos para fincar responsabilidades, pues los préstamos se usaron para cubrir otros adeudos de las empresas de la familia.

Al parecer, los antecedentes del hermano menor del jefe del Ejecutivo ante la justicia de Estados Unidos no desalentaron al polémico empresario Jorge Vergara (dueño del equipo de futbol Club Guadalajara) a hacer negocios con él.

Entrevistado para esta investigación, Vergara reconoció ser socio de Juan Pablo Fox Quesada desde hace tres años en la empresa Vegetlán, S.A. de C.V., que produce cerca de 17 millones de lechugas tipo Boston al año, mediante la técnica de hidroponia, y exportan a Estados Unidos.

"Lo conozco bien, somos socios desde hace tres años" señaló Vergara. "Ha sido un negocio en el que nos ha ido muy bien, hemos tenido mucho éxito con eso de las lechugas."

La sede de la empresa está en León, Guanajuato, dijo Vergara: se trata de un módulo de producción de cinco hectáreas (50 000 metros), que funciona con la tecnología de albercas profundas.

Vicente Fox se siente muy orgulloso del éxito de su hermano. El 13 de mayo de 2005 presumió públicamente lo bien que le va a su hermano menor en el negocio, cuando un empresario le reclamó que durante su sexenio su negocio no había levantado.

El presidente dijo que Juan Pablo vendía cada lechuga en 30 pesos. Si la producción anual es de 17 millones de lechugas, eso significa que la empresa del hermano de Fox obtiene 85 millones de pesos al año.

A todos sorprende lo bien que marchan los negocios de Juan Pablo, sobre todo cuando durante muchos años, antes de que su hermano fuera electo presidente, intentó de manera infructuosa sacar adelante varios negocios. Uno de ellos fue la fallida experiencia al frente de las pizzerías Domino's Pizza, las cuales, aunque todo el mundo sabe que prácticamente se venden solas, fueron reventadas por Juan Pablo Fox Quesada.

* * *

Javier Fox Quesada es el cuarto del clan Fox Quesada y está casado con Gemma de los Dolores Padilla. En la época en que los negocios familiares se multiplicaron, él se quedó como encargado de las zahúrdas —criaderos de puercos— y del negocio de comida para el ganado. Oficialmente ahora se dedica a la venta de seguros y es dueño del equipo de basquetbol *Los Lechugueros;* por lo que se ve, le ha ido muy bien porque, de estar en la quiebra como el resto de sus hermanos, ahora goza de una liquidez que le permitió pagar la exquisita boda de su hija Gemma Fox Padilla con Raúl Cruyff González Orozco (*sic*), celebrada a fines de 2003 en las playas del Mayan Palace en Nuevo Vallarta, Jalisco.

Según las crónicas de la ceremonia (*a.m.* de León) la relación de Javier Fox Quesada con funcionarios y gobernadores es estrecha. A la boda de su hija asistieron como invitados especiales el gobernador de Jalisco, Francisco Ramírez Acuña, el gobernador de Guanajuato, Juan Carlos Romero Hicks, el secretario de Comunicaciones y Transportes, Pedro Cerisola, y ¡por supuesto! la pareja presidencial: Vicente Fox y Martha Sahagún.

La novia portó unos broqueles antiguos de su bisabuela Catalina Echaide de Quesada y un ramo elaborado por *Pancho*

Amador, su tío, quien consiguió en Holanda los canalalilis (*sic*) de tono naranja quemado.

El menú estuvo compuesto por una selección de sushi, gazpacho y clam chowder, ensalada Gorgonozola con lechuguitas y nuez caramelizada, ensalada de tres corazones de palmito y flor de vinagre de maracuyá. Hubo también carpacho de cayo de hacha y salmón hervido en vinagre de mostaza y miel, así como medallones de langosta acompañados de puré de camote con miel.

"Cuando Gemma bailó con Javier Fox, su papá, se lanzaron unas bombas de fuegos artificiales", se menciona en la crónica. Nada mal para la hija de un vendedor de seguros.

El miembro más polémico de la familia Fox Padilla es su hijo Javier, el joven que en el gobierno de Vicente Fox en Guanajuato fue detenido por haber falsificado papeles oficiales de la Secretaría de Educación Pública. Resulta que el joven no había terminado la preparatoria y fue a comprar en Michoacán papeles falsos para ingresar a la Universidad Iberoamericana, plantel León. Finalmente lo soltaron, pero, según platicó a sus amigos, tuvo que entregar toda la papelería que acredita sus grados de estudio.

Definitivamente, Javier es un muchacho que suele meterse en aprietos. Tiempo después del triste episodio de la universidad viajó con unos amigos a Australia; un día apostó todo el dinero que llevaba y lo perdió, por lo que tuvo que sobrevivir de la ayuda de los demás.

Hoy, aparte de dedicarse a la venta de tequila *Mi México Fox*, también se dedica a abrir y cerrar bares y restaurantes como quien abre y cierra los ojos. Como no es muy bueno para los negocios, todos los termina cerrando. Ni siquiera asociándose con otras personas, como los empresarios Hugo Muñoz Padilla y Mauricio Trejo, ha tenido más suerte.

En marzo de 2003 abrió el bar Dante y ya lo cerró. Abrió el restaurante Los Agaves, en la Plaza del Campestre, asociado con

Muñoz Padilla, y tuvo que terminar rentando a otra persona su parte proporcional de establecimiento porque no le funcionó.

Pero él no es el único que intenta hacer sociedades con el empresario, sino también su padre Javier Fox Quesada, quien al intentar incursionar en el negocio de los deportes casi se asocia con el ex propietario del equipo de futbol de Irapuato *La Trinca*, Cléber Mayer.

En junio de 2004 (*a.m.* de León), el hermano del primer mandatario fue visto con Muñoz Padilla, el presidente municipal de León, Ricardo Alanis, y Mayer, quienes intentaban llevar al equipo de Irapuato a jugar al estadio de León como su sede. Lo malo es que, meses después, Mayer fue relacionado con José María Tirzo, acusado de narcotráfico.

En León se afirma que Javier Fox Quesada se ha dedicado a vender en el sexenio seguros para flotillas de Pemex, así como para gobiernos de distintos estados.

El 16 de diciembre pasado, el columnista Alberto Barranco —hoy integrante del Instituto Electoral del Estado de México— escribió que el hermano del presidente está involucrado directamente con una empresa transportista que presta servicios a Pemex Refinación, cuyo director es Juan Bueno Torio.

7. En Los Pinos, la reina Midas

En la esquina de Magnolia y Santiago, de la colonia residencial Fuentes de San Jerónimo, se levanta una enorme propiedad de estilo antiguo.

El viejo portón de madera es la entrada a un camino serpenteado que atraviesa un pequeño club de natación familiar, ahora abierto a los vecinos. El paso por la que fuera hace dos décadas la alberca de la familia Echeverría Zuno evoca la tragedia en la cual un joven perdió la vida hace 20 años.

La vereda, bordeada de plantas, conduce a una casa sencilla de estilo rústico de una sola planta. Adentro predominan los muebles de madera oscura, el preferido de la distinguida mujer que la decoró. En los costados hay dos pequeños despachos y una biblioteca donde el propietario suele realizar sus reuniones de trabajo: es la casa del ex presidente Luis Echeverría Álvarez y el espacio donde recibió, al menos en dos ocasiones, a Martha Sahagún Jiménez durante el segundo semestre de 2001. Estos encuentros fueron confirmados por un vocero gubernamental.

El primer encuentro de la primera dama y el oscuro personaje de la *guerra sucia* coincidió con el tiempo en que el presidente Vicente Fox dio la instrucción a Adolfo Aguilar Zínser (fallecido en junio de 2005) de conformar una "Comisión de la Verdad que

215

esclareciera los hechos de derechos humanos y corrupción". El propósito era desenterrar el pasado y entregar a la ciudadanía la verdad de lo ocurrido durante la llamada *guerra sucia*, la represión estudiantil de 1968 y las matanzas de Acteal y Aguas Blancas. Uno de los principales blancos de esta comisión era el ex presidente priísta Luis Echeverría Álvarez.

Apenas iniciado el sexenio foxista, el ex primer mandatario intentó por lo menos en tres ocasiones reunirse con el nuevo presidente; pedía tener una línea de comunicación con la cabeza gubernamental ante el proceso que preveía venir en su contra. Vicente Fox no aceptó, pero Martha sí.

* * *

Sahagún, quien se había iniciado recientemente en los avatares de la política nacional, desconfiaba incluso de la discreción de su propio equipo para manejar estos delicados encuentros. De acuerdo con los consultados, para la reunión con el ex presidente la primera dama no recurrió al llamado *pool rosita*, sino nuevamente a sus amistades incondicionales de Celaya.

Martha Sahagún llegó acompañada de una mujer desconocida en la política nacional: era la misma persona que fue con ella a los encuentros que sostuvo con el cardenal Norberto Rivera y el obispo de Ecatepec, Onésimo Cepeda, cuando les pidió que agilizaran la anulación de su matrimonio religioso con Manuel Bribiesca Godoy.

El papel de la acompañante fue una vez más el de un testigo de piedra que prefirió permanecer callada ante el azoro de verse en la casa del polémico ex funcionario, según relataron fuentes cercanas a la esposa del presidente Fox.

* * *

A los pocos días de que Vicente Fox ganó las elecciones presidenciales anunció que investigaría los hechos del pasado, que hasta ahora permanecen impunes, como la masacre del 2 de octubre de 1968, el *halconazo* de 1971 y las matanzas de Acteal y Aguas Blancas. Para ello, se crearía una Comisión de la Verdad, similar a la fundada en 1990 en Chile para aclarar los hechos de violencia política del periodo de Augusto Pinochet. Fox dio la instrucción a Aguilar Zínser de conformar un equipo de trabajo que delineara esa tarea.

El grupo fue integrado por cuatro funcionarios federales y tres miembros de la sociedad civil. Por parte de la administración foxista, la responsabilidad recayó en Santiago Creel, entonces secretario de Gobernación; Ramón Muñoz, encargado de la Oficina para la Innovación Gubernamental; Adolfo Aguilar Zínser, coordinador del gabinete de Seguridad Nacional; Rodolfo Elizondo, en ese tiempo coordinador de la Alianza Ciudadana, y Martha Sahagún, entonces vocera. De la sociedad civil fueron invitados Sergio Aguayo, Clara Jusidman y José Antonio Crespo.

El encargado de reunir las propuestas del grupo fue Aguilar Zínser, quien recuerda que Sahagún asistió solamente un par de veces porque los preparativos de su boda con Vicente Fox la tenían distraída.

En agosto de 2001, la propuesta fue entregada al presidente Fox, quien no dio una respuesta inmediata; pero a las dos semanas, el mandatario federal llamó a Aguilar Zínser para informarle su decisión: "No voy a hacer ninguna Comisión de la Verdad. Hazle como quieras, pero no la voy a hacer", dijo el mandatario al coordinador del gabinete de Seguridad Nacional, según reveló este último en una entrevista concedida a Arelí Quintero en mayo de 2004.

"Hazme una propuesta de una fiscalía institucional y discutiremos los términos de ésta, pero olvídate de esa historia de la Comisión de la Verdad", le recalcó el jefe del Ejecutivo a Aguilar Zínser.

La diferencia entre la propuesta original y la que anunció Fox es abismal. La primera tenía como fin desenterrar la verdad y decir a la gente lo que había sucedido con sus familiares desaparecidos y quiénes fueron los responsables. La segunda tenía el propósito de enjuiciar a los presuntos responsables y llevarlos a la cárcel, lo cual resultaría una farsa porque los delitos habían prescrito y se perdería la oportunidad de conocer la verdad.

"Eso se le advirtió al presidente Fox desde un principio… se le dijo que, de crear una fiscalía que actuara como juez, habría una acusación endeble en contra de los responsables de esas matanzas y el proceso terminaría siendo una gran farsa jurídica", opinó Aguilar Zínser.

El primer mandatario tenía la presión del ejército mexicano, que en voz del secretario de la Defensa Nacional, Clemente Vega García, y el ahora ex procurador Rafael Macedo de la Concha habían dado un "no" rotundo a la conformación de una Comisión de la Verdad; pero aun así, Vicente Fox había seguido adelante, detalló Aguilar Zínser en la entrevista publicada en *Diario Monitor*.

De ahí el asombro cuando anunció que ese plan debía quedar sepultado. Nunca hubo una explicación de por qué el presidente Fox había cambiado de opinión.

* * *

El primer encuentro de la primera dama con Echeverría Álvarez ocurrió porque el ex presidente quería abrir una línea de comunicación directa con Vicente Fox si se iniciaba un proceso judicial en su contra por su responsabilidad en la *guerra sucia*. Martha fue en representación de su esposo, dijo una fuente de gobierno.

La segunda reunión sucedió a finales de 2001 en medio de las manifestaciones agrarias que durante los últimos seis meses habían tenido al gobierno federal contra la pared. Esta vez estaba interesada en el encuentro la administración foxista.

Una fuente confió:

> Fue durante el conflicto con los piñeros que estaban haciendo muchas movilizaciones en el país. Ellos (gobierno federal) pensaban que era la gente de Echeverría —por medio de quien fuera su secretario de la Reforma Agraria, Augusto Gómez Villanueva— quienes estaban movilizando a todos los sectores campesinos en contra de Vicente Fox.
>
> Estaban muy peligrosas las movilizaciones; ya llevaban varios movimientos de campesinos y no podían controlar la situación. El ex secretario de Agricultura les ayudó a parar el problema.

* * *

En diciembre de 2001, tras dos semanas de manifestaciones y de que los piñeros vendieran sus productos en la capital del país, los medios de comunicación dieron a conocer el acuerdo entre los productores y el secretario de Agricultura, Javier Usabiaga.

Ambas partes convinieron en la constitución de grupos productores piñeros para ser sujetos del Fideicomiso de Riesgo Compartido, y se activó el Fondo de Apoyo al Cultivo de Piña, con el que la dependencia sería garante del pago de intereses de estos créditos.

Antes de la reunión del 28 de diciembre de 2001 en las instalaciones de la Sagarpa, en la que llegaron a un acuerdo, Usabiaga había señalado que detrás del conflicto existían "intereses oscuros".

La relación que Sahagún había iniciado con Luis Echeverría la continuó Usabiaga en forma personal con el ex presidente y con

Augusto Gómez Villanueva. Incluso el actual secretario de Agricultura se asesora del hijo mayor del ex mandatario, Luis Vicente Echeverría Zuno, quien tiene una larga experiencia en el trabajo en cuencas lecheras, según detallaron amigos de la familia Echeverría.

* * *

No sería la única vez que Martha Sahagún se involucrara en los asuntos de Estado. En 2003 tuvo encuentros con el ex presidente Carlos Salinas de Gortari, quien también ya había agotado los canales para reunirse con Vicente Fox.

En junio de 2000, unas semanas antes de las elecciones presidenciales, el candidato Fox había cedido a las peticiones de Carlos Salinas de Gortari y se verían en una reunión con varios empresarios.

Fox había salido de su oficina y se dirigía a casa de Roberto González (presidente de Maseca y Banorte) en Las Lomas, Ciudad de México, donde sería el encuentro. A mitad del camino tomó su celular, llamó a su amigo Lino Korrodi y le informó del cambio de planes: "No voy a ir, Lino. No me conviene que se sepa en estos momentos", le dijo.

El temor del entonces candidato de la Alianza por el Cambio era que, faltando unos días para los comicios electorales del 2 de julio, algún priísta filtrara la reunión a los medios de comunicación y eso influyera de manera negativa en el resultado.

Este hecho fue confirmado por uno de los testigos que iba en la Suburban que transportaba a Vicente Fox al encuentro frustrado. El chofer y escolta del candidato presidencial dio la vuelta y regresaron al hotel Fiesta Americana, ubicado en Paseo de la Reforma Norte, donde vivió Vicente Fox en los meses de campaña.

Sin embargo, Salinas de Gortari insistió: buscó dos veces más reunirse con el presidente electo y encontró en Martha Sahagún al interlocutor mediante el cual negociar con el gobierno de Fox.

Fuentes cercanas al salinismo explicaron que el ex presidente estaba interesado en negociar la libertad de su hermano Raúl Salinas de Gortari, preso en el penal estatal de Almoloya, en el Estado de México, desde principios del sexenio de Ernesto Zedillo, y quien fue liberado en junio de 2005.

A cambio, el ex presidente operaría varios temas para el gobierno de Vicente Fox, entre ellos la aprobación de la reforma fiscal, esperada desde el inicio del sexenio foxista y cuyo punto más controvertido era gravar con 15% de IVA los alimentos y medicinas.

Tal propuesta fue presentada en el Congreso de la Unión sin mayor éxito. Salinas de Gortari había logrado el acuerdo con Roberto Madrazo, líder nacional del PRI, y Elba Esther Gordillo, coordinadora de la fracción parlamentaria del Revolucionario Institucional en la Cámara de Diputados y secretaria general del tricolor.

El pacto lo rompió Madrazo cuando notó la fuerza que adquiría Gordillo, dijo un ex legislador cercano a la maestra. El punto de quiebre fue cuando los medios de comunicación bautizaron a la ex líder magisterial como "la gran reformadora".

Las negociaciones concluyeron con la ruptura en el PRI y la salida de la escena legislativa de Gordillo, principal aliada de Vicente Fox y Salinas de Gortari para lograr el acuerdo de las reformas estructurales.

Pero Sahagún ya había hecho su entrada triunfal a las grandes ligas de la política nacional y se había colado a la toma de decisiones en la Presidencia, como buscaría hacerlo después en el ámbito empresarial.

* * *

El mejor pretexto de la primera dama para tener el contacto con los empresarios más poderosos del país fue su fundación Vamos México, creada el 21 de septiembre de 2001 y en cuyo consejo directivo incluyó como asociados honorarios a 10 de los empresarios más prominentes del país, como Amparo Espinoza Rugarcía, Carlos Slim, Manuel Arango Arias, María Asunción Aramburuzabala, Emilio Azcárraga Jean, Alberto Bailleres González, Valentín Diez Morodo, Roberto González Barrera, Alfredo Harp Helú y Roberto Hernández.

Sin perder tiempo, la primera dama se dedicó con éxito a la caza de donativos. En un tiempo récord, comparado con cualquier fundación nueva, tuvo entradas millonarias de todo tipo de empresarios y políticos.

La lista de donadores de la fundación dejó a muy pocas empresas mexicanas a salvo de la seducción de aportar recursos a la esposa del presidente.

Los donantes fueron conocidos públicamente en febrero de 2004 a raíz del escándalo provocado por el rotativo londinense *Financial Times*, que reveló un manejo poco transparente de los recursos recaudados para los más necesitados.

Dichos donantes son los mismos políticos que antes jugaron del lado del ex presidente Ernesto Zedillo, como Jaime Camil, hasta firmas que se decían con graves problemas financieros, como Estrella Blanca.

También figuraron gobiernos estatales priístas, como el de Veracruz, en ese entonces encabezado por Miguel Alemán Velasco, o incluso cazatalentos como Horacio McCoy, director de la empresa Head Hunters Korn Ferry, quien, según los estados financieros de la fundación correspondientes a 2002 y 2003, hizo dos donativos de 100 000 pesos cada uno. McCoy ahora forma parte del Consejo Honorario de la fundación, según aparece en el directorio de Vamos México.

La reportera Georgina Gatsiopoulus publicó el 4 de febrero de 2004 en el periódico *El Independiente*: "Salvador Sánchez Alcántara, accionista principal de Estrella Blanca, donó más de 21 millones de pesos a Vamos México en 2002, mientras que su deuda vencida en ese mismo año, que forma parte del rescate bancario, sumó 20 000 millones de pesos".

Otro donador importante en ese año fue Roberto González Barrera —quien fungiera como vínculo en la fallida reunión entre Vicente Fox y Carlos Salinas de Gortari—, quien hizo un donativo a Vamos México en 2002 por 24 millones de pesos mediante el Banco Banorte y la comercializadora de maíz Maseca.

Roberto Hernández, director de Banamex-Citigroup, donó un millón de pesos, mientras que el Desarrollo Marina Vallarta, S.A. de C.V., que en ese entonces enfrentaba un conflicto con las autoridades ambientales acusado de corromper a servidores públicos de la Semarnat en Quintana Roo, fondeó la causa de la primera dama casi 19 millones de pesos.

A su vez, Coca Cola, que Fox Quesada presidió en América Latina antes de ser político, donó 10 millones de dólares para ejercer en un periodo de cinco años; esta aportación se hizo por medio de Visión México, nombre de Vamos México en Estados Unidos, cuya única donante es la refresquera.

De manera paralela al nacimiento de Vamos México, en octubre de 2001 la Lotería Nacional creó el controvertido fideicomiso Transforma México, desde el cual presuntamente se triangularon recursos a la fundación de la primera dama con donativos a empresarios, que luego los regresaron a la Vamos México de Martha Sahagún en forma de aportaciones para la filantropía.

"Estos dos entes se crean para no ser supervisados y triangular fondos desde lo privado a lo público y viceversa" explica Sara Murúa, especialista en análisis de instituciones de asistencia privada.

Murúa detalla que las organizaciones a las que el fideicomiso Transforma México hizo donativos pertenecen a empresarios relacionados directamente con Sahagún y el presidente, como la Unión de Empresarios para la Tecnología en la Educación, A.C.

(UNETE), en cuyo patronato están Enron de México, Claudio X. González, ex presidente del Consejo Coordinador Empresarial; Marinela Servitje de Lerdo de Tejada, la Universidad Anáhuac, de los Legionarios de Cristo, de cuya organización eclesiástica la primera dama fue tesorera en Guanajuato.

"En los informes de la fundación de la esposa del presidente, la constante es la poca claridad en el manejo de los recursos y el poco rigor en la presentación de los mismos", dice la analista Murúa.

En ese sentido, los reportes financieros de la fundación dejaron ver un detalle más: Vamos México, creada para ayudar a los pobres, guardaba en su almacén "joyas" por un valor de 3 586 161 pesos, que en ese entonces la vocera de la fundación, Yolanda Falcón, no supo explicar de dónde habían salido, pues en los documentos del organismo no se reportó la entrada de algún donativo con esa denominación.

* * *

A Martha Sahagún la impulsan no sólo las relaciones políticas o empresariales que ha hecho en su corto tiempo como primera dama. De acuerdo con integrantes del equipo foxista, ella no ve los límites políticos dentro de la Presidencia de la República porque conformó un equipo que, lejos de hacerle ver sus errores, la alienta con la idea de que puede conseguir casi todo lo que quiera, incluso sustituir a su esposo en el cargo.

Desde que fue nombrada vocera de la campaña presidencial de Vicente Fox, la hoy primera dama inició la conformación de un equipo homogéneo que a la larga se convirtió en el *pool rosita*, conocido así en Los Pinos por lo tiernos en materia política y que lo mismo se encargan de comprarle la ropa que hacerle discursos.

El amplio grupo de trabajo que tiene a su servicio, cuyos salarios son pagados con recursos públicos, llega a 32 personas, según una respuesta que la Presidencia dio mediante la *Ley Federal de Transparencia*.

Con salarios desorbitados, cada uno de estos empleados realiza de manera indistinta trabajo para la fundación Vamos México, que ella preside, igual que para eventos oficiales de la primera dama. Así lo dejó ver desde la presentación formal de su fundación, el 29 de septiembre de 2001, en el Poliforum Cultural Siqueiros, donde estuvieron los integrantes de la oficina de apoyo a la primera dama, como Georgina Morris, Ana García, Claudia Calvin y María Eugenia Hernández, entre otras asistentes que la auxiliaron en su discurso y preparativos del evento privado, a pesar de que desde entonces estaban adscritas a la nómina de la Presidencia de la República.

De acuerdo con el tabulador del gobierno federal, Georgina Morris, Ana García, Claudia Calvin, Darío Mendoza y Omar Saavedra, este último secretario particular, tienen un nivel salarial de coordinadores generales que se traduce en un salario bruto de 119 670 pesos al mes para cada uno, mucho más alto que el de la secretaria privada del presidente Fox, Rosa María Cabrero, cuyo salario bruto es de 85 000 pesos. Y se puede constatar de manera directa que también cuentan con chofer y vehículo otorgados por la Presidencia de la República.

Al equipo también se suman Rebeca Moreno, quien en los hechos es la asesora esotérica de la primera dama, pero que oficialmente tiene el cargo de directora de logística con un salario de 78 805 pesos brutos al mes; José Guillermo Domingo Velasco, que ostenta el cargo de director adjunto de Relaciones Públicas y que en la práctica es su vocero, con un salario de 98 772 pesos brutos; mientras que María Eugenia Hernández, secretaria privada de Sahagún, tiene un salario de 48 000 pesos y Ana López Mestre cobra por honorarios 45 000 pesos mensuales. Su tío, Fernando Senderos Mestre, es integrante honorario de la fundación Vamos México, que preside Martha Sahagún.

A su vez, las asistentes de la primera dama también solicitaron asistentes a su disposición con un salario de 79 000 pesos brutos, sólo 6 000 pesos por abajo del de la secretaria privada del presidente de la República. Es el caso de Ana Isabel Zubieta y Mayra Íñiguez, asistentes de Morris y Calvin, respectivamente.

Si se toman en cuenta sólo ocho de las más de 30 personas que Sahagún tiene a su disposición, la administración foxista eroga al año 10 480 000 pesos aproximadamente, que son pagados con recursos públicos.

La inexperiencia política y la mala situación económica hasta antes de llegar al gobierno federal son una coincidencia entre los integrantes del primer círculo de colaboradores de la primera dama. Pero la bonanza alcanzó hasta al nutrido grupo de apoyo a Sahagún.

Los casos más significativos son los de Georgina Morris, quien en el directorio de servidores públicos de la Presidencia de la República aparece como directora general de Relaciones Gubernamentales, inmediatamente abajo de Emilio Goicochea, secretario particular del presidente Fox, y María Eugenia Hernández. Ambos cargos, de acuerdo con el reglamento del gobierno federal, "requieren de conocimientos profesionales o de técnicas que se aprenden de una formación especializada".

Sin embargo, ambas están lejos de cumplir con esas características. En una solicitud de información (0210000063004) hecha a la Presidencia de la República por medio del Instituto Federal de Acceso a la Información (IFAI), la institución informó que el grado de estudios comprobables de Georgina Morris y María Eugenia Hernández es solamente el de preparatoria.

En esa respuesta no se entregó ningún detalle de alguna otra formación especial que hayan recibido para cumplir los requisitos de los cargos directivos a los que están adscritas.

Esas dos funcionarias, junto con la asesora esotérica Rebeca Moreno, son las asistentes de más cercanía personal e influencia en Martha.

Morris, en cuyo currículo señala como su trabajo más destacado —hasta antes de emplearse con Sahagún— haber sido asistente de producción en el programa de televisión "Aplausos del Canal 13", ahora se ufana de tener una residencia en Cuernavaca, donde organiza sus fiestas de fin de semana, según testigos que han sido invitados.

Pero con Morris, a Martha la unen alianzas personales más que laborales. La ex asistente de producción del programa "Aplausos" firmó como testigo de Sahagún en la carta enviada por la primera dama al Tribunal Eclesiástico para disolver su matrimonio religioso con Manuel Bribiesca, a pesar de que Morris se integró como parte del equipo sahagunista en Guanajuato en 1995, cuando el matrimonio con Bribiesca ya estaba concluyendo.

María Eugenia Hernández, secretaria privada de Sahagún, es un caso aparte: a los ojos de sus compañeros de trabajo que la vieron llegar a la campaña presidencial, cambió su nivel socioeconómico de manera repentina y poco explicable para una funcionaria que gana poco más de 40 000 pesos: actualmente vive en un departamento del número 999 de la calle Guillermo González Camarena en la exclusiva zona de Santa Fe, de las más caras en la Ciudad de México. Asimismo, es conocida por hacer trampillas, como la compra de bolsas piratas, de las cuales supervisa que coincidan las medidas exactas y colores con los modelos originales. Esto ocurrió en la gira del presidente Fox a Asia, en junio de 2001, cuando *Gina* Morris y la secretaria particular de la primera dama se presentaron en la sala de prensa —desde donde los reporteros enviaban a sus medios la información generada de la gira— para buscar en las páginas web marcas como Louis Vuitton con las medidas exactas de las bolsas para adquirirlas, sin riesgo de comprar un modelo inexistente en China, a los espléndidos precios conocidos mundialmente, muy por debajo del precio real que maneja la casa francesa.

Ahora la secretaria particular de la primera dama aparece en las revistas del corazón y del jet set mexicano como una de las 10 mujeres mejor vestidas del año, junto a las hijas de los empresarios más ricos del país, como ocurrió en la edición de la segunda quincena de mayo de 2003 de la revista *Quién*.

Colaboradores del primer círculo de Vicente Fox que fueron consultados coinciden en que este grupo de asistentes de la primera dama es el que la alienta en sus aspiraciones presidenciales, porque "la adulación y la actitud reverencial hacia Sahagún son una constante en cada uno de ellos. Ninguno se atreve a decirle un no, ni a discutir sus órdenes; al contrario, le alimentan la idea de que es presidenciable".

El resto del equipo que trabaja con la esposa del presidente y está adscrito a la nómina de Los Pinos se halla integrado por: Marcela Margarita Rojas Solórzano, Norma Edith Zamora Flores, Claudia Ortiz Barón, Luis Fernando Huerta Vélez, David Monjarás Gómez, Gabriela Ivette Ramos Valverde, José Ramón Mota Sánchez, Jaime Molina Olvera, Carla Pérez Ascencio Contreras, Cristina Real Romero, María Amparo Ríos Álvarez, Irma Olivo Ortega, Leticia Vázquez Jiménez, Abel Hernández López y siete personas más con un salario que se separa del resto, de entre 5 000 y 7 000 pesos.

Ellos se reparten el trabajo de Sahagún en Vamos México y su labor como primera dama, y asisten a eventos cotidianos, sin importar que sean eventos de la fundación o en su calidad de esposa del jefe del Ejecutivo.

En el informe de resultados de la Cuenta Pública de 2003, hecho público en la segunda semana de mayo de 2005, la Auditoría Superior de la Federación desarmó las declaraciones de la esposa del presidente en el sentido de que sus actividades públicas no se mezclan con las privadas. El análisis de la ASF fijó una postura clara respecto a la oficina de colaboradores creada para la esposa del primer mandatario dentro de la administración de Los Pinos: "... la cónyuge del C. Presidente, al no ser servidora pública (Sahagún no es la titular del DIF nacional), no puede dar el carácter de oficial a un acto público solemne en el que participe, de lo que se desprende la necesidad de definir las actividades conexas". Esto estableció el resultado del análisis que recomendó al Congreso legislar para normar las actividades de la esposa de Vicente Fox Quesada.

✳ ✳ ✳

"Yo no podría estar casado ni media hora con una mujer tan ambiciosa como Martha", decía el presidente Fox a su ex esposa Lillián de la Concha, cuando ésta le reclamaba la relación con su vocera, según familiares del primer mandatario.

Si esa percepción era real, sólo lo sabe el propio Vicente Fox. Lo cierto es que el 31 de mayo de 2001, la última vez que Lillián habló por teléfono con el presidente desde Roma, el jefe del Ejecutivo mexicano le propuso que regresara al país y volvieran a casarse. Ella aceptó: la boda sería en agosto de 2001.

Después de esa llamada, Lillián de la Concha no volvió a tener noticias personalmente del mandatario sino hasta 33 días después —el 2 de julio de 2001— pasadas las 14:00 horas de Roma, cuando Vicente Fox llamó a sus hijos para darles la noticia: "Acabo de casarme con Martha y soy feliz", les dijo en tono seco.

Como parte de un secreto de estado, un día antes de la boda los hijos varones del presidente fueron enviados fuera del país. Acompañados de la asistente de Fox Quesada, Rosy Puente, llegaron a Roma para reunirse con su madre y sus hermanas Ana

Cristina y Paulina. No había respuestas para los vástagos: confundidos, cruzaron el océano sin saber por qué los estaban sacando del país. A su vez, las hermanas Ana Cristina y Paulina se enteraron el mismo día: nunca encontraron respuesta al cambio en los planes del presidente.

Las siguientes dos veces que el primer mandatario y Lillián de la Concha se encontraron, el jefe de estado lloró como si fuera un niño desamparado: ocurrió en la boda religiosa de *Vicentillo*, el hijo mayor de la familia Fox de la Concha, y con más de 100 testigos frente a él.

La ceremonia se realizó en los jardines de Los Pinos, donde el triángulo presidencial de Vicente, Lillián y Martha se topó de frente. El cura que ofició el sacramento fue Santiago Pérez Santa Anna, el mismo que unió por la Iglesia a Vicente Fox y Lillián casi 30 años atrás. La boda era lo de menos. Había más de 100 personas entre funcionarios y familiares, quienes esperaban con morbo la actitud que asumiría cada uno al encontrarse.

El cura fue el pretexto para que se viera de frente la ex pareja Fox-De la Concha. El cura se acercó al presidente para darle la paz y Lillián lo acompañó hasta el lugar de Vicente Fox, quien se negó a llevar a su hijo al altar para mantenerse alejado de su ex mujer.

—Que Dios te dé la paz, Vicente —le dijo Lillián, extendiendo la mano ante decenas de invitados.

La reacción sorprendió a todos. El hombre que gobierna el país lloró sin control, como un niño, durante varios segundos. Se quedó de pie y sin responder nada; en seguida extendió la mano izquierda para asir el brazo derecho de Lillián de la Concha y así la mantuvo, apretándola con fuerza, sin dejarla ir.

El 1.90 m de estatura del mandatario permitió que gran parte de los invitados alcanzaran a ver su rostro lloroso por encima de las demás cabezas.

Martha también permaneció muda, a su lado, con el rostro descompuesto. "Que Dios te dé la paz, Martha", repitió el saludo la esbelta mujer sin recibir respuesta de quien —entendieron los testigos— aún era su rival.

La fiesta en los bien cuidados jardines de la residencia oficial transcurrió con un coqueteo entre los ex esposos. Vicente Fox pidió al capitán de meseros que tocaran *Sueño imposible* porque era la canción que se oyó el día de su boda con Lillián. Ella, mientras tanto, hacía un recorrido por todas las mesas, del brazo de su hija Paulina, agradeciendo a los invitados su asistencia.

El mandatario federal parecía divertido, a pesar de la evidenciada mala relación personal de su esposa Martha con sus hijos y su madre Mercedes Quesada.

La anciana, de carácter fuerte aún a sus 88 años, cerró la fiesta con una frase que saborearon los invitados, enterados ya de los pleitos privados de la familia presidencial.

"No te cases, espera a mi hijo, por favor", le dijo a Lillián de la Concha la mujer antes de retirarse.

El matrimonio de Vicente Fox y Martha es un tema difícil de explicar para la familia Fox. Cuando se les pregunta qué ocurrió, la respuesta es: "no sabemos".

—¿Hubo chantaje, presión o amor detrás de la boda Fox-Sahagún?

—No sabemos.

—No sabemos si hicieron algo juntos con lo que pudiera chantajear a Vicente, o si era sólo que quería casarse con ella… no lo sabemos —dicen.

Sin embargo, sus familiares reconocen que hay un Vicente Fox antes y otro después del matrimonio con Marta Sahagún, cuando cambiaron sus relaciones familiares e incluso con sus hijos.

"A mi papá ya no le importa si nos ve o no" se han quejado las hijas con su parentela.

La pregunta que se hacen constantemente Ana Cristina y Paulina Fox es: ¿qué habría pasado si el 2 de julio de 2001 el presidente hubiera dado la noticia de una boda con Lillián, en lugar de con Martha?

* * *

La pequeña clínica San José en Zamora, Michoacán, nunca había recibido un reconocimiento por parte del gobierno. La empresa Sabrimex, S.A. de C.V., no había logrado que sus exportaciones fueran señaladas como las mejores del año, ni el cura Alfonso Sahagún de la Parra, tío de Martha, se había ganado antes un premio de la Lotería Nacional.

Como si la boda con el presidente Fox la convirtiera en la reina Midas, la suerte alcanzó de un jalón a colaboradores y a toda la familia Sahagún.

La clínica San José, propiedad de Alberto Sahagún de la Parra, padre de la primera dama, y dirigida por su hermano Alberto Sahagún Jiménez, es la misma que Manuel Bribiesca, ex esposo de Martha, había rescatado en dos ocasiones de los problemas económicos que no les permitía comprar siquiera un equipo de tomografía y rayos X y que Bribiesca financió a mediados de la década de los noventa en su calidad "de hijo político" del doctor Sahagún, según dijo en entrevista el veterinario.

Diez años después de esas aportaciones del ex esposo de la primera dama, ahora la clínica San José tiene entre sus clientes más famosos a Petróleos Mexicanos, de donde, de acuerdo con el listado de adquisiciones de la paraestatal, sólo en enero de 2004 la pequeña clínica obtuvo un contrato de $5 591 314.19, por concepto de diversos servicios establecidos en la licitación número 18572040-001-04.

Para marzo del mismo año, la cifra creció a 6 639 526 pesos, otorgado mediante el contrato GSSCMZG-133-2004. Su rápido crecimiento le valió que la Secretaría de Salud le entregara, el 12 de noviembre de 2004, el certificado de calidad que no había recibido ningún otro hospital de todo el estado.

En la entrega del reconocimiento médico estuvieron presentes, además de la familia Sahagún Jiménez, el gobernador michoacano Lázaro Cárdenas Batel y el presidente Vicente Fox.

Alberto Sahagún declaró a los medios locales que la bonanza económica que vive su familia es el resultado de muchos años de trabajo, y no por el beneficio de su hermana desde la Presidencia. Sin embargo, los pobladores lo contradicen. Afuera de la clínica San José está un sitio de taxis cuyos choferes, que hacen guardia día y noche para conseguir pasaje, no esconden su enojo y dicen: "Nosotros vimos cuando llegó una camioneta rotulada con los escudos de la Presidencia y descargaron equipo médico; de ahí viene su modernización, ¿de dónde más?"

Aseguran que eso ocurrió una madrugada de enero de 2003; pero es su palabra contra la de los cuñados del presidente, y la expansión sahagunista sigue. En Michoacán acaba de ser inaugurado el centro Unión de Diagnósticos, propiedad del cuñado del presidente, el más moderno de todo el estado con una construcción de un edificio inteligente de tres pisos, totalmente equipado.

El polémico premio de la Lotería Nacional que el tío de Sahagún se ganó en 2002 quedó en el olvido, con la sola declaración del tío de la primera dama en el sentido de que fue un golpe de suerte y no malos manejos desde la casa presidencial.

Beatriz Sahagún Jiménez sigue los pasos filantrópicos de la primera dama, con su propia fundación Unidos por Michoacán.

Hasta antes de casarse con Vicente Fox, Marta Sahagún tenía dos terrenos en Celaya, de 10 hectáreas cada uno, que obtuvo de su divorcio con Manuel Bribiesca.

El polvoriento terreno del pueblo de Cortázar, donde estaba el rancho La Chinga, se halla en remodelación, con los muros derruidos de lo que fuera su casa de casada. El terreno se ve abandonado y sólo se asoma un perro flaco que se tambalea lento entre los establos vacíos.

"Lo van a arreglar, ha habido mucho movimiento últimamente; tiraron todo, muchas cosas y están preparando la tierra", dice un vecino del lugar.

El segundo, en la comunidad de Rancho Seco, de Celaya, solamente tiene construido un local de 16 metros cuadrados, donde el veterinario Bribiesca posee una pequeña sucursal de Ofavesa. En esos terrenos, ni a los hijos de la primera dama ni a ella les ha llamado levantar una vivienda.

"Pues si a ella ni le gusta el rancho, ya parece que va a estar regresando" asegura Manuel Bribiesca.

* * *

Es enero de 2005. Empieza el penúltimo año del gobierno foxista y la primera dama no desperdicia el tiempo. Tiene en su oficina de Los Pinos una reunión con empresarios del ramo de la construcción: se trataba de los desarrolladores de los lujosísimos condominios de Coral Diamante, localizados en la exclusiva zona Acapulco Diamante.

Entre los invitados a la residencia oficial estaban Gonzalo Bustamante, amigo cercanísimo de la primera dama, y Ricardo Rodríguez, quien acudió por recomendación del primero con el argumento de que quería presumir a su amiga los alcances turísticos del proyecto.

Ricardo Rodríguez fue preparado con una serie de maquetas para detallar la ubicación exacta y los detalles arquitectónicos de los condominios Coral Diamante, que contiene, además de una torre de lujosos apartamentos, el nuevo centro comercial La Isla. Antes de la reunión, alguien recomendó al ingeniero Rodríguez ofrecer a la primera dama uno de los departamentos como agradecimiento por el apoyo recibido.

La esposa del jefe del Ejecutivo, que aparentemente no conocía el tema, se presentó frente a ellos a los pocos minutos, saludó con efusividad a su amigo Bustamante y, antes de la presentación, felicitó a los empresarios, a quienes les ofreció su apoyo incondicional.

Un empresario involucrado con el desarrollo turístico detalló que, antes de despedirse de la esposa del presidente, uno de los desarrolladores hizo la propuesta de manera clara y le ofreció regalarle un departamento, a lo que ella simplemente respondió: "gracias".

La versión oficial que los socios de la inmobiliaria dieron al pedir una postura sobre este encuentro fue que la reunión con la primera dama sí se llevó a cabo; sin embargo, negaron que haya habido ofrecimiento alguno para la esposa del presidente. Con un nerviosismo evidente, dichos socios no supieron responder a cambio de qué pidieron el apoyo, si la primera dama no tiene injerencia en ese tema. Y es que los empresarios aún no tenían los permisos de construcción.

La respuesta fue que hubo apoyo, pero sin nada a cambio, porque se trata de un proyecto turístico que traerá una derrama económica importante y empleos a la entidad.

El proyecto inmobiliario ya está en proceso y tiene el ambicioso objetivo de ser el conjunto residencial más exclusivo de Acapulco Diamante, con una inversión prevista en 160 millones de dólares.

Los condominios de playa estarán ubicados en una torre en forma de zigzag de 14 niveles. La construcción será de 298 000 metros cuadrados con un frente de playa privada de 320 metros lineales. Contará con dos clubes de playa con restaurante bar, mesas de juego, seis piscinas, gimnasio y courts de tenis.

Entre los abogados que asesoran a la inmobiliaria está Diego Fernández de Cevallos, cuyos terrenos colindan con el exuberante desarrollo turístico.

Durante la entrevista, los empresarios reconocieron que Gonzalo Bustamante, quien les recomendara acudir con la esposa del presidente, es socio en el proyecto y tampoco negaron que él les instó a que acudieran a recibir el visto bueno de la primera dama.

Gonzalo Bustamante, hijo de Alberto Bustamante, quien desarrolló colonias como el Pedregal y Jardines de la Montaña en la Ciudad de México, es la misma persona que en febrero de 2004 prestó sus oficinas para que los integrantes de instituciones filantrópicas del país manifestaran su apoyo a Sahagún ante el escándalo que provocó la publicación del reportaje sobre Vamos México en el *Financial Times*.

En medio de las críticas por la presión que ejerció sobre el *Financial Times* para que no publicara el reportaje sobre Vamos México y el escándalo por los manejos poco claros de su fundación, Marta Sahagún había enviado una carta, revelada por el columnista Ciro Gómez Leyva, titulada "La verdad sobre Vamos México", en la que pedía a las instituciones de asistencia privada que la firmaran en señal de apoyo y se comunicaran a la oficina de Bustamante para ratificarlo personalmente.

* * *

La atracción de Marta Sahagún entre algunos empresarios sigue a un año de que termine el sexenio. Tiene su propio grupo de amigos, ajenos a quienes fueran los Amigos de Fox. Pero también trabajan en una campaña.

Uno de los más activos es el polémico dueño del Club Guadalajara, Jorge Vergara, quien se reveló en entrevista como amigo de la esposa del presidente.

Funcionarios cercanos al equipo de Martha Sahagún detallaron que Vergara, dueño de la empresa de multiservicios Omnilife y cuya fortuna hecha en los últimos 13 años ha provocado suspicacia entre los empresarios del futbol y columnistas de deportes, es uno de los activos económicos más importantes de la primera dama para sus aspiraciones políticas.

Las versiones de colaboradores de Sahagún coinciden en que, en marzo de 2005, la primera dama citó a su equipo en la cabaña presidencial para presentarles los pasos a seguir destinados a lograr una candidatura. Con la esposa del presidente estaban tres personas ajenas al equipo de Los Pinos: Jorge Vergara y los mercadólogos Claudio Jordo y Miguel Murdoch.

Murdoch hizo la exposición: explicó que septiembre era un buen mes para iniciar de manera abierta la campaña con Santiago Creel. En ese momento, el dueño del equipo Guadalajara se levantó e insinuó que ése podría ser el mes en que ocurriera el relevo de candidato (Martha por Santiago). La broma fue celebrada por todo el equipo, en tono de burla, pero Martha Sahagún no sonrió.

Vergara, quien al mismo tiempo se inició el año pasado como donador de Vamos México y es socio de Juan Pablo Fox en la empresa Vegetlán, reconoció en una entrevista que es amigo de la primera dama y de manera fluida explicó que en el caso de Martha Sahagún "ahorita no hay las condiciones" para que busque una candidatura presidencial, ni para el gobierno del D.F.; sin embargo, considera que para una senaduría sí las hay.

El extravagante empresario se ha confesado fanático lector de Og Mandino, autor de *El vendedor más grande del mundo*, ha intentado infructuosamente comprar el Atlético de Madrid y asegura que tendrá un equipo de futbol en cada uno de los 13 países donde Omnilife tiene presencia.

No obstante, sólo se permite tener un equipo por país, no dos. En el caso de México: "prefiero invertir en *Chivas* más de 25 millones de dólares al año; creo que es suficiente", dijo en una entrevista con la bbc.com el 11 de mayo de 2005.

Pero el empresario que ha visto posibilidades en Martha Sahagún como política parece tener una regla para entrar a los negocios, al menos al del futbol: ubica equipos con graves problemas económicos, deja que la falta de recursos los ahogue un poco y viene la contraofensiva. Así describe en un "chat" con radioescuchas de la BBC de Londres su estrategia para comprar el Atlético de Madrid, cuya adquisición se ha complicado: "Están intentando rescatar al Atlético. Cuando suceda, que creo que va a suceder, que no van a poder más, estaremos listos para entrarle".

De acuerdo con la revista *Fortuna* (8 de mayo), Omnilife, propiedad de Vergara, es una multiempresa que agrupa a otras dedicadas a diversas actividades, como la renta de aerotaxis, una línea de cosméticos, un proyecto agrícola de flores y hortalizas, un parque industrial, casas productoras de cine y música, varias revistas, dos escuelas, fundaciones culturales y tres equipos de futbol (*Chivas* de Guadalajara, *Chivas* USA y el *Saprissa* de Costa Rica).

En otros negocios, Vergara comenzó la construcción de un proyecto arquitectónico sin precedentes en Guadalajara, donde pretende construir el nuevo estadio de las *Chivas*, con capacidad para 50 000 espectadores, además de varios recintos para conferencias y exposiciones, el cual tendrá un costo aproximado de 700 millones de dólares.

La propia empresa, Omnilife, publicó una entrevista con Vergara en la página web de *Ambos medios*, en la que se describe de manera clara la suntuosidad del empresario que hace 13 años vivía de un negocio de carnitas en Jalisco. El amplio texto detalla:

Jorge Vergara tiene tres aviones privados. Uno de ellos es un Boeing Ejecutivo 737, que tiene una recámara y una sala y que, pensado para 150 personas, fue adaptado sólo para 37. En este jet ha traído a México a personalidades como Shakira, Sofía Vergara y Mariah Carey, entre otras, para sus eventos "Extravaganza" que realiza cada año en Guadalajara para celebrar las ventas e incentivar a más de 20 000 distribuidores.

Paga miles de dólares por las presentaciones de talla internacional para estos espectáculos. Mariah Carey se embolsó, por ejemplo, 500 000 del billete verde (más de 5.5 millones de pesos) por cantar una hora durante el evento de este 2004, tiempo en el que apenas intercambió unas palabras con el empresario, se tomó fotos y firmó autógrafos en billetes de 50 pesos para los hijos de éste. Después partió rápidamente en el jet de Vergara a Nueva York.

Sus numerosas empresas venden sus servicios, entre otros negocios externos, a Omnilife, su propia marca. Su invernadero de rosas Florian es el que provee de flores a los eventos y a sus distribuidores en fechas especiales, mientras que la empresa de su hijo, OML Entertainment, renta el equipo y video para presentaciones y conciertos que organizan ellos mismos...

El mencionado texto agrega que Vergara no tiene ningún partido de preferencia ni le gustaría ocupar un cargo, pero el empresario jalisciense aseguró a la revista *Fortuna* (el 4 de abril de este año):

En México, en los próximos cinco años va a haber cambios importantes en materia política y económica, pero hay que entender que los ciudadanos necesitamos cambiar a este país y no los políticos.

Necesitamos cambiar a algunos de nuestros gobernantes, porque creo que lo que han demostrado es un egoísmo bestial de partido y de persona.

Sin embargo, el trabajo de Vergara con Sahagún va en serio. "Tiene cualidades, tiene habilidades, además de que necesitamos un mayor impulso a las mujeres", dijo en entrevista para esta investigación.

El socio del hermano del presidente descarta que aún pueda impulsar a Sahagún para la candidatura presidencial, pero sigue de cerca a la primera dama. "Lo que se ve más viable es una senaduría" repite.

—¿La amistad con la esposa del presidente es consecuencia de su sociedad con Juan Pablo Fox?

—No, para nada; ella es otro paquete —responde Vergara.

8. Relaciones peligrosas

Cuando Aristóteles Onassis debía pasar una larga temporada en Nueva York se desnudaba en la azotea de un penthouse para conservar su bronceado. El multimillonario griego tenía una máxima implacable: "nadie hace negocios con un hombre pálido".

Será por eso que Jaime Camil Garza mantiene impecable el tono dorado de su piel. Algo tendría de razón el naviero griego porque si hay una cosa que el empresario coahuilense hace bien son los negocios; bueno, negocios y amigos, muchos amigos.

A sus 58 años, Jaime Camil Garza —padre del artista y cantante Jaime Camil— tiene en su rostro una sonrisa indeleble. Se burla de su mala reputación, que va desde el tráfico de armas hasta sus relaciones con socios del cártel de Juárez; ¿qué más le da si lo tiene todo: una fraterna amistad con el ex presidente Ernesto Zedillo, una carta escrita de puño y letra por la madre Teresa de Calcuta, y la simpatía de Neil Bush, hermano del presidente de Estados Unidos? Además, es dueño de la loma de la bahía más bella del mundo, Acapulco; de un yate valuado en 1.5 millones de dólares, aviones y residencias en Las Lomas, Los Ángeles y Bayou Bend, la zona más cara de Houston.

Sus amigos le envidian la esbelta figura, que mantiene gracias a las dos horas de ejercicio diarias. Anhelan su apariencia siempre impecable y su fama de "seductor". Pero si hay algo que hoy hace sonreír a Jaime Camil Garza es que se ganó la cercanía de Martha Sahagún de Fox, a quien desde 2001 apoya en sus negocios por la caridad.

Según el informe de la relación de donativos de 2001 y 2002 de la controvertida fundación Vamos México, que muchos dolores de cabeza ha causado a Martha Sahagún Jiménez, Jaime Camil Garza es la persona física que más dinero ha aportado a la asociación civil de la primera dama: 1 318 000 pesos, incluso más que los amigos millonarios de la primera dama; más que el ex propietario de Banamex, Roberto Hernández, quien regaló a la esposa del presidente un millón de pesos; más que Alfredo Harp Helú, quien también donó un millón de pesos, e incluso más que el director general de Telmex, Jaime Chico Pardo, quien aportó igualmente un millón de pesos.

Como ha sucedido con otros personajes indeseables del sexenio, Jaime Camil Garza entró a Los Pinos por la puerta de atrás, la puerta de la oficina de la primera dama, porque el presidente Vicente Fox no quiso abrírsela.

Recién pasadas las elecciones del 2 de julio de 2000, cuando Fox despachaba en Paseo de la Reforma 607, el empresario intentó hacer lazos con el presidente electo por medio de su allegadísimo Allan Nahum, actual director de comunicación social de la Secretaría de Relaciones Exteriores, quien en reuniones de trabajo se toma la libertad de llamar "mami" a Martha Sahagún. Por conducto de Allan, el siempre bien bronceado empresario ofreció a Fox que estaba dispuesto a apoyarlo en lo que fuera: la oferta concreta fue poner a su servicio un lote de vehículos para el uso de la oficina de transición y una camioneta blindada para él.

En aquel momento, el Estado Mayor Presidencial se encargaba de la seguridad del mandatario. Su equipo no creyó conveniente ni necesario el apoyo de Camil Garza, dada la mala fama que dicen que tiene, y rechazaron su altruista ayuda, según informó para esta investigación un testigo directo de la discusión.

"¡Mi vida, soy ave de tempestades, qué le voy a hacer!", reconoce el coahuilense en una entrevista inédita realizada por Anabel Hernández en 2003 respecto a su polémica relación con su nueva amiga, Martha Sahagún de Fox.

"Hace dos años me relacionaron con Carlos Saúl Menem (en el caso del tráfico de armas del ex presidente de Argentina); ¡al rato van a decir que yo maté a Kennedy!"

El comentario que hace no es para menos. El coahuilense ha sido relacionado en los últimos 16 años con negocios y personas que ponen en tela de juicio su reputación. Su padre era Jaime Camil Hage, un egipcio proveniente de El Cairo, fundador de Fertilizantes del Istmo y uno de los mejores amigos del ex presidente Adolfo López Mateos, quien acuñó la frase: "si no tienes un amigo árabe, búscalo".

En los inicios del sexenio de Miguel de la Madrid (1982-1988), Camil Garza era un vendedor de seguros y vivía en un departamento en la Ciudad de México, señalan quienes lo conocieron desde entonces. Un viejo amigo de su padre, el jefe de ayudantes de López Mateos, fue nombrado secretario de la Defensa Nacional, Juan Arévalo Gardoqui, quien quería a Camil Garza como a un hijo. Entonces se convirtió en el representante de una firma que obtuvo contratos para proveer de armas y equipo al ejército mexicano.

Quienes conocen desde aquella época a Camil Garza afirman que su situación económica y su vida cambió. Se construyó una magnífica residencia en Acapulco, en la cual desde entonces hasta ahora pasa la mayor parte de su tiempo. Ahí es donde obtiene su bronceado perfecto.

Años más tarde, Jaime Camil Garza construyó junto a su casa cinco residencias más para Plácido Domingo, Luis Miguel, Francisco Galindo Ochoa, Ramón Aguirre, ex regente del Distrito Federal, y Alberto Abed, ex dueño de Taesa investigado por la DEA por sus presuntos vínculos con el narcortáfico.

Al comenzar el sexenio de Carlos Salinas (1988-1994), Jaime Camil afianzó sus amistades en la nueva administración. Hizo una relación más cercana con Emilio Gamboa Patrón, secretario de Comunicaciones y Transportes y ex secretario particular de De la Madrid y José Francisco Ruiz Massieu (asesinado en 1994), entonces gobernador de Guerrero.

Camil Garza concentró su interés empresarial en Acapulco. Iniciaba el proyecto "Acapulco Diamante" y compró terrenos en la mejor loma de la bahía, desde donde se domina Puerto Marqués, la laguna de Tres Palos y el mar abierto. Durante su vida, el nuevo amigo de la primera dama desarrolló muchas habilidades que ampliaron su círculo de amistades: corredor de autos, piloto aviador, cantante aficionado —según las crónicas del *Houston Chronicle*—, poeta y jugador de golf. Gracias al buceo se convirtió en uno de los mejores amigos del ex presidente Ernesto Zedillo. En los ratos libres del mandatario, ambos iban juntos a bucear a Cancún.

Nadie se explica, muchos menos quienes conocieron bien a Zedillo, por qué un hombre como él, serio y retraído, pudo hacer amistad con un hombre extrovertido, intenso, bromista, estrafalario y dispensioso como Camil Garza. Lo cierto es que en la sala de la residencia del empresario, en Las Lomas, hay una fotografía que hace honor a esa amistad: él y Zedillo, vestidos de manera informal, fundidos en un abrazo.

Durante el sexenio de Zedillo, el empresario coahuilense se convirtió en el representante comercial de la empresa alemana Siemens México.

En 1997 Adrián Lajous, director de Pemex, y Luis Téllez, secretario de Energía, firmaron con el consorcio Conproca, formado por las empresas Sunkyong, Siemens y Triturados Basálticos,

S.A., un contrato para la reconfiguración de la refinería de Cadereyta, Nuevo León. El costo sería de 1 167 millones de dólares y su operación iniciaría en junio de 2000.

Pero las cosas salieron mal. A principios del sexenio foxista, las obras aún no se concluían y el costo se elevó a 2 200 millones de dólares. Durante la dirección de Raúl Muñoz Leos en Pemex, la paraestatal interpuso una denuncia contra Conproca en la Corte de Comercio Internacional de París por más de 900 millones de dólares.

En el año 2002, la Secretaría de la Contraloría inició la auditoría 19/02 en Pemex, para investigar las irregularidades en el contrato y ejecución de la obra de Cadereyta. Fuentes de Pemex revelaron que la auditoría se refiere a "las bases de licitación mal hechas, la elaboración de un contrato a todas luces inconveniente para la paraestatal y la dificultad de llevarlo a cabo exitosamente. Es el proyecto más grande y peor administrado de la historia".

En la paraestatal se tiene el conocimiento de que "gracias a Camil y sus oficios, Conproca obtuvo el contrato de Cadereyta".

En 2003 se preguntó a Siemens México de qué año a qué año laboró para ellos Camil Garza, cuál fue su papel en la obtención del contrato de Cadereyta y cuál fue la razón por la que dejó de trabajar con ellos. La respuesta del área de Comunicación Corporativa fue "ya no trabaja aquí" y "el señor Jaime Camil Garza no tiene ningún cargo en Siemens México, lo cual contesta el resto de las preguntas".

Camil Garza resume todo su pasado con una frase: "Todo hombre exitoso es polémico". Sus amigos también lo son o lo fueron, por ejemplo: Juan Alberto Zepeda Méndez, sobrino de la cantante María Victoria.

En 1998 la PGR giró una orden de aprehensión en contra de Zepeda Méndez, de su padre, Alberto Zepeda Novelo, entonces subdirector de Bufete Industrial, una de las constructoras más importantes del país en la década de los noventa, y de su socio Fernando Bastida Gallardo —con quien hacía negocios desde 1987—, acusados de haber sido intermediarios de Amado Carrillo Fuentes para adquirir con 10 millones de dólares Grupo Financiero Anáhuac. La operación investigada por las autoridades se realizó en 1996.

Camil Garza no rehuye su amistad, sino señala que en ese año él y su amigo Zepeda Méndez estaban asociados en la construcción del club residencial La Cima, el lugar más exclusivo de Acapulco desarrollado en una extensión de 262 395 metros cuadrados.

Cuando surgió el escándalo de Grupo Financiero Anáhuac, las fases del desarrollo inmobiliario habían sido terminadas y sólo faltaba construir el hotel cuyo proyecto arquitectónico fue realizado por Arquiteg, pero la obra fue suspendida en el año en que Zepeda Méndez se convirtió en prófugo de la justicia.

Otro amigo polémico de Camil Garza es Jesús Bitar Tafich. En una investigación realizada por Interpol México, la DEA y la PGR (PGR/UEDO/27997) para detectar lavado de dinero del cártel de Juárez, se descubrió que Bitar Tafich era el "cerebro financiero" de Amado Carrillo Fuentes y lo acusaron formalmente de haber lavado 200 millones de dólares del "señor de los cielos" en Santiago de Chile.

En 2001, el empresario coahuilense intentó de nuevo acercarse a Los Pinos, esta vez con éxito: aportó 400 000 pesos a la fundación Vamos México en el primer evento de recaudación de fondos y compró parte de una mesa, según afirma él mismo, para asistir el 21 de octubre al concierto de Elton John en el Castillo de Chapultepec.

Según la entrevista concedida por Camil Garza, el 15 de septiembre de 2002 tuvo una entrevista privada en la residencia oficial con Marta Sahagún, en la cual le presentó a su amigo, el cantante Quincy Jones, quien ha colaborado en eventos altruistas con Nelson Mandela en Sudáfrica.

El empresario propuso a la primera dama realizar un gran evento en Las Vegas Carnave 2003, que serviría para impulsar los nuevos valores del arte, la música y la gastronomía en México, así como para recaudar fondos, los cuales en principio serían reutilizados para apoyar la cultura en nuestro país. La propuesta fue aceptada por la esposa del presidente, afirmó el empresario.

Ese día, Jones dio una conferencia de prensa acompañado del hijo de Camil, el cantante Jaime Camil, en la que se anunció que el productor estadounidense trabajaría en un proyecto con la primera dama.

Para concretar el evento y ultimar los detalles, Camil Garza afirmó que se reunió en varias ocasiones con la esposa de Fox y con funcionarios de la fundación Vamos México, que preside la señora. Incluso Antonio Jiménez, entonces director de administración y recursos de la asociación civil, confirmó que existía el proyecto y que se afinaban los detalles.

La primera dama suspendió el evento sólo por una razón: porque se enteró de que la prensa estaba investigando su repentina relación con un personaje como Camil Garza. Y lo supo gracias a los "buenos oficios" de su incondicional amiga Liliana Melo de Sada, la esposa de Federico Sada, del Grupo Vitro.

La amiga de la esposa del presidente no sólo le da apoyo cuando la prensa la inquiere, como en el caso de la entrevista de una de las autoras del presente libro sobre los excesivos gastos en su vestuario, en la que estuvo presente, o como en el caso del reportaje de Sara Silver, del *Financial Times*, sobre los manejos financieros de Vamos México, sino también le hace el favor a Martha Sahagún de rastrear información para ella.

Desde el año 2003, Anabel Hernández investigaba la relación Camil-Sahagún, y un amigo en común con Liliana Melo de Sada fue el intermediario para sentarlas a tomar un café, a petición de la robusta regia de pelo amarillo.

La cita fue en su piso del edificio ubicado en Rubén Darío número 61, en el penúltimo nivel. El salón donde se llevó a cabo la conversación que se supone quedaría sólo entre las dos partes era de un abigarrado estilo Luis XV. El lugar estaba lleno de molduras doradas, así como de tapices de brocados bruñidos, rojos y vino. El recargado ambiente era multiplicado por espejos.

Después de la conversación en la que Melo de Sada reconoció que el evento estaba calendarizado en las actividades de la fundación, la solícita regia informó a Martha Sahagún sobre la investigación, por lo cual, previniendo una marea de críticas, la primera dama optó por cancelar el evento.

Jaime Camil Garza afirma que tiene muchas cosas en común con la primera dama, por lo menos sus debilidades por el show de la caridad. "Quiero devolver a mi país todo lo que me ha dado" afirma Camil Garza en la entrevista concedida en 2003.

El nuevo amigo de Martha asegura que en 1997 donó 35 000 despensas a los damnificados del huracán *Paulina* y que en 1998 llevó a Chiapas aviones cargados de víveres para las víctimas de las inundaciones. En 2001, Camil y su esposa Tony Star fueron nominados al Premio Nacional al Voluntariado, porque sus aportaciones "han contribuido de manera considerable a la construcción de diversos centros educativos y culturales en varios estados de la República, así como a brindar apoyos en efectivo y en especie en casos de siniestro, como huracanes, sismos e inundaciones", según quedó asentado en el currículum de su nominación.

Pero lo que más llena de orgullo al coahuilense es que de 1988 a 1989 él mismo llevó en su avión a la madre Teresa de Calcuta a Nicaragua, Cuba, Coahuila y Tijuana. Con emoción cuenta que conserva una carta escrita de puño y letra por la mujer que el año pasado fue beatificada por el Vaticano. Quizá esos periplos sean parte de los temas de conversación con la primera dama, quien a cada instante cita a la beata.

Del día en que Martha Sahagún abrió la puerta a Jaime Camil Garza a la fecha, los pasos del empresario hacia la familia presidencial han avanzado. En febrero de 2003 se llevó a cabo la boda de su hija Melissa, celebrada en el antiguo Colegio de las Vizcaínas. A ella asistieron 1 300 invitados, sus viejos y nuevos amigos. Estuvieron presentes Gamboa Patrón, Neil Bush, Arsenio Farell, los hijos de Zedillo (Emiliano y Ernesto) y Ana Cristina Fox, la hija del presidente de la República.

En los sectores más duros del PRI hay quien se frota las manos por saber hasta dónde llegó la relación del atractivo empresario y la esposa del presidente, en materia de conveniencias políticas y económicas.

Mientras tanto, el contacto con la primera dama continúa por medio de *Maru* Hernández, la secretaria privada de Martha Sahagún, a quien frecuentemente se le ve a bordo del yate del magnate en Acapulco.

* * *

José Cosme Mares Hernández, más que empresario, parece jugador de futbol americano: es alto, fuerte, rubio y de ojos azules. Quien lo vea llegar a su despacho en Periférico Sur número 3343, séptimo piso, no podría sospechar que este hombre y su guapa esposa, Josefina Hernández, son dos de los amigos más cercanos al presidente de la República y unos de los que más se han beneficiado con su amistad.

La empresa del matrimonio Mares-Hernández, Fabricación y Colocación de Pavimento, S.A. de C.V., fundada en 1989 y registrada en la Ciudad de México con el folio mercantil 116296, ha obtenido del año 2001 a la fecha 28 contratos del gobierno federal para la construcción y/o pavimentación de distintas vialidades en todo el país, pero sobre todo en Guanajuato, mediante licitaciones públicas nacionales e internacionales. Pero como ha sucedido a lo largo del "gobierno del cambio", nada es al azar.

Por 21 de esos 28 contratos, Cosme Mares Hernández ha recibido 815 millones de pesos, según la copia de los contratos firmados con el gobierno federal solicitados a la Secretaría de Comunicaciones y Transportes a principios de abril de 2005 para esta investigación. A esa cantidad habrá que añadir el monto de siete contratos que en este momento son auditados por el órgano de control interno de la SCT y cuyo importe no quiso revelar la dependencia.

La historia de Cosme con Vicente data de 1995. El entonces candidato a la gubernatura de Guanajuato estaba en Irapuato en una gira. Cosme Mares, en ese tiempo un modesto empresario de la construcción y propietario de la empresa Fabricación y Colocación de Pavimento, S.A. (Facopsa), buscó un contacto con Lino Korrodi, encargado de las finanzas de la campaña, y cuando lo logró le ofreció hacer aportaciones en especie y efectivo. En realidad el apoyo no fue tan importante, pero surgió una buena amistad entre Lino, Cosme y Vicente.

Ya en la gubernatura, Fox encargó al empresario lo que en ese momento era el principal proyecto de obra pública del Estado: la construcción del Centro de Readaptación Social, el cual se construiría sobre la carretera León-Cuerámaro, cuyo monto ascendía a más de 100 millones de pesos.

Pero no cumplió Cosme Mares porque no tenía la infraestructura para hacerlo y porque se había gastado el anticipo que le había dado el gobierno para iniciar la obra. Fox no le canceló el contrato, sino que fue hasta la llegada de Juan Carlos Romero Hicks, el nuevo gobernador electo, cuando aquél se anuló y Mares Hernández dejó el Cereso en obra negra. Facopsa fue dada de baja de la lista de contratistas de la Secretaría de Obras Públicas estatal, pero comenzó a incursionar en el ámbito de las federales.

Si se dijera que Cosme Mares comenzó a ganar concursos de la Secretaría de Comunicaciones y Transportes en el gobierno del presidente Fox, sería una mentira. En realidad, desde finales del sexenio de Ernesto Zedillo, el empresario de Irapuato comenzó a obtener contratos. Lo que sí puede afirmarse es que los montos se duplicaron a la llegada de su amigo Fox a la Presidencia y que se los otorgaron en condiciones radicalmente más ventajosas. Para esta investigación se pidió (solicitud 0000900021005) a la SCT copia de cada uno de los contratos otorgados a Facopsa del año 2000 a la fecha. La información proporcionada confirma las canonjías del gobierno foxista a favor de la empresa del matrimonio Mares-Hernández.

El 11 de febrero de 2000, Facopsa firmó con la SCT el contrato O-J-CB-A-509-W-0-0 por un monto de 10.3 millones de pesos para la construcción de renivelaciones y carpeta de concreto asfáltico, ubicada en la carretera Durango-Hidalgo del Parral. Como anticipo, la SCT sólo dio a Cosme Mares 10% del monto total del contrato, es decir, 1.03 millones de pesos (véase anexo 20).

Un mes después, el 10 de abril, la SCT dio a Mares el contrato O-J-CB-A-526-W-00 por un monto total de 7.4 millones de pesos y sólo le otorgó un anticipo de 5%, es decir, 240 000 pesos. La obra era colocar carpeta asfáltica en la carretera Durango-Mazatlán.

Cuando su amigo Vicente Fox llegó a la Presidencia de la República, el número y monto de los contratos aumentó, al igual que los anticipos con los que tanto problema había tenido Cosme Mares en Guanajuato.

La situación es peculiar. En 2001, Cosme Mares Hernández remodeló el rancho de Fox en la hacienda de San Cristóbal y ayudó a construir una réplica de las cabañas de la residencia oficial de Los Pinos, en el rancho secreto del presidente. Justo ese feliz año recibió 12 de los 28 contratos que ha firmado con el gobierno

ANEXO 20

SECRETARIA DE COMUNICACIONES Y TRANSPORTES

CONTRATO No. 0-J-CB-A-509-W-0-0
ASIGNACION: $ 10'317,533.92 CON I.V.A.

CONTRATO DE OBRA PUBLICA A PRECIOS UNITARIOS Y TIEMPO DETERMINADO, QUE CELEBRAN POR UNA PARTE EL EJECUTIVO FEDERAL A TRAVES DE LA SECRETARIA DE COMUNICACIONES Y TRANSPORTES A QUIEN EN LO SUCESIVO Y PARA EFECTOS DE ESTE CONTRATO SE LE DENOMINARA "LA DEPENDENCIA", REPRESENTADA POR EL C. ING. RAFAEL SARMIENTO ALVAREZ EN SU CARACTER DE DIRECTOR GENERAL DEL CENTRO S.C.T. "DURANGO" Y POR LA OTRA: FABRICACION Y COLOCACION DE PAVIMENTO S.A. DE C.V. REPRESENTADA POR: ING. SANTIAGO MARTINEZ MORENO EN SU CARACTER DE: APODERADO LEGAL A QUIEN SE LE DENOMINARA "EL CONTRATISTA", DE ACUERDO CON LAS SIGUIENTES DECLARACIONES Y CLAUSULAS:

DECLARACIONES

I.- "LA DEPENDENCIA" declara:

A) QUE PARA CUBRIR LAS EROGACIONES QUE SE DERIVEN DEL PRESENTE CONTRATO, LA SECRETARIA DE HACIENDA Y CREDITO PUBLICO AUTORIZO LA INVERSION CORRESPONDIENTE A LA OBRA OBJETO DE ESTE CONTRATO EN EL OFICIO NUM. 340.A.I.S.-0512 DE FECHA 19 DE NOVIEMBRE DE 1999.

B) QUE TIENE ESTABLECIDO SU DOMICILIO EN RIO PAPALOAPAN 222, FRACC. VALLE ALEGRE, EN LA CIUDAD DE DURANGO, DGO., MISMO QUE SEÑALA PARA LOS FINES Y EFECTOS LEGALES DE ESTE CONTRATO.

SEGUNDA.- **MONTO DEL CONTRATO.-** EL MONTO DEL PRESENTE CONTRATO ES DE: $ 8'971,768.63 (OCHO MILLONES NOVECIENTOS SESNATA Y UN MIL SETECIENTOS SESENTA Y OCHO PESOS 63/100 M.N.) MAS I.V.A. DE $ 1'345,765.29 (UN MILLON TRESCIENTOS CUARENTA Y CINCO MIL SETECIENTOS SESENTA Y CINCO PESOS 29/100 M.N.) SUMANDO UN TOTAL DE $ 10'317,533.92 (DIEZ MILLONES TRESCIENTOS DIECISIETE MIL QUINIENTOS TREINTA Y TRES PESOS 92/199 M.N.)

Y LA ASIGNACION APROBADA PARA EL PRESENTE EJERCICIO ES DE: $ 8'971,768.63 (OCHO MILLONES NOVECIENTOS SESNATA Y UN MIL SETECIENTOS SESENTA Y OCHO PESOS 63/100 M.N.) MAS I.V.A. DE $ 1'345,765.29 (UN MILLON TRESCIENTOS CUARENTA Y CINCO MIL SETECIENTOS SESENTA Y CINCO PESOS 29/100 M.N.) SUMANDO UN TOTAL DE $ 10'317,533.92 (DIEZ MILLONES TRESCIENTOS DIECISIETE MIL QUINIENTOS TREINTA Y TRES PESOS 92/199 M.N.)

QUINTA.- **ANTICIPOS.-** PARA EL INICIO DE LOS TRABAJOS OBJETO DEL PRESENTE CONTRATO "LA DEPENDENCIA" OTORGARA UN ANTICIPO POR EL 10% (DIEZ POR CIENTO) DE LA ASIGNACION APROBADA AL CONTRATO CORRESPONDIENTE PARA EL PRIMER EJERCICIO PRESUPUESTARIO LO QUE IMPORTA LA CANTIDAD DE: $ 897,176.86 (OCHOCIENTOS NOVENTA Y SIETE MIL CIENTO SETENTA Y SEIS PESOS 86/100 M.N.), MAS I.V.A. DE $ 134,576.53 (CIENTO TREINTA Y CUATRO MIL QUINIENTOS SETENTA Y SEIS PESOS 53/100 M.N.) SUMANDO UN TOTAL DE $ 1'031,753.39 (UN MILLON TREINTA Y UN MIL SETECIENTOS CINCUENTA Y TRES PESOS 39/100 M.N.) Y "EL CONTRATISTA" SE OBLIGA A UTILIZARLO EN DICHOS TRABAJOS.

POR LA SECRETARIA DE COMUNICACIONES Y TRANSPORTES EL DIRECTOR GENERAL	"EL CONTRATISTA" FABRICACION Y COLOCACION DE PAVIMENTO S.A. DE C.V.
ING. RAFAEL SARMIENTO ALVAREZ	ING. SANTIAGO MARTINEZ MORENO
ENC. DE LA SUBDIRECCION DE OBRAS	JEFE UNIDAD DE ASUNTOS JURIDICOS
ING. GERARDO ORRANTE REYES	LIC. TERESA DEVORA NUÑEZ
RESIDENTE GENERAL DE CONSERVACION DE CARRETERAS	DEPARTAMENTO DE CONCURSOS, CONTRATOS Y ESTIMACIONES
ING. CECILIO AYALA SANTILLANES	ING. FRANCISCO J. ORTIZ RENDON

Contratos dados a Facopsa en el sexenio anterior. El anticipo sólo era de 10%.
FUENTE: Secretaría de Comunicaciones y Transportes.

federal en lo que va del sexenio, por un monto de 439.72 millones de pesos, más de la mitad de todos los contratos obtenidos en el *gobierno del cambio*.

Además, Cosme Mares Hernández obtuvo de cada contrato 30% de anticipo, a diferencia de 5 y 10% recibido en el sexenio de Zedillo.

Al inicio del sexenio, cuando Mares Hernández comenzó a ganar los concursos, él y su esposa iban a la firma de los contratos, según consta en las fojas entregadas por la SCT. Ellos los firmaban como representantes legales de Facopsa.

El 4 de abril de 2001, Cosme Mares Hernández fungió como representante legal de su empresa en la firma del contrato 1-K-CB-A-507-W-0-1, por un monto de 9.2 millones de pesos. El 10 de abril, su esposa, Josefina Hernández Haas, hizo lo propio en la firma del contrato 1-Z-CB-A-512-W-0-1 por 50.8 millones de pesos (véanse anexos 21 y 22).

En 2004, la Cámara de Diputados ordenó una auditoría a unas obras realizadas por Facopsa en Yucatán, las cuales habían sido incumplidas. Mares Hernández había firmado los contratos 2D-CE-A-539-W-0-2 y 3D-CE-A-564-W para ampliar y modernizar tramos carreteros de Campeche. La denuncia era que Mares Hernández se había gastado el anticipo y no había continuado con la obra. Debido a ello, a la SCT no le quedó más remedio que sancionar al amigo de Fox con dos multas: una por 2.1 millones de pesos y otra por 2.7 millones. Esto es de risa si se compara con el monto total de los contratos recibidos en el sexenio.

Por supuesto, el plan de José Cosme Mares Hernández no sólo era participar en los contratos de carreteras, sino también iba tras un proyecto más grande: el nuevo Aeropuerto Internacional de la Ciudad de México, en Texcoco. Claro que después de una guerra de machetes y mentadas contra el presidente Vicente Fox, los pobladores de Atenco consiguieron hacer abortar los planes.

CONTRATO NUMERO 1-K-CB-A-507-W-O-1

SECRETARIA DE COMUNICACIONES
Y TRANSPORTES

CONTRATO DE OBRA PUBLICA A PRECIOS UNITARIOS Y TIEMPO DETERMINADO QUE CELEBRAN POR UNA PARTE EL EJECUTIVO FEDERAL, A TRAVES DE LA SECRETARIA DE COMUNICACIONES Y TRANSPORTES, REPRESENTADA POR EL ING. GENARO TORRES TABOADA, EN SU CARACTER DE DIRECTOR GENERAL DEL CENTRO S.C.T. GUANAJUATO Y POR LA OTRA, FABRICACION Y COLOCACION DE PAVIMENTO, S.A. DE C.V. REPRESENTADA POR ING. JOSE COSME MARES HERNANDEZ, EN SU CARACTER DE ADMINISTRADOR UNICO, A QUIENES EN LO SUCESIVO Y PARA LOS EFECTOS DE ESTE CONTRATO SE LES DENOMINARA "LA DEPENDENCIA" Y "EL CONTRATISTA", RESPECTIVAMENTE, DE ACUERDO CON LAS SIGUIENTES DECLARACIONES Y CLÁUSULAS:

DECLARACIONES

I. "LA DEPENDENCIA" DECLARA QUE:

I.1.- Es una dependencia de la Administración Pública Federal Centralizada, de conformidad con lo dispuesto por los artículos 1°, 2°, 26 y 36 de la Ley Orgánica de la Administración Pública Federal.

I.2.- Su representante, con el carácter ya indicado, cuenta con las facultades necesarias para suscribir el presente contrato, en términos de lo dispuesto en el Diario Oficial de la Federación de fecha 13 de Mayo de 1991

I.3.- El presente contrato se adjudica como resultado de la Licitación Pública Nacional N° 001, instaurada por "La Dependencia", en términos de lo dispuesto por los artículos 27 fracción I, 28 y 30 de la Ley de Obras Públicas y Servicios Relacionados con las Mismas.

I.4.- Para cubrir las erogaciones que se deriven del presente contrato, la Secretaría de Hacienda y Crédito Público autorizó la inversión correspondiente a la obra objeto de este contrato, mediante el Oficio Num. 340.AI.-0032 de fecha 30 de Enero del 2001.

I.5.- Su domicilio para los efectos del presente contrato, es el ubicado en Km. 5+000 D/I, de la carretera Guanajuato-Juventino Rosas, C.P. 36250, Guanajuato, Gto.

II. "EL CONTRATISTA" DECLARA QUE:

II.1.- Tiene capacidad jurídica para contratar y obligarse en los términos del presente contrato.

II.2.- Acredita su legal existencia con la Escritura Pública Número 5702, de fecha 6 de junio de 1989, otorgada ante la fe del Lic. Sara Cuevas Villalobos Notario Público No. 197, en la Ciudad de México, D.F. y que se encuentra debidamente inscrita en el Registro Público en la Ciudad de México, D.F.,con número 116296, de fecha 29 de Agosto de 1989.

II.3.- Su representante, el C. Ing. José Cosme Mares Hernandez, con el carácter ya indicado, cuenta con las facultades necesarias para suscribir el presente contrato, de conformidad con el contenido de la Escritura Pública Número 5702, de fecha 6 de junio de 1989, otorgada ante la fe del Lic. Sara Cuevas Villalobos, Notario Público No. 197 en la Ciudad de México, D.F., y que se encuentra debidamente inscrita en el Registro Público en la Ciudad de México, D.F., con número 116296, de fecha 29 de Agosto de 1989, manifestando a través de dicho representante que tales facultades no le han sido modificadas ni revocadas a la fecha.

II.4.- Su Registro Federal de Contribuyentes es: FCP-890614-ASO.

II.5.- Su representante se identifica con su Credencial de Elector, con folio N° 88465187, de la Ciudad de México, D.F.

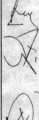

TERCERA.- PLAZO DE EJECUCIÓN

"EL Contratista" se obliga a realizar los trabajos materia del presente contrato en un plazo que no exceda de 139 días. El inicio de los trabajos se efectuará el día 16 del mes de Abril del 2001 y se concluirán a más tardar el día 31 del mes de Agosto del 2001, de conformidad con el programa de ejecución pactado, este plazo se diferirá en el caso señalado por la Fracción I del Artículo 50 de la Ley de Obras Públicas y Servicios relacionados con las Mismas y de conformidad con lo pactado en la Cláusula Quinta de este contrato.

CUARTA.- DISPONIBILIDAD DEL INMUEBLE Y DOCUMENTOS ADMINISTRATIVOS

"La Dependencia" se obliga a poner a disposición de "El Contratista" el o los inmuebles en que deben llevarse a cabo los trabajos materia de este contrato, así como los dictámenes, permisos, licencias y demás autorizaciones que se requieran para su realización.

QUINTA.- ANTICIPOS

Para que "El Contratista" realice en el sitio de los trabajos la construcción de sus oficinas, almacenes, bodegas e instalaciones y, en su caso, para los gastos de traslado de la maquinaria y equipo de construcción e inicio de los trabajos; así como, para la compra y producción de materiales de construcción, la adquisición de equipos que se instalen permanentemente y demás insumos, "La Dependencia" otorga un anticipo por la cantidad de $ 2'425,236.00, (DOS MILLONES CUATROCIENTOS VEINTICINCO MIL DOSCIENTOS TREINTA Y SEIS PESOS 00/100 M.N.) más el impuesto al valor agregado, lo que representa un 30 % del importe total del presente contrato.

Anticipos ventajosos para Facopsa desde el inicio del sexenio de su amigo Vicente Fox Quesada.

FUENTE: Secretaría de Comunicaciones y Transportes.

ANEXO 22

CONTRATO No. 1-T-CE-A-501-W-0-1

SECRETARIA DE
COMUNICACIONES
Y TRANSPORTES

CONTRATO DE OBRA PUBLICA A PRECIOS UNITARIOS Y TIEMPO DETERMINADO QUE CELEBRAN POR UNA PARTE EL EJECUTIVO FEDERAL, A TRAVÉS DE LA SECRETARIA DE COMUNICACIONES Y TRANSPORTES, REPRESENTADA POR EL C. ING. REYNALDO GUAJARDO VILLARREAL, EN SU CARÁCTER DE DIRECTOR GENERAL DEL CENTRO S.C.T. "OAXACA " Y POR LA OTRA, FABRICACION Y COLOCACIONDE PAVIMENTO, S.A. DE C.V. REPRESENTADA POR EL C. ING. JOSEFINA HERNANDEZ HASS, EN SU CARÁCTER APODERADO GENERAL, A QUIENES EN LO SUCESIVO Y PARA LOS EFECTOS DE ESTE CONTRATO SE LES DENOMINARA "LA DEPENDENCIA" Y "EL CONTRATISTA", RESPECTIVAMENTE, DE ACUERDO CON LAS SIGUIENTES DECLARACIONES Y CLÁUSULAS:

SEGUNDA .- MONTO DEL CONTRATO

El monto total del presente contrato, es de $ 41'277,162.65 (CUARENTA Y UN MILLONES DOSCIENTOS SETENTA Y SIETE MIL CIENTO SESENTA Y DOS PESOS 65/100 M.N.), más el impuesto al valor agregado.$ 6'191,574.40 (SEIS MILLONES CIENTO NOVENTA Y UN MIL QUINIENTOS SETENTA Y CUATRO PESOS 40/100 M.N) total: $ 47'468,737.05 (CUARENTA Y SIETE MILLONES CUATROCIENTOS SESENTA Y OCHO MIL SETECIENTOS TREINTA Y SIETE PESOS 05/100 M.N.).

QUINTA.- ANTICIPOS

Para que "El Contratista" realice en el sitio de los trabajos la construcción de sus oficinas, almacenes, bodegas e instalaciones y, en su caso, para los gastos de traslado de la maquinaria y equipo de construcción e inicio de los trabajos; así como, para la compra y producción de materiales de construcción, la adquisición de equipos que se instalen permanentemente y demás insumos, "La Dependencia" otorga un anticipo por la cantidad de $ 12'383,148.79 (DOCE MILLONES TRESCIENTOS OCHENTA Y TRES MIL CIENTO CUARENTA Y OCHO 79/100 M.N.), más el impuesto al valor agregado $ 1'857,472.32 (UN MILLON OCHOCIENTOS CINCUENTA Y SIETE MIL

CUATROCIENTOS SETENTA Y DOS PESOS 32/100 M.N.). Total: $ 14'240,621.11 (CATORCE MILLONES DOSCIENTOS CUARENTA MIL SEISCIENTOS VEINTIUN PESOS 11/100 M.N.) lo que representa un 30 % del importe de la primera asignación del presente contrato. El anticipo se entregará a "El Contratista" el día 30 del mes de Marzo del 2001, previa entrega que efectúe éste a "La Dependencia" de la garantía a que se alude en la Cláusula Séptima inciso A del presente contrato. El atraso en la entrega del anticipo será motivo para diferir sin modificar en igual plazo el programa de ejecución pactado, formalizando mediante convenio entre las partes la nueva fecha de iniciación. Si "El Contratista" no entrega la garantía del anticipo dentro del plazo señalado en el artículo 48, fracción I de la Ley de Obras Públicas y Servicios Relacionados con las Mismas, no procederá el diferimiento y por lo tanto éste deberá iniciar la obra en la fecha establecida.

El otorgamiento y amortización del anticipo, se sujetará a lo establecido al respecto por la Ley de Obras Públicas y Servicios Relacionados con las Mismas y a lo señalado en las bases de licitación, y su amortización se hará proporcionalmente a cada una de las estimaciones por trabajos ejecutados que se formulen, debiéndose liquidar el faltante por amortizar en la estimación final.

Para efectos de lo anterior, "El Contratista" deberá de anexar un Programa de erogación del anticipo, mismo al que se sujetará de manera obligatoria, y que servirá como base a la Dependencia para verificar su correcta utilización.

El Programa de erogación del anticipo, pod...
y por escrito, siempre y cuando no impl...
efecto.

DÉCIMA NOVENA .- JURISDICCIÓN

Para la interpretación y cumplimiento del presente contrato, así como para todo aquello que no esté expresamente estipulado en el mismo, las partes se someten a la aplicación de la legislación vigente en la materia, así como a la jurisdicción de los Tribunales Federales competentes ubicados en la Ciudad de México, Distrito Federal, renunciando en consecuencia al fuero que pudiere corresponderles en razón de sus domicilios presentes o futuros o por cualquier otra causa.

El presente contrato se firma en la Ciudad de Oaxaca de Juárez, Oax., el día 7 del mes de Junio del 2001.

POR LA SECRETARIA DE COMUNICACIONES
Y TRANSPORTES
EL DIRECTOR GENERAL DEL CENTRO SCT
"OAXACA"

"EL CONTRATISTA"
FABRICACION Y COLOCACION DE
PAVIMENTO, S.A. DE C.V.

ING. REYNALDO GUAJARDO VILLARREAL

ING. JOSEFINA HERNANDEZ HASS
APODERADA GENERAL

Montos y anticipos jugosos para la empresa Facopsa. Los contratos eran firmados directamente por la amiga presidencial Josefina Hernández Hass.
FUENTE: Secretaría de Comunicaciones y Transportes.

Antes de que la Secretaría de Comunicaciones y Transportes diera a conocer la licitación de la obra, Luis Zárate, del Grupo ICA, anunció a la prensa que la empresa encabezaría un consorcio o grupo de empresas constructoras y proveedoras para hacer un frente nacional y participar en las licitaciones para construir el aeropuerto.

Entre las empresas que formarían parte de ese grupo que encabezaría ICA estaban: Gutsa, Pimosa, Facopsa, ICA, Cemex y Villacero.

La pareja Mares-Hernández es reconocida por ser muy amable y solícita con la pareja presidencial, en especial con Martha Sahagún y las hijas de Vicente Fox. Amigos e integrantes de la familia presidencial afirman que Josefina ha regalado costosísimas joyas y vestidos a la primera dama y que suele invitar a comer a su mansión de San Jerónimo a Ana Cristina, Paulina y hasta a la madre de éstas, Lillián de la Concha.

A año y medio de que concluya el sexenio foxista, Cosme Mares ha sido señalado como el prestanombres de la familia presidencial en la compra de la bahía El Tamarindillo, una majestuosa playa en Michoacán, según información no desmentida dada a conocer en diciembre del año pasado por un periódico de Michoacán y después por la revista *Proceso* (2 de enero de 2005).

Integrantes de la familia Fox niegan que la bahía sea del presidente, pues aseguraron que en la compra de esa propiedad estuvieron involucrados únicamente la esposa del primer mandatario y sus hijos. "Por eso los hijos de Vicente nunca han ido."

* * *

Otro de los personajes del sexenio que pasará a la historia como un amigo incómodo es el polémico Guido Belssaso, ex director del Consejo contra las Adicciones, de la Secretaría de Salud.

De él sólo se sabe, hasta ahora, de su infortunada incursión por el mundo del tráfico de influencias. En 2003 (*La Jornada*) salieron a la luz pública las peculiares tácticas del funcionario para hacer negocios fuera de la oficina. Se descubrió que utilizaba su cargo en la administración pública y su cercanía con Vicente Fox para ofrecer sus servicios como gestor empresarial. Inmediatamente fue destituido, sin más escándalos y sin ningún comentario por parte de la Presidencia de la República.

Meses después, en noviembre de 2003, el ex funcionario público fue inhabilitado por la Secretaría de la Función Pública por un periodo de 40 años para desempeñar algún cargo público y la dependencia le impuso una multa por 679 000 pesos. Sin embargo, no se le imputaron sanciones penales, ni se reveló a la opinión pública a cuánto habían ascendido los ingresos de Belssaso con el tráfico de influencias.

Ésa es la historia fáctica de Belssaso, pero en realidad su tránsito por el gobierno federal fue mucho más entretenido: Belssaso llegó al equipo foxista por una recomendación personal de su ex esposa Sari Bermúdez, titular de Conaculta, mujer muy cercana a Martha Sahagún y quien escribió la primera biografía autorizada de la esposa del presidente.

Cuando la vocera presidencial y el jefe del Ejecutivo contrajeron nupcias, en contra del deseo de los hijos del primer mandatario, el hecho produjo un shock en Vicente y Rodrigo Fox de la Concha.

A sugerencia de Martha Sahagún, el presidente envió a sus hijos con un psiquiatra de todas las confianzas de la primera dama: Guido Belssaso. En aquella época ya era director del Consejo contra las Adicciones.

En una de sus visitas al doctor, un sábado al mediodía, *Vicentillo* fue acompañado de su madre, Lillián de la Concha, quien quería conocer personalmente al doctor y saber exactamente en qué consistía el tratamiento dado a su hijo.

Lillián preguntó al psiquiatra por la salud emocional de su hijo y si realmente tenía que estar en terapia. Belssaso le respondió con naturalidad:

—No hay ya ningún problema, ya hablamos con los maestros de la Ibero; su hijo no va a aprobar ninguna materia y cuando vea que no puede va a regresar al rancho. Así va a estar más tranquilo.

—¿Cómo dice? —preguntó la madre.

—Ya va a poder regresar a administrar el rancho como quiere el señor presidente.

Lillián, alterada, levantó la voz y reclamó al médico la manipulación que éste estaba haciendo de su joven hijo. Con un par de frases altisonantes por delante, la ex esposa de Vicente Fox salió del consultorio hecha una furia con su hijo atrás de ella.

En Los Pinos, el primer mandatario no esperaba la llamada de su ex esposa. A gritos, Lillián le advirtió que si volvía a enviar a los hijos al consultorio de Belssaso le "armaría un escándalo".

Por supuesto, el presidente optó por ordenar el fin de las terapias psicológicas de su hijo.

Si Belssaso se quedó con el temor de perder su trabajo, luego del altercado con la ex esposa de Vicente Fox, Martha Sahagún pronto alivió su angustia.

Durante los dos primeros años de trabajo de la fundación Vamos México, Guido Belssaso jugó un papel fundamental en todos los eventos organizados sobre adicciones: siempre estaba en el templete al lado de la primera dama.

Después del escándalo por la venta de sus buenos oficios ante el presidente, a nadie extrañó la inhabilitación del ex funcionario, pero sí que no se le hayan fincado responsabilidades penales como indica el código de procedimientos penales, en el apartado correspondiente a las responsabilidades de los servidores públicos.

En esa mescolanza de relaciones laborales con el ámbito familiar de la pareja que habita Los Pinos ha surgido la mayor parte de los amigos incómodos de la pareja dentro y fuera del gobierno.

* * *

Si, como reza el refrán, "cada quien cosecha lo que siembra", a los Henkel les llegó pronto la hora de ver los frutos de su ardua labor: durante más de nueve años el matrimonio formado por Eduardo y Rosaura Henkel le ha apostado a la carrera política de Vicente Fox. Lo apoyaron desde 1995 cuando buscaba ser gobernador de Guanajuato y fueron sus incondicionales en la precampaña y campaña presidencial de 2000.

Si hacía falta un espacio para convocar y reunir fondos, ellos prestaban su departamento de Rubén Darío 97, en Polanco; si los recursos escaseaban, hacían aportaciones en especie; si una gira así lo requería, ellos cooperaban con la renta de algún avión.

Hoy reciben su recompensa: en lo que va del sexenio, por medio de su empresa En Punto Relaciones Públicas, S.A. de C.V. —creada cuatro días después de que Fox tomó posesión como presidente—, los Henkel han recibido contratos del gobierno federal por más de 36 millones de pesos, sin licitación pública de por medio.

Según la información del Registro Público de la Propiedad y del Comercio del Distrito Federal, la empresa En Punto Relaciones Públicas, S.A. de C.V., se formó con un capital mínimo de 50 000 pesos y tiene un "número total" de 50 acciones, cada una con valor de 1 000 pesos. Los dos socios de la empresa son Rosaura Longoria de Henkel y Eduardo Henkel Pérez Castro. El objeto social es "realizar todo tipo de relaciones públicas, especialmente enfocadas a la mercadotecnia, diseño, publicidad, medios impresos, televisión, radio e informática, pudiendo ejercer además estas actividades" (véase anexo 23).

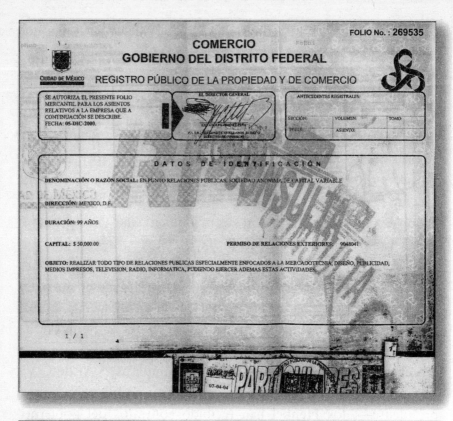

Alta de la empresa En Punto Relaciones Públicas, S.A. de C.V., el 4 de diciembre de 2000 en el Registro Público de la Propiedad y de Comercio del Distrito Federal.

Rosaura Henkel es presidenta de la asociación civil Proayuda Niños con Cáncer Luz de Vida y encabeza el consejo de administración de la empresa En Punto Relaciones Públicas, S.A. de C.V. Su esposo, *el gordo* Henkel, como lo llaman sus amigos, es socio del Grupo Bavaria que trajo la BMW a México a fines de los noventa y cónsul honorario de la República de Singapur desde 1995, así como funge como secretario del consejo de administración de En Punto Relaciones Públicas, S.A. de C.V.

La relación de Eduardo Henkel y Vicente Fox inició hace más de 30 años, según dijo el propio Henkel en un reportaje escrito por Anabel Hernández en "La Revista" de *El Universal* (de abril de 2004), donde reveló por primera vez la existencia de la empresa y su presunto tráfico de influencias en Los Pinos.

El presidente y Henkel se conocieron cuando estaban involucrados en el mundo de la industria refresquera. Fox y Lino Korrodi —encargado de las finanzas en la campaña a la gubernatura y a la Presidencia— trabajaban en Coca Cola y Henkel era propietario de Squirt. Entre los tres se dio una amistad.

Cuando Vicente Fox y Martha Sahagún contrajeron matrimonio, los Henkel y la pareja presidencial iniciaron una relación de amistad muy estrecha. Desde entonces son frecuentes las cenas de la pareja Fox-Sahagún con los empresarios, ya sea en Los Pinos o en el departamento de Rubén Darío 97, en Polanco, Ciudad de México.

En aras de esa amistad, el 2 de diciembre de 2000, en la primera gira de trabajo del presidente Fox y su gabinete, Rosaura y Eduardo fueron parte de la comitiva, según revelaron secretarios de estado consultados. Ahí pudieron conocer directamente a todos los funcionarios de mayor nivel. Después de esa gira, los contratos comenzaron a llover.

Los primeros contratos fueron adjudicados por la Presidencia de la República y la Lotería Nacional, donde Rosaura Henkel fungía no sólo como proveedora, sino también como asesora de la entonces directora Laura Valdés. Según la relación de pedidos formalizados al tercer semestre del ejercicio 2001, la Lotenal pagó a la empresa Henkel 529 000 pesos por la organización de un solo evento: el lanzamiento del fideicomiso Transforma México, inaugurado por Vicente Fox y Martha Sahagún el 31 de agosto de 2001. Después le asignó dos contratos más por 175 000 pesos.

La Secretaría de Gobernación también ha contratado en varias ocasiones los servicios de la empresa de los amigos de Fox. De 2001 a 2004, la dependencia que encabezaba Santiago Creel les ha otorgado contratos por más de 1.4 millones de pesos. El último contrato asignado del que se tiene conocimiento fue el 24 de enero de 2005, por un monto de 253 000 pesos.

Los empresarios Henkel también han gozado de adjudicaciones por parte de la Secretaría de Hacienda, la Secretaría de Desarrollo Social y Nacional Financiera, por montos que suman poco más de 700 000 pesos.

En Punto Relaciones Públicas, S.A. de C.V., fue contratada por la Secretaría de Relaciones Exteriores para participar en la organización de la cumbre de APEC, realizada en Los Cabos en 2002, y para la Conferencia sobre la Financiación para el Desarrollo Sustentable, llevada a cabo en marzo de 2002 en Monterrey. En ese entonces, su amigo Jorge Castañeda todavía era el titular de la dependencia.

Pero, sin duda, la dependencia que ha asignado más presupuesto a En Punto es la Presidencia de la República, por sus servicios de "asesoría, desarrollo e implementación de eventos presidenciales". Ellos son los encargados de montar la escenografía de cada evento y por cada una cobran una fortuna, aunque las mamparas tengan faltas de ortografía.

La empresa de los Henkel obtuvo contratos en Los Pinos desde los primeros días del gobierno de su amigo Fox, aunque no tenían la más mínima experiencia para realizarlos. Por ejemplo, fueron los encargados de hacer el evento de los primeros 100 días de gobierno del presidente. Personal de la Dirección de Administración todavía recuerda cómo los empleados de En Punto llegaban a las oficinas administrativas a presionar para cerrar los contratos, presumiendo que su jefe (Eduardo Henkel) había cenado la noche anterior con el presidente.

Hasta hoy sólo se cuenta con la información de los dos contratos multimillonarios correspondientes a 2003 y 2004, ya que aunque en Los Pinos reconocen contratos con la empresa en 2001 y 2002, no han querido revelar los montos. Sólo en los dos últimos años los contratos ascendieron a los 35 millones de pesos.

Si el monto en los dos primeros años de gobierno es similar, la Presidencia habría asignado a los Henkel, sin licitación pública de por medio como establece la ley, contratos por más de 70 millones de pesos.

El esquema de adjudicación fue de "invitación a por lo menos tres personas", un caso de excepción según la *Ley de Adquisiciones, Arrendamientos y Servicios*, el cual consiste en que el área que solicita el servicio invita a tres proveedores, los que quiera, y de ellos debe elegirse al que ofrezca mejores condiciones y precio.

Según la citada ley, cuando un área opta por la "invitación a por lo menos tres personas, deberá fundarse en criterios de economía, eficacia, eficiencia, imparcialidad y honradez" y el titular del área que requiere el servicio deberá justificar por qué no hizo una licitación pública y por qué falló a favor de la empresa contratada.

Parece que la buena fortuna que ha tenido esta pareja amiga del primer mandatario y su esposa no termina. Nada detiene sus millonarios contratos, ni siquiera las sanciones que la Secretaría de la Función Pública trata de imponer a la empresa.

El 25 de enero de 2005, la SFP, a cargo de Romero Ramos, publicó en el *Diario Oficial de la Federación* una circular en la que comunica a "las dependencias, PGR y entidades de la administración pública federal, así como a las entidades federativas que deberán abstenerse de aceptar propuestas o celebrar contratos con la empresa En Punto Relaciones Públicas", de esa fecha al 31 de abril, por falsear información en un concurso con la Secretaría de Salud (véase anexo 24).

Para suerte de los amigos de la pareja presidencial, el 21 de diciembre de 2004, la Presidencia amplió el contrato anual y celebró un "convenio modificatorio para ampliar el servicio de la empresa del 1 de enero al 14 de marzo de 2005, por un monto de 894 000 pesos", según informó la dependencia en la respuesta a la solicitud de información pública número 0210000012405, realizada ex profeso para este trabajo.

"A la fecha, los servicios de asesoría, consultoría e investigación para el desarrollo e implementación de eventos presidenciales de 2005 están siendo proporcionados por la empresa En Punto Relaciones Públicas, S.A. de C.V.", detalla la respuesta.

Adicionalmente a las contrataciones de Presidencia, la primera dama también contrata los servicios En Punto para la organización de los eventos de Vamos México, según se afirma en la información publicitaria de En Punto Relaciones Públicas, publicitada en 2004.

Sin duda, uno de los contratos más jugosos e inexplicables que han obtenido los Henkel en el sexenio es la concesión de la organización del Tianguis Turístico de Acapulco, 2004 y 2005, que le fue adjudicada directamente por el Consejo Nacional de Fomento al Turismo, encabezado por Francisco Ortiz Ortiz —ex coordinador de Imagen en la Presidencia y actual director del Consejo—, violando todas las normatividades y pasando por encima de los derechos de la empresa M2 Exhibit, S.A. de C.V., la cual había ganado el concurso público para organizar el tianguis, pero que un día, sin más ni más, se lo arrebataron.

La concesión generó a los Henkel ganancias que se miden en miles de dólares, según empresarios del ramo expertos en la materia.

ANEXO 24

e. Hacer referencia al SACTEL.

f. Incluir la referencia del PEF respecto a que los PA no pueden ser utilizados con fines políticos.

g. Contener los datos de contacto para envío de consultas, quejas y documentos.

h. Señalar los campos que deberán ser llenados por el beneficiario (y excluir los que llena la autoridad);

i. Establecer que el formato se llena bajo protesta de decir verdad.

j. Precisar el número de tantos a entregarse, y

k. Adjuntar un instructivo de llenado del formato.

SECRETARIA DE LA FUNCION PUBLICA

CIRCULAR por la que se comunica a las dependencias, Procuraduría General de la República y Entidades de la Administración Pública Federal, así como a las entidades federativas, que deberán abstenerse de aceptar propuestas o celebrar contratos con la empresa Equipos Quirúrgicos y Médicos, S.A. de C.V.

Al margen un sello con el Escudo Nacional, que dice: Estados Unidos Mexicanos.- Secretaría de la Función Pública.- Organo Interno de Control en la Secretaría de Salud.- Area de Responsabilidades.- Expediente DS-052/2003 - Oficio 12/1.0.3.0.1/108/2005.

CIRCULAR por la que se comunica a las dependencias, Procuraduría General de la República y entidades de la Administración Pública Federal, así como a las entidades federativas, que deberán abstenerse de aceptar propuestas o celebrar contratos con la empresa En Punto Relaciones Públicas, S.A. de C.V.

Al margen un sello con el Escudo Nacional, que dice: Estados Unidos Mexicanos.- Secretaría de la Función Pública.- Organo Interno de Control en la Secretaría de Salud - Area de Responsabilidades.- Expediente DS-022/2004 - Oficio 12/1.0.3.0.1/098/2005.

CIRCULAR POR LA QUE SE COMUNICA A LAS DEPENDENCIAS, PROCURADURIA GENERAL DE LA REPUBLICA Y ENTIDADES DE LA ADMINISTRACION PUBLICA FEDERAL, ASI COMO A LAS ENTIDADES FEDERATIVAS, QUE DEBERAN ABSTENERSE DE ACEPTAR PROPUESTAS O CELEBRAR CONTRATOS CON LA EMPRESA "EN PUNTO RELACIONES PUBLICAS, S.A DE C.V."

Oficiales mayores de las dependencias.
Procuraduría General de la República
y equivalentes de las entidades de la
Administración Pública Federal y de los
gobiernos de las entidades federativas.
Presentes.

Con fundamento en los artículos 134 de la Constitución Política de los Estados Unidos Mexicanos; 2, 8 y 9 primer párrafo de la Ley Federal de Procedimiento Administrativo; 1, 6, 7 segundo párrafo, 59, 60 fracción IV, 61 y 62 de la Ley de Adquisiciones, Arrendamientos y Servicios del Sector Público; 69 de su Reglamento; 2 apartado C, 60 y 64 fracción I punto 5 del Reglamento Interior de la Secretaría de la Función Pública y 2, 49 y 51 del Reglamento Interior de la Secretaría de Salud, en cumplimiento a lo ordenado en el resolutivo octavo de la resolución de fecha treinta y uno de diciembre de dos mil cuatro,

dictada en el expediente número DS-022/2004, mediante la cual se resolvió el procedimiento de sanción administrativa incoado a la empresa En Punto Relaciones Públicas, S.A. de C.V., esta autoridad administrativa hace de su conocimiento que a partir del día siguiente al en que se publique la presente Circular en el Diario Oficial de la Federación, deberán abstenerse de recibir propuestas o celebrar contrato alguno sobre las materias de adquisiciones, arrendamientos y servicios públicos, con dicha empresa de manera directa o por interpósita persona, por el plazo de tres meses.

En virtud de lo señalado en el párrafo anterior, los contratos adjudicados y los que actualmente se tengan formalizados con la mencionada infractora, no quedarán comprendidos en la aplicación de la presente Circular.

Las entidades federativas y los municipios interesados deberán cumplir con lo señalado en esta Circular cuando las adquisiciones, arrendamientos y servicios que contraten, se realicen con cargo total o parcial a fondos federales, conforme a los convenios que celebren con el Ejecutivo Federal.

Una vez transcurrido el plazo antes señalado, concluirán los efectos de la presente Circular, sin que sea necesario algún otro comunicado.

Atentamente

Sufragio Efectivo. No Reelección.

México, D.F., a 6 de enero de 2005.- La Titular del Area de Responsabilidades del Organo Interno de Control en la Secretaría de Salud, **Guadalupe Enríquez Mendoza**.- Rúbrica.

CIRCULAR por la que se comunica a las dependencias, Procuraduría General de la República y entidades de la Administración Pública Federal, así como a las entidades federativas, que deberán abstenerse de aceptar propuestas o celebrar contratos con la empresa D.IL.F. Business, S.A. de C.V.

Sanción impuesta a En Punto Relaciones Públicas, S.A. de C.V., por faltar información en una licitación pública; aun así, siguen trabajando para la Presidencia de la República.

FUENTE: *Diario Oficial de la Federación.*

En octubre de 2003 salió la convocatoria del concurso nacional CN.01-03 mediante el cual el Consejo de Promoción Turística escogería a la empresa que organizaría las ediciones XXIX y XXX del Tianguis Turístico de Acapulco, con la pomposa leyenda "Ninguna de las condiciones establecidas en las bases del concurso, así como las ofertas que presenten las empresas podrán ser negociadas". Ojalá hubiera sido así.

En el concurso participaron las empresas Expoquarzo, S.A. de C.V., M2 Exhibit, S.A. de C.V., Creatividad y Espectáculos, S.A. de C.V., Expo Express, S.A. de C.V. y XPO Control, S.A. de C.V.

Felizmente para la empresa M2 Exhibit, el 12 de noviembre de ese año le llegó una carta firmada de puño y letra de Javier Navarro Flores, director de recursos materiales del Consejo de Promoción Turística —con copia para *Paco* Ortiz Ortiz—, en la que les informaban oficialmente que ellos habían ganado el concurso. Inexplicablemente, el 21 de noviembre les llegó otra carta firmada por el mismo funcionario en la cual le informaba a la empresa que siempre no (véase anexo 25).

"Con fundamento en el numeral 16.3 de las bases del concurso público nacional y en el artículo 1863 del *Código Civil Federal*, el Consejo de Promoción Turística de México, S.A. de C.V., determinó cancelar el concurso referido y el contrato derivado del mismo."

Según las bases, en el punto 16.3 se señala que "el Consejo podrá cancelar el presente concurso cuando concurran casos fortuitos o de fuerza mayor; de igual manera se podrá cancelar cuando existan circunstancias que provoquen la extinción de la necesidad de contratar los servicios…"

El caso fortuito fue que los amigos de la pareja presidencial, Eduardo y Rosaura Henkel, querían el contrato. Y el Consejo se lo arrebató a la empresa M2 Exhibit para dárselo a En Punto Relaciones Públicas. Sí, los Henkel se quedaron con la organización del codiciado tianguis, pero como no tenían experiencia alguna

ANEXO 25

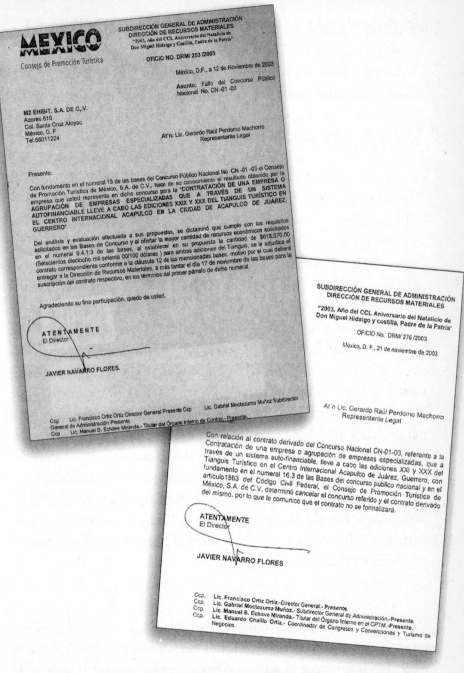

MEXICO
Consejo de Promoción Turística

SUBDIRECCIÓN GENERAL DE ADMINISTRACIÓN
DIRECCIÓN DE RECURSOS MATERIALES
"2003, Año del CCL Aniversario del Natalicio de
Don Miguel Hidalgo y Costilla, Padre de la Patria"

OFICIO NO. DRM/ 253 /2003

México, D.F., a 12 de Noviembre de 2003

Asunto: Fallo del Concurso Público
Nacional No. CN-01-03

M2 EHIBIT, S.A. DE C.V.
Azores 810
Col. Santa Cruz Atoyac
México, D. F.
Tel.56011224

At'n: Lic. Gerardo Raúl Perdomo Machorro
Representante Legal

Presente:

Con fundamento en el numeral 15 de las bases del Concurso Público Nacional No. CN-01-03 el Consejo de Promoción Turística de México, S.A. de C.V., hace de su conocimiento el resultado obtenido por la empresa que usted representa en dicho concurso para la "CONTRATACIÓN DE UNA EMPRESA O AGRUPACIÓN DE EMPRESAS ESPECIALIZADAS QUE A TRAVÉS DE UN SISTEMA AUTOFINANCIABLE LLEVE A CABO LAS EDICIONES XXIX Y XXX DEL TIANGUIS TURÍSTICO EN EL CENTRO INTERNACIONAL ACAPULCO EN LA CIUDAD DE ACAPULCO DE JUAREZ, GUERRERO"

Del análisis y evaluación efectuada a sus propuestas, se dictaminó que cumple con los requisitos solicitados en las Bases de Concurso y al ofertar la mayor cantidad de recursos económicos solicitados en el numeral 9.4.1.3 de las bases, al establecer en su propuesta la cantidad de $618,070.00 (Seiscientos dieciocho mil setenta 00/100 dólares) para ambas adiciones del Tianguis, se le adjudica el contrato correspondiente conforme a la cláusula 12 de las mencionadas bases, motivo por el cual deberá entregar a la Dirección de Recursos Materiales, a más tardar el día 17 de noviembre de las bases para la suscripción del contrato respectivo, en los términos del primer párrafo de dicho numeral.

Agradeciendo su fina participación, quedo de usted.

ATENTAMENTE
El Director

JAVIER NAVARRO FLORES.

Ccp   Lic. Francisco Ortiz Ortiz Director General Presente Ccp   Lic. Gabriel Moctezuma Muñoz Subdirector
General de Administración Presente
Ccp   Lic. Manuel B. Echave Miranda.- Titular del Órgano Interno de Control.- Presente.

SUBDIRECCIÓN GENERAL DE ADMINISTRACIÓN
DIRECCIÓN DE RECURSOS MATERIALES
"2003, Año del CCL Aniversario del Natalicio de
Don Miguel Hidalgo y costilla, Padre de la Patria"

OFICIO No. DRM/ 276 /2003

México, D. F., 21 de noviembre de 2003.

At'n Lic. Gerardo Raúl Perdomo Machorro
Representante Legal

Con relación al contrato derivado del Concurso Nacional CN-01-03, referente a la Contratación de una empresa o agrupación de empresas especializadas, que a través de un sistema auto-financiable, lleve a cabo las ediciones XXI y XXX del Tianguis Turístico en el Centro Internacional Acapulco de Juárez, Guerrero, con fundamento en el numeral 16.3 de las Bases del concurso público nacional y en el artículo 1863 del Código Civil Federal, el Consejo de Promoción Turística de México, S.A. de C.V. determinó cancelar el concurso referido y el contrato derivado del mismo, por lo que le comunico que el contrato no se formalizará.

ATENTAMENTE
El Director

JAVIER NAVARRO FLORES

Ccp.   Lic. Francisco Ortiz Ortiz.-Director General.- Presente.
Ccp.   Lic. Gabriel Moctezuma Muñoz.- Subdirector General de Administración.-Presente.
Ccp.   Lic. Manuel B. Echave Miranda.- Titular del Órgano Interno en el CPTM.-Presente.
Ccp.   Lic. Eduardo Chaillo Ortiz.- Coordinador de Congresos y Convenciones y Turismo de Negocios.

Revocación injustificada del contrato para organizar el Tianguis Turístico de Acapulco ediciones XXIX y XXX para después dárselo directamente a En Punto Relaciones Públicas, S.A. de C.V., la empresa de los amigos de la pareja presidencial, Eduardo y Rosaura Henkel.

en el tema se apoyaron en una de las empresas que había participado en el concurso: Expo Exprés.

Empresarios inconformes con todo este peculiar procedimiento proporcionaron fotografías que comprueban que directivos de Expo Exprés trabajaron con En Punto Relaciones Públicas en la organización del tianguis.

Nada es coincidencia. En los supuestos concursos por invitación a por lo menos tres personas que hizo la Presidencia de la República en 2003 y 2004 para elegir al proveedor que asesoraría y desarrollaría los eventos presidenciales, dos de las tres empresas que han concursado son, por supuesto, En Punto Relaciones Públicas y Expo Exprés.

La cosecha de los Henkel continúa. Una muestra del importante papel de los Henkel en el sexenio y su influencia fue el despliegue de funcionarios públicos que asistieron a la boda de Daniela Henkel Longoria y Carlos San Martín Laguna.

Según la crónica publicada en la revista de sociales *Casas & Gente*, la fiesta se llevó a cabo en la azotea del Camino Real, en la que se colocó una carpa negra, acondicionada y ambientada para dar cabida a más de 1 000 invitados, desde donde se contemplaba el Castillo de Chapultepec, también iluminado.

Entre los invitados estuvieron Santiago Creel, entonces secretario de Gobernación y hoy precandidato del PAN a la Presidencia de la República, Felipe Calderón Hinojosa —otro aspirante panista a la Presidencia— y su esposa Margarita Zavala y Francisco Ortiz Ortiz, entre otros.

* * *

Pero no hay de qué extrañarse: éste es el *gobierno del cambio*, en el cual se enredan las relaciones personales con los ilimitados negocios que ofrece el acceso al poder, en un presunto tráfico de influencias.

No hay que preocuparse mientras sigamos siendo pacientes, comprensivos y tolerantes con el pomposamente llamado *gobierno del cambio*, en el cual lo único que ha cambiado son las finanzas personales de todos aquellos que son protegidos con el benigno manto de la familia presidencial.

CUADRO 8.1. Contratos recibidos por José Cosme Mares antes de la llegada de su amigo Fox a la Presidencia (en miles de pesos)

	Fecha	*Monto*	*Anticipo*	
O-K-CB-A-501-W-0-0 Irapuato-Lim.	11/02/2000	11 964	5%	598
O-J-CB-A-509-W-0-0 Durango-Lim.	11/02/2000	10 317	10%	1 031
O-J-CB-A-526-W-00 Durango-Mazatlán Durango-Lim. Durango-Sin.	10/04/2000	7 405	5%	240

CUADRO 8.2. Contratos recibidos por José Cosme Mares después de la llegada de Vicente Fox a la Presidencia (en miles de pesos)

	Fecha	*Monto*	*Anticipo*	
1. 1-K-CB-A-507-W-O-1 Acámbaro-Salvatierra Morelia-Celaya	30/01/2001	9 296	30%	2 425
2. 1-R-cb-a-501-w-0-1[b] Tepic-Lim., Tepic-Mazatlán	30/03/2001	11 731[a]	30%	3 339
3. 1-R-CB-A-502-W-01 Tepic-Lim., Tepic-Mazatlán, Ramal Sentispac-La Batanga	30/03/2001	7 443	30%	2 233

CUADRO 8.2 (*continuación*)

	Fecha	Monto	Anticipo	
4. 1-R-CB-A-503-W-01 Tepic-Lim., Tepic-Mazatlán	30/03/2001	6 973[a]	30%	2 045
5. 1-Y-CB-A-506-W-01 Mazatlán-Culiacán	02/04/2001	11 460	30%	3 358
(Facopsa y Triturados de California)				
6. 1-Z-CB-A.512-W-0-1 Ciudad Obregón-Hermosillo	10/04/2001	50 887	20%	10 177
7. 1-R-CB-A-509-W-0-1 Tepic-Mazatlán ramal Tuxpan	30/04/2001	3 541	30%	960
8. 1-T-CE-A-501-W-0-1 Oaxaca-Mitla	07/06/2001	47 468	30%	14,240
9. 1-D-CE-A-542-W-01 Ciudad del Carmen-Campeche	20/07/2001	75 007	30%	22 502
10. 1-L-CE-A-570-W-0-1 Acapulco-Zihuatanejo- Lázaro Cardenas	27/08/2001	6 236[a]	25%	13 389
11. 1-4-CE-A-586-W-0-1 Puebla-Xalapa	05/12/2001	72 134[a]	30%	21 000
12. 1-4-CE-A-587-W-0-1	05/12/2001	81 423[a]	30%	21 000
SUBTOTAL 2001				439 723
13. 2-N-CB-A-503-W-0-2 León-Aguascalientes	04/02/02	10 560	30%	3 168
14. 2-C-CB-A-516-W-0-2	25/03/2002	42 623	30%	12 495
15. 2-C-CE-A-527-W-2-2 Libramiento Cabo San Lucas-La Paz	12/04/2002	73 107	30%	22 580
16. 2-C-CB-A-515-W-2-2[c] Cabo San Lucas-La Paz (acotamiento)	25/03/2002	23 098	30%	4 470

CUADRO 8.2 (*conclusión*)

	Fecha	Monto	Anticipo	
17. 2-C-CE-A-525-W-0-2 Cabo San Lucas-La Paz	16/04/2002[d]	46 744	30%	13 723
18. 2-C-B-CB-A-531-W-0-2 Cabo San Lucas-La Paz Aeropuerto Los Cabos (APEC)	08/05/2002	37 041	30%	11 112
19. 2-J-CB-A-518-W-0-2 Durango-Lim. Durango-Sin. Durango-Mazatlán (Rostec y Facopsa)	16/05/2002	40 425	30%	12 127
20. 2-D-CE-A-539-W-0-2 (Barrita-Sabancuy, Camp.)	8/11/2002	66 860	30%	15 558
21. 4-L-CE-A-579-W-0-4 (Chilpancingo-Petaquillas)	5/10/2004	34 984	30%	4 499

FUENTE: Secretaría de Comunicaciones y Transportes.
Todos los contratos fueron firmados por los directores generales de la SCT en los estados correspondientes.

[a] Sobrepasan el monto aprobado por la Secretaría de Hacienda, según el contenido de los contratos que obran en nuestro poder.
[b] Cabe señalar que aunque las obras se realizan en la misma carretera, son en diferentes tramos.
[c] Este contrato fue modificado por un monto de 55% más del pactado originalmente por requerirse "la realización de volúmenes adicionales y conceptos extraordinarios no contemplados en el proyecto inicial". Dicha modificación fue aprobada por la Oficialía Mayor de la Secretaría de Comunicaciones y Transportes.
[d] Le ampliaron el plazo de terminación por 37.65% del plazo original del contrato.

Nota 1: cabe señalar que José Cosme Mares da como domicilio de su empresa en todos los contratos firmados el de Periférico Sur núm. 3343, piso 7, colonia San Jerónimo Lídice, México, D.F., C.P. 10200, teléfono 56818829; pero si uno llama a ese teléfono, una recepcionista responde: "Dirección Profesional para Empresas".

Nota 2: en total son 28 contratos firmados entre SCT y Facopsa. La dependencia sólo entregó 21 con base en una solicitud de acceso a la información, y clasificó siete como reservados porque están sujetos a proceso.

Índice onomástico

LA FAMILIA PRESIDENCIAL
El gobierno del cambio bajo sospecha de corrupción
de Anabel Hernández y Arelí Quintero
se terminó de imprimir en septiembre de 2005 en
Impresora Titas, S.A. de C.V.
Venado N° 104, Col. Los Olivos
México, D. F.